NAPOLEON HILL

A MASTER CLASS

Título original: *Napoleon Hill's Master Course*

Copyright © 2020 by The Napoleon Hill Foundation

A masterclass de Napoleon Hill
1ª edição: Fevereiro 2022

Direitos reservados desta edição: CDG Edições e Publicações

O conteúdo desta obra é de total responsabilidade do autor e não reflete necessariamente a opinião da editora.

Autor:
Napoleon Hill

Tradução:
Adriana Krainski

Preparação de texto:
Tássia Carvalho

Revisão:
Iracy Borges e 3GB Consulting

Projeto gráfico e capa:
Jéssica Wendy

DADOS INTERNACIONAIS DE CATALOGAÇÃO NA PUBLICAÇÃO (CIP)

Hill, Napoleon.
 A masterclass de Napoleon Hill / Napoleon Hill ; tradução de Adriana Krainski. — São Paulo : Citadel, 2022.
 368 p.

ISBN 978-65-5047-112-5
Título original: Napoleon Hill's Master Course

1. Autoajuda 2. Desenvolvimento pessoal I. Título II. Krainski, Adriana

22-1163   CDD 158.1

Angélica Ilacqua - Bibliotecária - CRB-8/7057

Produção editorial e distribuição:

contato@citadel.com.br
www.citadel.com.br

Este livro é formado por transcrições editadas de gravações de áudio de palestras ministradas por Napoleon Hill em sua Masterclass. O material foi entregue em Chicago, maio de 1954, ao público que estava sendo preparado para ensinar esta filosofia.

NAPOLEON HILL

A MASTER CLASS
de *Napoleon Hill*

Tradução:
Adriana Krainski

CITADEL
Grupo Editorial

2022

Sumário

1. Definição do propósito principal — 7
2. Aplicação do princípio do propósito principal definido — 29
3. MasterMind — 47
4. Fé aplicada — 67
5. Caminhada de um quilômetro a mais — 79
6. Personalidade agradável — 107
7. Liderança e iniciativa — 127
8. Atitude mental positiva — 155
9. Autodisciplina — 175
10. Cultivo do entusiasmo — 209
11. Pensamento aguçado — 223
12. Concentração — 253
13. Aprendizado com a adversidade — 271
14. Visão criativa e imaginação — 297
15. Manutenção da boa saúde — 321
16. Força cósmica do hábito — 335
17. Planejamento do tempo e dos recursos — 357

1

Definição do propósito principal

Esta filosofia se baseia em sete grandes premissas apresentadas a seguir.

Primeira – A definição do propósito é o ponto de partida de todas as realizações, inclusive as individuais. Um propósito bem definido precisa vir acompanhado de um plano definido para implementação, seguido de uma ação pertinente. É preciso ter um propósito, ter um plano e colocá-lo em ação. Não importa tanto a exatidão do plano, pois, caso se perceba a impropriedade dele, é sempre possível modificá-lo. Mas é muito importante definir não só aquilo que se está buscando, mas também o seu propósito. Não pode haver dúvidas nem reservas a esse respeito. Antes do fim desta lição, você compreenderá a relevância de um propósito definido.

Só entender, ler ou ouvir sobre essa filosofia não seria de grande valor para você. O benefício virá quando começar a formar os próprios padrões e aplicá-los à sua vida cotidiana, ao seu trabalho, às suas relações interpessoais. É daí que virão os proveitos.

Segunda – Todas as realizações individuais resultam de uma motivação ou de uma combinação de motivações. Você não tem direito de pedir alguma coisa a alguém, em qualquer momento, sem oferecer à pessoa uma motivação adequada.

Por coincidência, esta é a urdidura e a trama de qualquer venda: a capacidade de semear na cabeça do potencial comprador uma motivação adequada para a compra.

Há nove motivações básicas. Tudo que as pessoas fazem ou deixam de fazer pode ser classificado de acordo com essas nove categorias. Aprenda a lidar com as pessoas por meio das motivações adequadas para que façam as coisas que você quer.

Muitos daqueles que se dizem vendedores nunca ouviram falar de tais motivações básicas. Portanto, não sabem que não têm qualquer direito de fechar uma venda se não fomentarem uma motivação na mente do comprador. As nove motivações básicas são:

1. autopreservação
2. ganho financeiro
3. amor
4. sexo
5. desejo de fama e poder
6. medo
7. vingança
8. liberdade corporal e mental
9. desejo de criar

Terceira – Qualquer ideia, plano ou propósito dominante mentalizado por meio da reiteração de pensamentos e emoções, aliado a um desejo profundo de realização, é incorporado pelo subconsciente e executado por qualquer meio natural e lógico que esteja disponível.

Neste momento, você conhecerá uma excepcional lição de psicologia. Se você deseja que sua mente se prenda a uma ideia e forme um hábito, de modo que passe a agir automaticamente, é preciso dizer-lhe muitas e muitas vezes o que você quer.

Quando Émile Coué[1] propagou sua famosa fórmula "Todos os dias, sob todos os pontos de vista, eu sou cada vez melhor", ele curou milhares de pessoas, não muito mais do que isso, e pergunto-lhe se imagina o porquê. Não havia desejo, não havia um sentimento transbordando nessa afirmação. Se você não incorporar sentimentos a uma afirmação, ela se resumirá a palavras ao vento.

No entanto, se repetir algo para si mesmo reiteradas vezes, passará a acreditar nisso, ainda que seja mentira. Engraçado, não? Mas é verdade. Há quem conte tantas pequenas mentiras inofensivas (e às vezes nem tão inofensivas) que começa a acreditar nelas.

A mente subconsciente não diferencia o certo do errado. Não diferencia o positivo do negativo. Não diferencia um centavo de US$ 1 milhão. Não diferencia o sucesso do fracasso. A mente se limita a aceitar qualquer mensagem que você ficar repetindo em pensamento, em palavras ou de qualquer outra forma.

A princípio, cabe a você definir o seu propósito principal, anotá-lo para que ele seja compreendido, memorizado, e passar a repeti-lo todos os dias até que a sua mente subconsciente o incorpore e aja naturalmente embasada nesse significativo princípio.

Isso levará algum tempo. Ninguém abandona todos os seus hábitos do dia para a noite. A mente subconsciente tem recaídas, permitindo que pensamentos negativos a dominem. Não espere mudanças do dia para a noite. Mas você descobrirá que, se inserir emoção em

---

1. Émile Coué (1857–1926) foi um notável psicólogo, farmacêutico e esperantista que criou um método de psicoterapia baseado na autossugestão.

qualquer plano que mandar para a sua mente subconsciente e repeti-lo com entusiasmo e fé, a mente subconsciente não só agirá mais rápido, como também agirá com mais certeza e positividade.

Quarta – Qualquer desejo, plano ou propósito dominante que se respalde em um estado mental conhecido como *fé* quase sempre é incorporado pela mente subconsciente e aplicado de imediato. Só esse estado mental é capaz de produzir ações imediatas por meio do subconsciente. Quando digo *fé*, não me refiro a um desejo, uma esperança ou uma crença discreta. Refiro-me a um estado mental que lhe permite vislumbrar o ato consumado, antes mesmo de ele começar. Isso, sim, é positividade, não é?

Confesso com sinceridade que nunca, em toda a vida, fracassei em algo que obriguei minha mente a fazer, exceto quando descuidei do meu desejo e desisti dele, ou quando mudei de ideia ou de atitude mental. E acrescento ainda que você pode se colocar em um estado de espírito que lhe possibilitará fazer qualquer coisa que decida, a menos que fraqueje durante o percurso, o que acontece com muitas pessoas.

Repito: qualquer desejo, plano ou propósito dominante respaldado em um estado mental conhecido como *fé* é incorporado pelo subconsciente, que passa a agir com base nele.

Desconfio que um número muito reduzido de pessoas realmente entenda o princípio da fé e como aplicá-lo. E mesmo que você o entenda, se não agir com base nele e torná-lo um hábito cotidiano, é como se não entendesse nada, pois a fé sem ações e sem crença absoluta e positiva está morta. Não sei se conquistará resultados a partir da crença, a menos que aja levando-a em consideração.

Portanto, se você ficar repetindo para sua mente que tem fé em algo, em determinado momento a mente subconsciente passará a acreditar, mesmo se lhe disser que tem fé em si mesmo. Já pensou que coisa boa seria se você tivesse tanta fé em si mesmo que não hesitasse em realizar tudo o que quisesse da vida? Já pensou em todos os benefícios que isso lhe traria?

No decorrer da vida, muitas pessoas – em torno de 98% a 100% delas – deixam de acreditar em si mesmas porque lhes falta confiança e, sobretudo, fé. Nunca desenvolvem a autoconfiança necessária para arriscar e fazer as coisas que desejam; apenas aceitam a vida tal como se mostra para elas.

Nunca, em toda a vida, aceitei algo que eu não quisesse. Empurraram muitas coisas na minha direção das quais eu não gostava, que não cheiravam bem, mas não as aceitei; não me tornei parte daquilo.

O homem mais grandioso que já conheci, sem sombra de dúvidas – e olha que já conheci muitos homens grandiosos –, assim considerado por sua habilidade em aplicar essa filosofia, foi o falecido Mahatma Gandhi. Ele entendia os princípios da fé. Não só os entendia, mas também os usou para libertar a Índia.

Uma lição maravilhosa envolve a arte de depender apenas de si mesmo e usar a própria mente. Não é estranho o funcionamento da natureza? Ela nos dá um *kit* de ferramentas, tudo de que precisamos para nossas conquistas e desejos. Ela nos brinda com um *kit* de ferramentas adequado para cada necessidade e recompensa em abundância quem o aceita. Basta aceitá-lo e usá-lo.

A natureza pune impiedosamente quem não aceita e não usa esse presente, pois odeia o vácuo e a ociosidade. Ela, além de desejar ver tudo em ação, quer sobretudo que a mente humana esteja em ação. A mente não difere das outras partes do corpo. Se não a usar, não confiar nela, acabará se tornando tão atrofiada e enfraquecida que qualquer pessoa conseguirá dominá-la. Muitas vezes, você nem tem mais forças para resistir ou protestar.

Quinta – O poder do pensamento é a única coisa que qualquer ser humano tem meios absolutos e inquestionáveis de controlar. Esse fato é tão impressionante que denota a proximidade entre a mente humana e a inteligência infinita.

Há apenas cinco elementos conhecidos em todo o universo, e, a partir deles, a natureza moldou tudo o que existe, dos menores elétrons e prótons da matéria até as pedras mais maciças que flutuam no firmamento, incluindo você e eu. São apenas cinco elementos: tempo, espaço, energia e matéria, e esses quatro não serviriam de nada sem o quinto elemento. Tudo se reduziria ao caos; você e eu nem sequer existiríamos.

Trata-se da inteligência universal, que se faz sentir em cada folha de relva, em tudo que cresce da terra, em todos os prótons e elétrons, no espaço e no tempo, agindo o tempo todo. Essa inteligência permeia todo o universo: o espaço, o tempo, a matéria, a energia, tudo.

As pessoas mais bem-sucedidas são aquelas que encontram formas adequadas de apropriação dessa inteligência por meio do próprio cérebro, e as colocam em ação. E todos têm o privilégio de se apossar dessa inteligência o quanto quiserem, basicamente a usando. Apenas entender ou acreditar não basta. É preciso, de alguma forma, dar um uso especializado a ela.

Acredito em milagres. Mas, nos últimos cinquenta anos, vi muitos milagres que hoje explico com facilidade: deixaram de ser milagres. Em última análise, é claro, milagres inexistem, porque todo efeito tem uma causa natural. Quando não conseguimos descobri-la, muitas vezes, o efeito é tão devastador que o chamamos de milagre.

Para mim, o milagre mais notável é a mente humana. A mente da pessoa mais humilde é capaz de se desenvolver em proporções que ultrapassam a imaginação. Pense em alguém como Henry Ford ou Thomas Edison, que começaram sem qualquer educação formal e construíram dois impérios gigantescos: Edison, que nos conduziu à grandiosidade da era da energia elétrica; e Ford, à grandiosidade da era do automóvel. E, então, lembre-se de Napoleon Hill, que criou uma filosofia que beneficiou milhões de pessoas e continuará beneficiando milhões de outras depois que se for. Como ele seria capaz de tudo isso se não tivesse usado a própria mente?

Não foi a minha formação acadêmica que me permitiu realizar algo tão grandioso, porque tive muito pouca. Não foi o meu patrimônio, porque não tinha nada. O próprio senhor Carnegie se negou a me subsidiar, com certeza uma das melhores coisas que já me aconteceram, embora eu não tenha pensado assim à época.

Honestamente, aconteceram coisas tão fantásticas que, quando eu e o meu sócio, W. Clement Stone, damos palestras, temos de nos controlar. Se contássemos tudo por que passamos, os eventos pareceriam tão fantásticos, tão inviáveis, que as pessoas que não conhecem o meu passado não acreditariam em nada. Às vezes me pergunto se eu mesmo acredito em tudo.

Comecei em grande desvantagem, que trouxe comigo das minhas experiências passadas, bem como aquela que me esperava ao chegar aqui. Com uma série de manipulações, sempre recorrendo ao uso da própria mente, consegui entrar, penetrar, examinar e extrair a essência daquilo que quinhentos dos homens mais inteligentes deste país conquistaram em uma vida inteira de esforços. Preciso explicar tudo de modo que a mais humilde das pessoas não só entenda, mas também aceite, aplique e use em benefício próprio. Nunca, em tempo algum, um escritor realizou tal feito, nem colocou em termos simples uma filosofia que possa ser aplicada no dia a dia, em qualquer lugar, por qualquer pessoa, em qualquer situação.

Tudo isso remete ao poder milagroso da mente humana, o qual só lhe será benéfico se for reconhecido, aceito e usado. A principal responsabilidade desta obra é oferecer um padrão, um esquema, que o ajude a se apoderar da própria mente e fazê-la agir. Basta que siga o esquema. Não se detenha simplesmente na sua parte preferida e jogue o resto fora. Pegue tudo, da forma como lhe está sendo apresentado.

Conheci um homem, não muito tempo atrás, que acumulou uma fortuna considerável em pouquíssimos anos, de forma honesta. Ele disse: "Napoleon Hill, quero contar algo que poderá impressioná-lo. Quando um dos seus livros foi parar nas minhas mãos, minha esposa e eu o lemos juntos, e ela desdenhou dele e não o aceitou. Apesar de não ser tão inteligente quanto minha mulher, aceitei suas lições e fiquei muito rico".

Em sua vida, encontrará pessoas muito mais inteligentes que você, as quais sabem todas as respostas e relutarão em aceitar esta filosofia, pensando que não funcionará para elas. Você conhecerá pessoas assim, mas não se deixe abalar.

Eu me sentia abalado pelo fato de nem todos aceitarem e adotarem esta filosofia. No entanto, alguns anos atrás, aprendi uma lição mais importante do que qualquer coisa que pudesse ter acontecido comigo na época. Estava reclamando da ingratidão de um dos meus alunos, quando um homem muito mais velho do que eu disse: "Olha aqui, Napoleon Hill, há uns 1.900 anos, um homem esplêndido veio a este mundo com uma filosofia de vida também esplêndida. E acredita que ele não agradava a 100% dos seus seguidores? Bem, na verdade, você está se saindo muito melhor do que ele, que contava com apenas doze discípulos, e um deles o traiu. O que importa se um ou outro se volta contra você? Quem é você para esperar agradar a todos? Se não agradar, o problema é deles, não seu. Lembre-se disso".

Não deixe que a descrença de alguém o abale. É inviável esperar que todos acreditem. Não passaria de uma utopia imaginar que todas as pessoas fossem capazes de acreditar no que conquistarão se assimilarem esta filosofia. Você não terá medo da bomba de hidrogênio ou de qualquer outro tipo de bomba.

Sexta – A mente subconsciente parece ser a única porta de entrada, a partir da perspectiva individual, para a inteligência infinita. Preste atenção às palavras. Eu disse "parece ser", o que significa que não sei se é de fato. Duvido que você ou qualquer um saiba com certeza. Muitas pessoas têm ideias bem diferentes a esse respeito, mas, a partir das melhores observações que fiz no decorrer de milhares de experimentos, parece verdade que a mente subconsciente é a única porta de entrada, a partir da perspectiva individual, para a inteligência infinita, capaz de ser influenciada pelas pessoas por intermédio dos meios descritos nesta lição e nas próximas.

O alicerce do método é a fé baseada na definição de propósito. Essa expressão desvenda o mistério de todo o fragmento textual anterior: a fé baseada na definição de propósito. Você tem noção do motivo de não confiar tanto em si mesmo quanto deveria? Já pensou nisso? Já pensou por que, quando se vê diante de uma oportunidade ou de algo que acredita ser uma oportunidade, começa a questionar a sua capacidade de explorá-la e usá-la? Isso não aconteceu com você inúmeras vezes?

Se você já teve uma oportunidade de se relacionar com pessoas de muito sucesso, sabe que, se elas querem algo, nunca se imaginam incapazes de consegui-lo.

Espero que, ao conhecerem a Napoleon Hill Associates, também conheçam melhor a trajetória do meu sócio, o Sr. Stone, porque, se há um homem que compreende o poder da própria mente e se dispõe a confiar nela, é ele. Na verdade, chega a ser contagiante. Eu pensava que havia uma fonte melhor, mas, acreditem, tenho liberdade de ir até o Sr. Stone a qualquer momento, e minhas baterias saem do encontro recarregadas. Como é bom estar perto de alguém com absoluto autocontrole, e ainda capaz de manter tudo sob controle. Acho que o Sr. Stone não se preocupa com nada, nem sequer toleraria qualquer preocupação. Por quê? Porque ele confia na própria capacidade de usar a mente e fazê-la criar as circunstâncias que quer criar. Essa é a condição operacional de qualquer mente vencedora, e será a condição da sua mente ao entender esta filosofia. Você conseguirá projetar a mente em qualquer objetivo que escolha, jamais se questionando se consegue fazer o que deseja. Falo com certeza absoluta.

Sétima – Em todos os cérebros existem um aparelho receptor e uma estação de transmissão para as vibrações do pensamento. Esse fato explica a importância de viver com um propósito definido, sem andar à deriva, uma vez que o cérebro poderá ficar tão profundamente carregado com a natureza do próprio propósito que começará a atrair os equivalentes físicos ou materiais desse propósito.

Volte ao parágrafo anterior, analise-o, leia-o diversas vezes e faça-o entrar na sua consciência. O primeiro aparelho de difusão e recepção inventado foi o que existe não só no cérebro humano, mas também no de vários outros animais incríveis. Tenho um casal de cães da raça Lulu da Pomerânia que sabem exatamente o que estou pensando antes mesmo de eu saber. São tão espertos que conseguem se conectar comigo. Quando saímos para dar uma volta de carro, eles já sabem se vão nos acompanhar ou não. Não é preciso que eu diga nada, pois os animais estão sempre em uma sintonia telepática comigo.

A nossa mente emana vibrações constantemente. Se você é um vendedor e vai contatar um potencial cliente, a venda tem de ser feita antes mesmo de que esteja diante do comprador. Já pensou nisso? Se você vai fazer alguma coisa que requer a cooperação de outras pessoas, condicione a sua mente de forma que saiba que a outra parte irá cooperar.

Por quê? Primeiro, porque você lhe oferecerá um plano tão bom, honesto e benéfico que o seu cliente não o recusará. Em outras palavras, você tem o direito de contar com a cooperação dele. E ficaria surpreso com as mudanças nas pessoas quando elas emanam pensamentos positivos através dessa estação de transmissão e deixam de irradiar pensamentos negativos como o medo.

Se quer um bom exemplo do funcionamento dessa estação de transmissão, imagine que precisa desesperadamente de mil dólares até depois de amanhã, ou então vão tomar o seu carro ou os móveis da sua casa. Você simplesmente precisa dos mil dólares. Então vai ao banco e, assim que passa pela porta, o caixa percebe a urgência em você, e acabará agindo para que não obtenha o valor.

Não é engraçado? Não. É trágico. Você tem fósforos no bolso e às vezes acaba botando fogo na própria casa; dissemina pensamentos, e eles chegam antes de você. Ao chegar lá, descobre que, em vez de granjear a cooperação que deseja, é recebido com ressalvas, ou seja, a pessoa incorpora e reflete o estado de espírito que chegou antes mesmo de você.

Ganhei a vida por um bom tempo ensinando técnicas de vendas, enquanto pesquisava sobre esta filosofia, e treinei mais de trinta mil vendedores. Muitos deles se tornaram membros da Mesa-Redonda Milionária no setor de seguros de vida, uma coisa que de fato precisa ser vendida. Ninguém compra seguro de vida; ele precisa ser vendido. A primeira lição que ensinei aos meus alunos era que eles precisavam vender para si mesmos antes de tentar vender para mais alguém. Se não fizessem isso, não conseguiriam vender. Alguém poderá até acabar comprando algo deles, mas nunca farão uma venda se não venderem primeiro para si.

E mais: às vezes você se sente mal-humorado, talvez um pouco triste, e nem identifica o problema. Já se sentiu assim?

Não me sinto mais. Se você estiver em um estado de espírito negativo, estude-se com atenção e procure entender a causa. Sabia que pode estar constantemente recebendo as vibrações emanadas por outras pessoas mal-humoradas, que estão frustradas? Você sabia que elas vivem em um estado caótico? As pessoas falam sobre a destruição total da humanidade, esperando e orando pelo dia em que uma bomba de hidrogênio destruirá cidades inteiras. O que você espera que aconteça se milhões de pessoas continuarem esperando e orando pela destruição? O que acha que irá acontecer? O inevitável, é isso que acontecerá.

Este mundo precisa renascer para que as pessoas entendam o poder e a dignidade das próprias mentes, para que consigam concentrar-se em coisas construtivas e afastar-se das destrutivas. Cada cérebro é uma estação de transmissão e um aparelho receptor.

Alguns anos atrás, quando eu ainda estava começando, apresentei uma série de palestras na Harvard Business School. Contei à plateia que as minhas observações a respeito de Alexander Graham Bell e de Elmer R. Gates me levavam a acreditar que o éter conseguia transportar sons que o ouvido humano não era capaz de interpretar, que o cérebro humano vivia em um constante processo de captar pensamentos de outros cérebros e de emanar pensamentos captados por outros cérebros.

Não fui muito além disso quando ouvi sapatos se arrastando pela sala. Aí vi sorrisinhos forçados nos rostos, os quais acabaram virando uma gargalhada equina. Colocaram-me para correr.

Eu poderia até voltar a Harvard e ao mesmo grupo de homens e mulheres. Poderia começar me desculpando por ter que competir com tantos ruídos na sala, toda a orquestra – pessoas cantando, pessoas brincando, pessoas conversando para competir comigo – e pedir a eles que, por favor, ficassem comigo e não prestassem atenção aos outros? Eles vão me ouvir. Desaparecerão o arrastar de pés e as risadas quando eu falar, porque saberão que é verdade.

Há inúmeros barulhos nesta sala agora, transportados pelo éter, o meio que leva os pensamentos de um cérebro para outro. Você pode estar tão sintonizado com outra pessoa que se comunicará com ela por telepatia.

Eu não faria essa afirmação se não soubesse que é verdade. E como você acha que eu sei? Simplesmente porque passei por essa experiência. Alguns anos atrás, eu estava caminhando pelo Central Park, em Nova York, onde havia pelo menos umas três ou quatro mil pessoas. A minha esposa queria que eu fosse até a estação emissora da Columbia, onde estava negociando um programa, e que chegasse lá às treze horas, pois haveria uma reunião importante. Ela me enviou a informação mentalmente. Eu a recebi. Portanto, em vez de voltar para casa, segui direto para o local, aonde cheguei faltando um minuto para a reunião. Se me enviassem uma carta com essa informação, não teria sido tão clara.

Também alguns anos atrás, eu estava dando uma palestra em Nova Jersey, no Rotary Clube. Depois de concluí-la, muitos dos presentes se reuniram ao meu redor e nos sentamos para uma roda de conversa. Uma hora e meia passada, de repente falei: "Com licença, cavalheiros, preciso atender a uma chamada. Minha esposa está me ligando", fui até o telefone e atendi à chamada. Ela disse: "Você está atrasado".

Voltei à roda e expliquei:

— Desculpem-me, cavalheiros, a minha esposa está ansiosa por conta do meu atraso. Ela queria saber se tinha acontecido alguma coisa.

Eles perguntaram:

— Como você sabia que sua esposa estava telefonando?

— Ah, é segredo — respondi, sem me dar o trabalho de explicar, porque temi que comprometesse a palestra. Achei melhor não falar demais.

Mas com vocês, meus alunos, posso ser sincero: confio em vocês. Desse modo, tenho liberdade de lhes contar experiências pessoais extraordinárias que indicam, sem sombra de dúvidas, que o cérebro é uma estação de transmissão e um aparelho receptor, e que é possível sintonizá-lo para atrair só as vibrações positivas emanadas por outras pessoas. Esse é o objetivo. Você pode treinar a própria mente para captar, em meio a inúmeras vibrações que estão flutuando por aí, apenas as coisas relacionadas àquilo que mais deseja na vida.

Como? Concentrando-se no que você mais quer na vida: o seu propósito principal definido. Por meio da repetição, do pensamento e da ação, o cérebro vai deixar de absorver qualquer coisa que não se relacione à definição do seu propósito. Você é capaz de educá-lo para que ele se negue veementemente a absorver quaisquer vibrações não associadas ao seu propósito. Quando conseguir controlar o seu cérebro, você estará no caminho certo; estará na frequência certa.

BENEFÍCIOS DA DEFINIÇÃO DE PROPÓSITO

Agora vamos conhecer alguns dos benefícios da definição de propósito. Nunca sugeri a alguém que fizesse algo sem lhe dar um bom motivo para tanto. Quando falo sobre semear motivação na mente das pessoas, não me refiro simplesmente a algo para você seguir, pois eu também o faço. E ainda posso destacar alguns motivos muito bons para você perseverar nesta lição.

Em primeiro lugar, a definição de propósito fomenta automaticamente a autoconfiança, a iniciativa pessoal, a imaginação, o entusiasmo, a autodisciplina e a concentração de esforços, pré-requisitos vitais para o sucesso. Você desenvolve uma série de atributos ao definir o seu propósito, o que significa que sabe o que quer, que tem um plano para conquistá-lo e que mantém a mente ocupada, sobretudo, com a execução desse plano.

Ao adotar determinados planos, é bem provável que alguns não funcionem tão bem, a não ser que você seja alguém atípico. Assim que descobrir que seu plano não está certo, descarte-o imediatamente, procure outro e siga em frente até encontrar um que funcione. Durante o processo, lembre-se apenas de uma coisa: talvez a inteligência infinita, dotada de uma grande dose de sabedoria, tenha um plano melhor para você.

Mantenha a mente aberta. Se você adotar um plano para realizar o seu propósito principal ou outro menos relevante e ele não funcionar bem, descarte-o e peça orientação à inteligência infinita. Talvez tenha êxito.

Como ter certeza de que irá conseguir? Como acreditar que irá conseguir? Acredite que terá êxito, e não vai doer se disser isso em alto e bom tom. Desconfio que o Criador deva conhecer os seus pensamentos, mas descobri que, se você os expressar com entusiasmo, não fará mal algum. E tenho certeza de que não faz mal algum despertar o próprio subconsciente.

Quando escrevi *Quem pensa enriquece*, o título original era *Os treze passos rumo à riqueza*, e tanto o editor quanto eu sabíamos que não venderia bem. Precisávamos de um título milionário.

O editor me importunava para que eu definisse o nome do livro. Escrevi quinhentos ou seiscentos títulos, e nenhum era bom. Então, certo dia, ele me apavorou quando disse, em uma ligação telefônica:

– Amanhã de manhã preciso do título; se você não tiver ideia alguma, tenho um aqui que é um espetáculo.

– Qual?

– Vamos chamá-lo de *Use o seu cabeção para ganhar um dinheirão*.

– Meu Deus – retruquei –, isso acabará comigo. Minha obra é digna, e esse título não passa de um trocadilho barato, que arruinaria o livro e me arruinaria também.

– Arruinando ou não, esse será o título se você não me apresentar nenhum melhor até amanhã de manhã.

Queria que vocês soubessem desse caso, porque abre caminho para uma boa reflexão. Naquela noite, sentei-me ao lado da cama e tive uma conversa com a minha mente subconsciente. Disse-lhe: "Escute aqui, sua velha teimosa, você e eu temos um longo caminho pela frente. Você já fez muitas coisas por mim e outras tantas para mim, graças à minha ignorância, mas preciso de um título milionário, e tem de ser esta noite. Entende isso?".

E fiquei falando tão alto que o vizinho do apartamento de cima reclamou pelo piso, e não o culpo, pois ele deve ter achado que eu discutia com minha esposa. Não deixei dúvidas para a minha mente subconsciente do que eu queria, embora sem lhe dizer o tipo de título. Só disse que precisava ter um apelo milionário.

Fui me deitar depois de sobrecarregar tanto a minha mente subconsciente que cheguei àquele momento psicológico em que eu sabia que tudo daria certo. Se isso não tivesse ocorrido, eu ainda estaria parado ali, sentado ao lado da cama, conversando com o meu subconsciente. Há um momento psicológico – que se pode sentir – quando o poder da fé assume o que se está tentando fazer e diz: "Tudo bem, agora relaxe. Está feito".

Lá pelas duas horas da manhã, acordei como se me chacoalhassem com força. Então, *Quem pensa enriquece* aflorou na minha mente. Caramba! Soltei um grito de guerra, saltei até minha máquina de escrever e anotei o título.

Às duas e meia da manhã, peguei o telefone e liguei para o editor.

– O que é que há? – ele perguntou. – A cidade está pegando fogo?

– Sim – respondi. – Acredite mesmo que está pegando fogo... com um título milionário.

– Vejamos – ele afirmou.

– *Quem pensa enriquece.*

– Rapaz, você acertou em cheio – ele disse.

Sim, eu diria que acertamos. O livro faturou mais de US$ 23 milhões nos Estados Unidos, provavelmente faturará mais de cem milhões antes de eu morrer, e não há limites para ele. É um título milionário... um título multimilionário.

Após a dura que dei no meu subconsciente, não me surpreende que ele tenha feito um bom trabalho. Por que não usei esse método antes? Não é engraçado? Conheço a lei. Por que perdi tanto tempo hesitando? Por que não fui à fonte e aqueci meu subconsciente, em vez de ficar sentado diante da máquina de escrever, digitando quinhentos ou seiscentos títulos?

Vou dizer por quê. Pelo mesmo motivo que às vezes você sabe o que fazer, mas acaba não fazendo. Não há explicação para a indiferença do homem consigo mesmo. Mesmo após conhecer a lei e o seu resultado, você procrastina até o último minuto antes de tomar uma atitude.

É como orar: você perde tempo até que chega o momento da necessidade, e aí fica morrendo de medo. É claro que não conquistará resultados apenas pela oração. Se quer alcançar resultados orando, condicione a mente de forma que a sua vida seja uma oração todos os dias. Todos os minutos sejam uma oração constante, baseada na crença na sua dignidade e na sintonia com a inteligência infinita para que alcance as coisas de que precisa neste mundo. Esperar até um momento de necessidade se assemelha a ter alguém morto na família e procurar o coveiro. Acredite em mim, eles irão esfolar você vivo, porque se encontrará em estado de luto, sem qualquer resistência. E o que lhe acontece não é da conta de ninguém, porque você não se preparou quando não era preciso.

O mesmo princípio se aplica à mente humana. Você precisa condicioná-la no dia a dia, à medida que avança, para que, diante de uma emergência, você esteja lá, apto para lidar com ela.

Um propósito definido também nos induz a calcular o nosso tempo e a planejar as tarefas cotidianas que levam à realização do nosso propósito principal. Se você parar de hora em hora para escrever um relato do trabalho que de fato realiza todos os dias, por uma semana, e depois contabilizar o tempo que desperdiçou, ficará chocado.

Há não muito tempo, alguém disse: "Napoleon Hill, você é uma pessoa ocupada demais. Sempre no avião indo para lá e para cá. Escrevendo livros, dando palestras, ajudando o Sr. Stone a administrar um negócio. Você deve trabalhar duro".

Enrubesci. Sabe por quê? Desperdiço, no mínimo, metade do meu tempo. Eu poderia dedicar cinco horas todos os dias a outra atividade se assim quisesse. E se sou tão falho assim, o que você acha que é?

Não fique bravo. Só quero que pise nos próprios calos um pouco. Quero chamar sua atenção para o fato de que todos nós desperdiçamos muito tempo. Não somos eficientes. Temos cerca de oito horas para dormir, oito horas para ganhar a vida e oito horas de tempo livre para o que quisermos, e aí está o momento da oportunidade, quando você condiciona a sua mente para fazer o que quiser.

Um propósito definido, além de também nos deixar mais alertas para reconhecer as oportunidades relacionadas ao objeto do nosso propósito principal, inspira a coragem para as agarrarmos e agirmos de acordo com elas. Todos vemos oportunidades, quase todos os dias da vida, das quais, se bem aproveitadas e colocadas em ação, podemos tirar proveito. Mas há a procrastinação. Simplesmente não temos vontade, presteza, determinação para agarrar as oportunidades quando surgem. Mas, se você condicionar a própria mente com essa filosofia, vai não só agarrar as oportunidades, mas também fazer algo ainda melhor.

O que pode ser melhor do que agarrar uma oportunidade? *Criá-la.* Um dos generais de Napoleão se dirigiu a ele certa ocasião, quando combinavam o ataque do dia seguinte, e disse: "Senhor, as circunstâncias não são adequadas para o ataque de amanhã".

Napoleão retrucou: "As circunstâncias não são adequadas? Inferno, eu *crio* as circunstâncias. Ataquem".

Nunca conheci nenhum homem de sucesso, em nenhuma área, que, ao ouvir sobre a impossibilidade de fazer algo, não tenha dito: "Ataquem, ataquem".

Comece de onde você está. Ao passar por aquela curva na estrada, descobrirá que o caminho vai em frente. Ataque. Não procrastine. Não fique parado. Ataque.

A definição de propósito inspira confiança na nossa integridade e no nosso caráter, além de atrair a atenção das pessoas de forma positiva. Já pensou nisso? Acho que todos gostam de ver alguém andando com o peito estufado. A pessoa não precisa ser exibida, mas percebe-se que ela diz ao mundo todo que sabe o que está fazendo e que trilha o caminho certo. Se está determinado a prosperar, as pessoas lhe abrirão caminho, e você não precisa nem assoviar, nem gritar com elas. Basta enviar-lhes os seus pensamentos com determinação, antes de você mesmo, e então elas se colocarão de lado e lhe permitirão passar.

O mundo é assim. Muitas pessoas são tão indiferentes que deixam os outros dominá-las. O homem ciente do que quer é capaz de dominar, principalmente, aqueles que se colocam em seu caminho. O homem ciente do seu caminho e com determinação para chegar lá sempre encontrará pessoas dispostas a ajudá-lo.

Eis aqui o mais importante benefício da definição de propósito: abrir caminho para o pleno exercício daquele estado de espírito conhecido como *fé*, de modo a manter a mente positiva e livrá-la das limitações do medo, da dúvida, do desânimo, da indecisão e da procrastinação.

No exato minuto em que você decide o que quer, sabe que terá êxito. Todas as negativas que o vinham incomodando acabam indo embora de vez, incapazes de viver em uma mente positiva.

Você pode imaginar um estado de espírito negativo e um estado de espírito positivo ocupando o mesmo lugar no espaço, ao mesmo tempo? Não, porque é impossível. E sabia que basta o menor resquício de atitude mental negativa para destruir o poder da oração? Sabia que basta o menor resquício de atitude mental negativa para destruir o seu plano? Siga em frente com coragem, fé, determinação, levando consigo a sua definição de propósito.

Além disso, a definição de propósito nos torna mais atentos ao sucesso. Sabe o que quero dizer com *atento ao sucesso*? Se eu dissesse que alguma coisa nos torna mais atentos à saúde, você entenderia? Significa que os seus pensamentos focam a saúde. No caso da atenção ao sucesso, os seus pensamentos focam o sucesso – a parte em que se acredita que é possível, e não aquela que acha que é impossível. Você sabia que 98% das pessoas que não conseguem nada na vida acham que tudo é impossível? Diante de qualquer situação, elas imediatamente se concentram no que não conseguem fazer, na parte negativa.

Enquanto eu viver, nunca vou me esquecer do que me aconteceu quando o Sr. Carnegie me surpreendeu com uma oportunidade de organizar essa filosofia. Tentei me justificar de todas as formas possíveis sobre não ser capaz, e todos os motivos surgiam na minha cabeça de imediato. Eu não tinha formação adequada. Não tinha dinheiro. Não era influente. Não sabia o significado da palavra *filosofia*. Na verdade, estava tentando abrir a boca para dizer ao Sr. Carnegie que me sentia lisonjeado, mas duvidava da sua capacidade de avaliar a natureza humana, em razão de ter me escolhido para fazer tal trabalho. Embora tudo isso tenha passado na minha cabeça, uma pessoa silenciosamente me olhava por cima dos ombros e dizia: "Vá em frente; diga a ele que você consegue. Desembucha".

Então eu disse:

– Sim. Aceito a incumbência, tenha certeza de que irei concluí-la.

Ele caminhou até mim, segurou a minha mão e afirmou:

– Gosto não só do que você falou, mas também de como falou. Era isso mesmo que eu estava esperando.

O homem percebeu que a minha mente fervilhava com a crença de que eu conseguiria, mesmo desprovido de qualquer trunfo para me ajudar a começar a criar esta filosofia; contava apenas com minha determinação.

Se tivesse hesitado, se tivesse dito "Sim, vou dar o meu melhor", tenho certeza de que ele tiraria aquela oportunidade das minhas mãos imediatamente. Teria sugerido que eu não era muito determinado.

Mas falei "Sim. Tenha certeza de que irei concluí-la", e vocês são testemunhas disso aqui. São testemunhas de que o senhor Carnegie não escolheu mal.

Ele sabia o que queria, e encontrara algo na mente humana, na minha mente, que procurava havia anos. E encontrou. Eu não conhecia o valor daquilo, mas descobri mais tarde. Reconheçam esse valor, porque vocês o têm na própria mente: a capacidade de saber o que querem e de terem a determinação para a conquista, mesmo não sabendo por onde começar.

Pense em Marie Curie[2], quando iniciou as pesquisas para a descoberta do elemento químico rádio. Ela sabia, mesmo teoricamente, que deveria haver rádio em algum lugar do universo. Mas era como procurar uma agulha em um palheiro, ou como procurar uma agulha no universo, e Curie dispunha de tão somente uma teoria. Mas, com tanta fé, acabou desenvolvendo e refinando a teoria que originou o primeiro

---

2. Marie Skłodowska-Curie (1867–1934) foi uma física e química polonesa naturalizada francesa que conduziu pesquisas pioneiras sobre radioatividade. Ela foi a primeira mulher a ganhar o Prêmio Nobel, sendo também a primeira pessoa e a única mulher a ganhá-lo duas vezes, além de ser a única pessoa a ser premiada em dois campos científicos diferentes.

rádio produzido no mundo. Não é maravilhoso o fato de a mente humana conseguir tal proeza?

Perto dessa conquista, as resistências e os problemas mesquinhos que ela enfrentou não são nada, absolutamente nada. Os problemas com que nos preocupamos no dia a dia nada significam em comparação aos que Marie Curie ou Thomas A. Edison enfrentaram, no caso dele, quando ainda trabalhava na lâmpada elétrica incandescente, ou que Henry Ford enfrentou na construção do primeiro automóvel. Foi necessária uma boa dose de fé. Foi necessária uma fé constante, uma definição de propósito, antes que essas pessoas excepcionais conseguissem realizar suas façanhas.

O que torna um homem ou uma mulher grandiosos? A grandiosidade é a capacidade de reconhecer o poder da própria mente, tomá-lo para si e usá-lo. Isso é grandeza. No meu livro de regras, todos podem se tornar grandiosos por meio do simples processo de reconhecer, tomar para si e usar a própria mente.

2
Aplicação do princípio do propósito principal definido

Aqui seguem instruções para a aplicação do princípio do propósito principal definido, as quais devem ser seguidas à risca. Não ignore nenhuma delas.

ESCREVA UMA DECLARAÇÃO

Em primeiro lugar, escreva uma declaração clara do seu propósito principal, assine-a, decore-a e repita-a ao menos uma vez por dia na forma de uma oração ou de uma afirmação, se assim preferir. As vantagens desse processo se assentam em colocar a sua fé e o seu Criador bem diante de você.

Descobri, pela experiência, que esse é o ponto mais fraco nas tarefas dos alunos. Eles leem, dizem ser muito simples, entendem, então, por que se dar o trabalho de escrever? Mas você precisa escrever para vivenciar o ato de traduzir um pensamento para o papel, precisa decorá-lo e começar a falar com o seu subconsciente sobre seu propósito.

Dê ao subconsciente uma boa ideia do que você quer. Vale a pena lembrar a história sobre como consegui o título milionário para o meu livro.

Faça o seu subconsciente entender que, daqui em diante, você manda. Mas não espere que ele ou qualquer outra coisa o ajudem se você não sabe o que quer, se não tem uma definição. Noventa e oito de cada cem pessoas desconhecem o que querem da vida e, consequentemente, nunca alcançam seus objetivos. Vivem com o que a vida lhes oferece e não conseguem mudar a situação.

Além do seu propósito principal definitivo, você pode ter outros propósitos, tantos quanto queira, contanto que estejam relacionados ou o conduzam na direção do propósito prioritário. Dedique toda a vida à realização dele.

Aliás, tudo bem ser modesto ao pedir o que você quer, mas não exagere. Vá além e peça coisas que tem certeza que merece. Mas, ao pedir, não ignore as próximas instruções apresentadas.

Trace um plano ou planos claros e bem definidos por meio dos quais pretende conquistar o seu objetivo ou propósito e defina o prazo máximo para realizá-lo. Descreva com detalhes exatamente o que você pretende dar em troca da concretização do objeto do seu propósito. Flexibilize o plano o suficiente para que passe por mudanças sempre que você se sentir inspirado; lembre-se de que a inteligência infinita pode lhe apresentar um plano melhor do que o seu; isso acontece muitas vezes quando você tem certeza do que quer.

Já teve um pressentimento que não conseguiu explicar ou descrever? Conhece o significado de um pressentimento? É o seu subconsciente tentando convencê-lo de alguma ideia. Muitas vezes, você fica tão alheio a ele a ponto de inviabilizar que fale com você por alguns momentos. Já ouvi dizerem "Tive uma ideia totalmente maluca hoje", mas essa ideia pode ser milionária se você de fato escutá-la e colocá-la em ação. Respeito muito esses pressentimentos porque entendo que, indubitavelmente, algo exterior tenta ser comunicado a você. Respeito meus pressentimentos, que, verdade seja dita, ocorrem com frequência. Acho que todos eles se relacionam a algo com que minha mente vem tentando lidar, algo que eu quero fazer, algo em que estou envolvido.

Escreva um esboço claro e definido do seu plano (ou planos) e determine um tempo máximo para realizá-lo, o que é muito importante. Não escreva o seu objetivo principal definido como "Pretendo me tornar o melhor vendedor do mundo", ou "Pretendo ser o melhor funcionário da minha empresa", ou "Pretendo ganhar muito dinheiro". Isso não significa definido. Seja lá o que considere como o seu principal objetivo na vida, escreva-o com clareza e defina um tempo: "Pretendo realizar X dentro de Y anos", e então vá em frente e descreva-o.

Em seguida, no parágrafo abaixo, escreva: "Pretendo dar 'isso' e 'aquilo' em troca do que peço", e então descreva-os.

Você tem ideia do que precisaria dar em troca pelo que quer na vida? Tem ideia do que eu preciso dar em troca de tudo que quero na vida? Acontece que já tenho tudo que quero na vida, e em abundância. Ontem ganhei uma coisa indesejada, mas não fiquei com ela: uma gripinha. Mas o príncipe da boa saúde física cuidou disso e entrou em ação. (Vou falar mais sobre o príncipe da boa saúde física mais adiante.)

Quando você se tornar um professor proficiente nesta filosofia, irá enriquecer as mentes de todos que estiverem sob sua influência. É isso que dará em troca. Quer coisa melhor para dar em troca diante de tudo que você queira? Eu não sentiria qualquer tipo de remorso por pedir qualquer coisa que desejo, pois acho que o serviço que presto me autoriza a ter o que eu quiser, e pretendo que vocês também se sintam assim.

Mas não saia por aí como muitas pessoas, desejando ganhar US$ 1 milhão no ano que vem sem trabalhar duro por isso. Não aja assim. Esteja disposto a dar, e então priorize fazê-lo.

Antes mesmo de concluir este curso, seria magnífico se reunisse dois ou três amigos e começasse a ensinar estas lições. Aprenda isto hoje: afirmo que você acertaria em cheio ao explicar estas lições a alguém, sobretudo se fez anotações durante a explanação.

Tente. Acabará surpreso com o que acontecerá não só com você, mas também com os outros. Você pode tentar um pouco, praticar um pouco, e descobrirá que será capaz de crescer e se desenvolver.

A natureza tem um método para controlar o tempo de tudo. Se você é um fazendeiro que quer plantar trigo, primeiro prepara o solo e depois semeia o trigo na estação certa do ano. E, em seguida, volta com uma colheitadeira e começa a colher, não é?

Não. Você espera a natureza fazer a parte dela. Chame isso de inteligência infinita ou Deus ou do que quiser, mas há uma inteligência que fará a parte dela se você fizer a sua primeiro. A inteligência não irá direcioná-lo ou atraí-lo ao objeto do seu propósito principal se você não souber qual é e se não planejar um prazo para ele acontecer. Seria muito ridículo iniciar o processo com mediocridade e dizer que vai ganhar US$ 1 milhão nos próximos trinta dias. Em outras palavras, mantenha o seu propósito razoável, condizente com aquilo que você sabe que é viável.

RESERVE O SEU PROPÓSITO PARA VOCÊ

Depois, reserve o seu propósito principal estritamente para você; exceto à medida que receber mais instruções sobre esse tema na lição sobre MasterMind. Por que sugiro que o guarde para si? Você sabe como seus amigos ou a sua família agirão caso se erga um centímetro acima de onde está e proclame isso? Cairão na gargalhada. Foi como meus parentes reagiram. Por anos, de todas as pessoas que eu conhecia, apenas duas ficaram ao meu lado e me encorajaram: minha madrasta e Andrew Carnegie[3]. Eu não teria sobrevivido sem a fé dessas duas pessoas, não teria conseguido. É fundamental que alguém acredite em você, caso contrário, não progredirá. E também precisa *merecer* contar com alguém que acredita em você.

Não divulgue o seu propósito principal a outras pessoas, porque há muita gente neste mundo que gosta de ficar às margens e esticar o pé enquanto você passa, principalmente se estiver de cabeça erguida, com cara de quem vai conquistar mais coisas na vida do que eles jamais conquistarão. Por nenhum bom motivo, enquanto você caminha, eles esticam o pé, simplesmente para ver você cair. Irão jogar uma chave inglesa no seu motor, e, se não tiverem uma chave inglesa, vão colocar areia nas engrenagens, sempre tentando fazer você desacelerar. Por quê? Movidos pela inveja.

A única forma de falar sobre o seu propósito principal definido é agindo depois do fato, e não antes dele, depois de tê-lo alcançado. Deixe que ele fale por si. Alguém só se autovangloria e se exibe não por meio de palavras, mas de feitos. Se eles estiverem engrenados, você não precisará de palavras: eles falarão sozinhos.

De vez em quando surgia alguém me criticando, aliás, ainda há quem me critique, mas já nem escuto, muito menos respondo. Por quê? Porque minhas ações ressoam tão alto que as palavras dos outros não fazem nenhuma diferença. Deixe os seus feitos falarem por si.

Flexibilize os seus planos: não fique impassível achando que seu plano é tão perfeito simplesmente porque você o desenvolveu. Você cometerá um erro se agir desse modo. Mantenha o seu plano flexível. Faça um teste e, se não funcionar, altere-o.

---

3. Andrew Carnegie (1835–1919) foi um empresário e filantropo estadunidense nascido na Escócia. Fundador da Universidade Carnegie Mellon. A partir de 1901, sua atenção se desviou da acentuada perspicácia empresarial que lhe permitiu acumular fortuna para o espírito altruísta, dedicando-se a projetos filantrópicos.

CONDICIONE A MENTE AO SUCESSO

Em seguida, traga o seu propósito principal à consciência sempre que possível. Coma com ele, durma com ele, leve-o aonde for, lembrando-se de que o seu subconsciente pode ser influenciado para trabalhar a seu favor enquanto você dorme.

Você sabia que contribuí com a criação de uma máquina que condiciona a mente ao sucesso durante o sono? Faço palestras sobre isso há quinze anos. Bem, existem seis diferentes máquinas que você pode ligar, as quais reproduzirão automaticamente qualquer mensagem para o seu subconsciente a cada quinze minutos, até que a máquina seja desligada, sabia disso? Você é capaz de causar danos físicos e psíquicos a si mesmo, como falta de confiança e de fé. Se deseja que algo chegue ao seu seu subconsciente, é melhor fazê-lo durante o sono. Se não fosse verdade, eu não teria conseguido influenciar a natureza a improvisar um aparelho auditivo para o meu filho, Blair, que nasceu sem audição. Trabalhei o tempo todo com o subconsciente dele.

No entanto, a mente consciente é muito ciumenta. Ela fica de guarda e não quer que nada a trespasse, exceto as coisas que você teme e também aquelas pelas quais você é muito apaixonado (sobretudo as que teme). Se você quer semear uma ideia no subconsciente, precisa agir com uma boa dose de fé e entusiasmo. Precisa fazer a mente consciente se afastar e permitir-lhe chegar ao subconsciente sempre com base no entusiasmo e na fé.

A repetição também é maravilhosa. A mente consciente, por fim cansada de ouvir você dizendo as mesmas coisas o tempo todo, diz: "Tudo bem, não posso ficar para sempre ouvindo-o declarar isso tudo. Entre aqui e leve as informações até o subconsciente para ver o que ele consegue fazer". Funciona assim.

A mente consciente é muito nociva, pois aprende todas as coisas que *não* funcionam. Guarda um estoque imenso daquilo que não funciona e que não dá certo, um estoque imenso de pedaços de cordas, ferraduras, pregos, coisas que os avarentos gostam de acumular. Tudo fica ali parado – lixo inútil acumulado, um aparato de que você não precisa. É isso que a mente consciente manda para a subconsciente.

Todas as noites, antes de dormir, dê à mente subconsciente alguma ordem voltada às coisas que você quer que sejam feitas, inclusive para o bem-estar do corpo, que também exige reparos diários. Ao deitar-se para dormir, volte-se à infinita inteligência e peça ao seu subconsciente que funcione e cure todas as células e órgãos corporais, proporcionando-lhe pela manhã um corpo perfeito onde a mente poderá funcionar.

Não vá para a cama sem emitir ordens ao subconsciente. Diga-lhe o que você quer. Crie esse hábito. Se persistir, ele irá acreditar e entregar-lhe o que pediu. Portanto, é melhor tomar cuidado com o que pede, pois, se você continuar pedindo, vai conseguir.

Pergunto-me se você não se surpreenderia se soubesse dizer agora mesmo o que vem pedindo ao longo dos anos. Já pensou nisso? Você vem sempre pedindo. Pediu tudo o que tem e não quer, talvez por negligência, talvez por não falar para o seu subconsciente o que realmente queria, e as coisas se acumularam com muitas outras que você não queria. Funciona assim.

O PROPÓSITO PRINCIPAL NA VIDA

Eis aqui alguns fatos importantes relativos à definição do propósito principal. Primeiro de tudo, ele deve representar o seu mais significativo objetivo na vida, o único que, acima de todos os outros, você deseja alcançar e cujos frutos está disposto a deixar para trás como um monumento de si mesmo.

É assim que deve ser o propósito principal definido. Não estou falando dos menos relevantes, mas do propósito principal sobrejacente, o propósito de vida. Acredite em mim, se você não o tiver, simplesmente estará desperdiçando a melhor parte da vida. O desgaste de viver não vale o preço a ser pago se você não almeja alguma coisa, se não estiver indo a algum lugar, se não estiver fazendo alguma coisa com a oportunidade que ganhou para estar aqui neste plano.

Imagino que o enviaram aqui para fazer algo. Imagino que o enviaram aqui com uma mente capaz de talhar e materializar o próprio destino. Caso contrário, se não usar a mente, creio que a sua vida, em grande medida, será um desperdício do ponto de vista de quem o enviou aqui. Seja dono da sua mente; almeje alto. Não acredite que não é capaz de conquistar algo no futuro só porque não alcançou muita coisa no passado. Não avalie o futuro de acordo com o passado. Um novo dia está surgindo. Você renascerá. Está definindo um novo padrão, está em um mundo novo, é uma pessoa nova. Se não for assim, de que adiantará? Se não pensar desse modo, se não aproveitar, não conquistará nada neste percurso. Pretendo que você renasça mental, física e talvez espiritualmente, com um novo objetivo, um novo propósito, uma nova realização de si mesmo e da sua dignidade como uma unidade da humanidade.

Se você me perguntar qual é o maior pecado do homem, aposto que minha resposta o surpreenderia. Qual seria a sua? Qual pecado considera o maior pecado da humanidade?

Respondo: é negligenciar esse grande trunfo, pois, se você o usar, terá tudo o que quiser, e em abundância. Eu não disse que terá tudo *dentro do possível*. Disse que terá *tudo* que quiser em abundância. Não usei adjetivos. Coloque-os você, o único capaz de determinar as próprias limitações. Ninguém mais pode fazer isso, se você não permitir.

MANTENHA O PROPÓSITO ALGUNS PASSOS À FRENTE

O propósito principal, ou alguma parte dele, deve permanecer sempre alguns passos adiante de você, como algo que almeja com esperança e expectativa.

Se você chegar a realizá-lo, o que acontecerá depois? O que vai fazer? Buscar outro. Ao concretizar o seu primeiro propósito, você aprende que consegue realizar uma importante meta. Ao escolher a próxima, faça com que seja ainda mais relevante do que a anterior. Se objetiva acumular riqueza material, não almeje muito no primeiro ano. Trabalhe com um plano razoável de doze meses e analise a facilidade que terá para realizá-lo. No ano seguinte, dobre a sua meta. E no outro ano, dobre novamente.

Earl Nightingale[4] me contou há algum tempo que ele estava deitado na cama, lendo o meu livro alguns anos atrás e, de repente, vislumbrou uma ideia que lhe mostrou o que eu abordava, especificamente o ponto focal em que ele poderia tomar as rédeas de si mesmo e fazer o que quisesse. O sucesso começou naquele exato momento. Ele soltou um grito e a esposa entrou correndo, pois pensou que alguém o estivesse matando.

– Descobri, descobri – ele disse.

– Descobriu o quê?

– O que procurei a vida inteira. Bem aqui – e ele leu o trecho para ela e depois continuou: – Agora vou provar isso. Vou descobrir se o Napoleon Hill é uma fraude ou é íntegro. Dobrarei o meu salário na semana que vem – e ele dobrou, e então disse: – Bem, aconteceu uma

---

4. Earl Nightingale (1921–1989) foi um locutor de rádio americano e escritor dedicado principalmente a assuntos do desenvolvimento do caráter humano, motivação e existência significativa.

vez. Vou tentar de novo – então ele teve êxito e parou por aí. – Daqui em diante, seguirei por conta própria.

Acredite, Earl Nightingale está se dando muito bem, e não apenas no aspecto financeiro. Partindo desta filosofia, fez um trabalho incrível, que lhe deu a ideia. Qual? Descobriu que tinha a resposta o tempo todo. Não precisava encontrá-la comigo ou em nenhum outro lugar, embora a tenha achado em um dos meus livros.

Não sei onde você vai encontrar o que estou relatando, mas com certeza encontrará em algum lugar, e ainda ajudará outros com quem compartilhar essas ideias a encontrarem a autodeterminação.

O propósito principal deve estar alguns passos adiante de nós. Por quê? Por que não definir um propósito que seja capaz de realizar amanhã? É óbvio que, se isso acontecer, a realização do seu propósito principal definido não demandará muito tempo, e você não viverá a alegria da busca.

Essa alegria é maravilhosa. Se você encontrar o sucesso ou o seu objetivo por acaso, não haverá alegria. Portanto, volte e comece com algo diferente. A vida é menos interessante quando não temos um propósito definido para concretizar além de meramente viver.

ESPERANÇA DE CONQUISTAS FUTURAS

A esperança de conquistas futuras relacionadas com um propósito maior está entre os maiores prazeres do homem. Eu não conseguiria sequer descrevê-lo. Não encontro as palavras adequadas para descrever o deleite de olhar para o futuro e ver os milhões de pessoas a quem terei o privilégio de beneficiar por intermédio dos meus alunos e dos meus livros. Emociona-me contemplar o bem que talvez promova no futuro. Porque, enquanto eu for vivo, sempre me dedicarei a fazer o bem a outro. Não há nada que substitua minha esperança. Apesar de ainda inatingível, é um estado de espírito fantástico.

Triste é o homem que conquistou tudo o que queria e não tem mais nada para fazer. Conheci muitos deles. Todos miseráveis. Uma vez, depois de me aposentar, fui para a Flórida. Pensei que eu me daria bem sem ganhar mais dinheiro. Supus que conseguiria. Foi agradável por seis meses, quando então comecei a sentir meus pés e meus dedos coçarem. Apontar às igrejas o problema delas me deixou famoso, mas eu não estava satisfeito. Não estava conseguindo respostas suficientes lá, o clero não reagia como eu esperava, o que me motivou a procurar cursos superiores. Rapaz, isso me levou às alturas.

No entanto, despertei e descobri algo que, espero, vocês nunca descubram: o ócio é mesmo a oficina do diabo, e eu estava bem no meio disso. Precisei de uns bons chacoalhões para me desvencilhar da ideia e voltar a trabalhar. Nunca mais me verão refugiado na aposentadoria. Não, é preciso se manter ativo, fazer alguma coisa, continuar trabalhando, ter um objetivo à frente.

Quase sempre, o nosso propósito principal consiste naquilo que talvez seja realizado apenas por meio de uma série de passos diários, mensais, anuais, por ser pensado para consumir uma vida toda de esforços. No entanto, o nosso mais significativo propósito pode compreender várias combinações distintas de metas menores, como a natureza do nosso trabalho, que deveria ser de nossa escolha. Na verdade, o propósito principal deve se engajar em nossa ocupação, negócio ou profissão, para que cada dia de trabalho nos aproxime da realização do nosso mais relevante propósito na vida.

Sinto pena das pessoas que trabalham diuturnamente apenas para ter comida, roupas e lugar para dormir. Tenho pena das pessoas cujo único objetivo é continuar existindo. Não consigo imaginar ninguém que faça este curso ficando satisfeito ao se acomodar. Acredito que você queira viver, queira abundância. Acredito que você queira as coisas necessárias para fazer o que deseja na vida, inclusive dinheiro.

Não deixe de incluir no seu propósito uma harmonia perfeita entre você e o seu cônjuge. Conhece alguma coisa mais importante do que isso? Conhece alguma relação humana mais importante do que a de um homem com a companheira? Não, claro que não. Ninguém conhece.

Você já ouviu falar de um relacionamento conjugal desarmonioso? Tenho certeza que sim. Nada bom, não é? Não é agradável sequer ficar perto de pessoas que não vivem em harmonia. Bem, você deve começar a aplicar a sua primeira relação de MasterMind em um relacionamento equilibrado. A sua companheira ou o seu companheiro devem ser os seus primeiros aliados no MasterMind. Talvez você precise recuar um pouco e conquistá-lo(a) novamente, o que também é bom. Não me lembro de nada na minha vida que tenha gostado tanto de fazer quanto flertar, uma experiência maravilhosa. Volte e flerte de novo com a sua garota, ou com o seu homem.

Minha esposa é de outro mundo. Fico feliz por ela estar aqui, mas de fato pertence a um outro mundo porque, se tem alguém que sabe tudo sobre mim, sabe exatamente como agir na hora certa para me fazer feliz, é ela. Consegue ler a minha mente, saber o que eu estou pensando. Eu nem preciso estar por perto, pois minha esposa tem ciência do que está acontecendo o tempo todo. E ainda sabe estimular a inspiração quando mais preciso. É maravilhosa.

Se você tem um companheiro e consegue estabelecer um relacionamento de modo que essa pessoa o complemente em todas as suas fraquezas, possui uma sorte e um trunfo incomparáveis com qualquer outra coisa deste mundo. A relação de MasterMind entre um homem e sua companheira pode superar todas as dificuldades. As atitudes mentais de ambos se unem e multiplicam o entusiasmo, direcionando-o para o caminho correto.

ACERTE AS COISAS COM OS PARCEIROS

Se você não acertar as coisas com os seus parceiros de negócios ou com as pessoas com quem trabalha todos os dias, volte e dedique-se novamente à construção de uma outra base.

Você se surpreenderá com os resultados ao fazer uma pequena confissão. Isso é realmente maravilhoso. A maioria das pessoas alega ser muito orgulhosa para confessar as próprias fraquezas. No entanto, digo-lhe que confessar é bom, ou seja, abrir-se em relação a algumas das suas fraquezas. Reconheça que talvez você não seja perfeito, ou não totalmente. Talvez alguém diga: "Pensando bem, eu também não sou", e então vocês podem começar a todo o vapor.

Dedique-se mais uma vez a aprimorar o relacionamento com as pessoas de seu convívio diário, sejam elas quem forem. Você consegue. Sei que consegue. Como sei? Porque eu costumava fazer tantos inimigos quanto amigos, ou até mais. Precisei de muito tempo para compreender o motivo. Na verdade, no início, nem me importava. Se eu não concordasse com alguém, logo lhe dizia, e a pessoa nem precisava pedir – eu falava do mesmo jeito. Essa atitude pode torná-lo bem conhecido – dar-se o trabalho de criar um incidente com alguém ou se opor à declaração de alguém, ou dizer a um camarada que você sabe que ele está errado. Adoro quando uma pessoa vem até mim e diz: "Napoleon Hill, li o seu livro e não concordo com ele", o que acontece vez ou outra. Sinto-me muito bem, embora não tão bem quanto se ela dissesse: "Napoleon Hill, li o seu livro, eu me descobri e estou prosperando".

A desarmonia na maioria das relações humanas se deve à negligência: você simplesmente se nega a construir relações. Mas é capaz de construí-las se quiser.

A descrição do propósito principal deve incluir um plano definido para o fomento da harmonia em todas as relações, sobretudo nas que você mantém em casa, no trabalho, nos locais de entretenimento e de descanso. As relações humanas são fundamentais no tocante ao nosso mais relevante objetivo, uma vez que ele será alcançado, em grande parte, por meio da cooperação alheia. Já pensou nisso? Já pensou que as coisas importantes da vida precisam ser feitas com base em uma cooperação harmônica com outras pessoas? E como vai consegui-la se não cultivar as relações com as pessoas, se não as entender, se não fizer concessões às suas fraquezas?

Já teve um amigo que ficou feliz em razão de você tentar mudá-lo ou fazê-lo mudar de ideia em relação a algo? Gosta quando um amigo tenta mudar você? Não, não gosta. Ninguém gosta. Há certas coisas que você pode fazer por um amigo mediante o exemplo, sem dúvida uma forma poderosa de mudar as pessoas. Mas, se você começar a dizer a alguém que ele está errado, é provável que, na próxima vez que ele o vir, atravesse a rua.

Você pode desenvolver relações humanas maravilhosas, mas nunca criticando e apontando os defeitos de alguém, porque todos nós temos defeitos. O melhor é conversar sobre as virtudes da pessoa e suas qualidades positivas. Nunca conheci ninguém tão limitado que não tivesse nada de bom. Caso você foque isso, a pessoa de quem está falando vai se esforçar para não o decepcionar.

VÁ ALÉM DO SEU ALCANCE

Não devemos hesitar em escolher um objetivo relevante que, de momento, parece fora do nosso alcance. É certo que, quando escolhi o meu propósito principal definido – organizar e levar ao mundo a primeira filosofia prática sobre realização pessoal –, isso estava fora do meu alcance. Por que você acha que segui adiante durante os vinte anos de esforços e pesquisa? O que você acha que me fez continuar lutando e me esforçando mesmo diante das críticas da maioria dos meus conhecidos? Por quê? Porque, seja lá o que tenha sido, é algo de que você precisa.

Você pode dizer que precisa ter fé, mas como conquistá-la? Não precisa de uma motivação? Não precisa de um objetivo antes da fé, e não precisa agir para ir atrás dele? Precisei de uma abundância de fé e também de mantê-la viva por meio da ação constante, como se eu soubesse de antemão que conseguiria concluir a tarefa da qual o Sr. Carnegie havia me incumbido.

Às vezes, parecia-me que as palavras de meus parentes e amigos sobre mim eram absolutamente verdadeiras. Do ponto de vista deles, eu *estava* desperdiçando vinte anos da minha vida. No entanto, do ponto de vista de milhões de pessoas que se beneficiaram e ainda irão se beneficiar do meu trabalho, eu não estava desperdiçando o meu tempo. Provavelmente estava usando o meu tempo da forma mais útil do que qualquer autor desta geração.

Quando você começar a lecionar, não terá turmas enormes. Precisará comer muito arroz com feijão, por assim dizer. Precisará se esforçar, confiar no que está fazendo e ganhar experiência. Isso talvez leve algumas semanas, alguns meses, talvez até um ano. Mas, se você reclamar que demorará um ano para chegar aonde pode chegar e impressionar as pessoas, lembre-se, eu levei vinte anos. Não desisti, então por que você desistiria?

Pense também nas técnicas que aprendi e estou transmitindo gratuitamente a vocês, sem que tenham de experimentá-las. Eu paguei o preço que vocês teriam que pagar se não tivessem se matriculado neste curso. Passei os últimos dez anos no litoral fazendo experiências com rádio, TV, palestras, treinamento e publicidade. Portanto, todos os meus conselhos relativos ao trabalho de lecionar se assentam em minha vivência, o que abrevia significativamente o seu período de experiência.

Você não dedicará os mesmos vinte anos que eu dediquei, e não me surpreenderia se muitos nessa turma começassem, em questão de três ou quatro meses, a fazer um trabalho esplêndido ensinando esta filosofia.

Você só fracassará se acreditar no fracasso. Se ficar aqui comigo por um tempo, você não vai mais pensar no fracasso. Saberá que não irá fracassar.

O PROPÓSITO NA NATUREZA

A maior demonstração do princípio da definição de propósito é vista ao se observar a natureza, cujo movimento já indica definição de propósito. Se há algumas coisas neste universo já definidas, são as leis da natureza. Elas não divergem, não hesitam, não fazem concessões. Você não pode contorná-las, não pode evitá-las. No entanto, pode aprender a sua natureza, adaptar-se e beneficiar-se dela. Nunca ninguém ouviu falar que a lei da gravidade foi suspensa por uma fração de segundo. Nunca aconteceu e nunca acontecerá, porque a organização da natureza em todo o universo é tão definida que tudo se move com precisão, como a máquina de um relógio.

Se você quer um exemplo disso, basta ter uma leve noção do funcionamento das ciências para entender como a natureza opera – a ordenação do universo, a inter-relação entre todas as leis naturais, a fixação de todas as estrelas e planetas em uma relação imutável. Não é maravilhoso que os astrônomos possam se sentar e determinar, centenas de anos antes, exatamente onde tais planetas e tais estrelas estarão se relacionando uns com os outros? Não seriam capazes disso se não houvesse um propósito, um plano dentro do qual estamos funcionando.

Queremos descobrir esse propósito na medida em que ele se relaciona conosco enquanto indivíduos. Por essa razão você está neste curso. Por essa razão estou ensinando-lhe. Estou dando a você o pouquinho que aprendi com a vida e com as experiências humanas para que aprenda a se adaptar às leis da natureza e as use, em vez de negligenciá-las ou ser dominado por elas.

Um dos meus pensamentos mais horríveis se relaciona com um possível colapso das leis da natureza. Imagine o caos, todas as estrelas e planetas colidindo se a natureza permitisse a suspensão de suas leis, a bomba de hidrogênio pareceria uma bombinha de criança. Mas ela não opera desse modo; tem leis bem definidas a seguir.

Se você observar os dezessete princípios que exponho a seguir, descobrirá que eles coincidem perfeitamente com as leis da natureza. Veja, por exemplo, o princípio de andar um quilômetro a mais, cuja aplicação a natureza leva a sério. Quando ela produz flores nas árvores, não produz apenas o suficiente para encher uma árvore, mas o bastante para dar conta das intempéries. Quando ela produz peixes nos oceanos, não produz apenas o suficiente para perpetuar os peixes, mas o bastante para alimentar as rãs, as cobras, os jacarés e todas as outras coisas, e ainda mantém o necessário para realizar o seu propósito. A natureza tem em abundância, em exacerbada abundância.

Além disso, também obriga o homem a andar um quilômetro a mais, caso contrário ele perecerá. Se a natureza não recompensasse o homem que coloca um grão de trigo no solo, oferecendo-lhe quinhentos grãos pela sua inteligência, morreríamos de fome em uma única estação. Se você fizer a sua parte, a natureza faz a dela, e faz em abundância, em exacerbada abundância.

USE A AUTOSSUGESTÃO

Permita-me continuar com esta regra: hipnotize-se, recorrendo à autossugestão, para acreditar que você conquistará o seu objeto de desejo. Já tentou se hipnotizar? Já foi hipnotizado?

Sim, já foi. Você é hipnotizado todos os dias. Não me refiro a ser desligado, mas a passar por algum grau de hipnose o tempo todo. Você está reagindo à lei da sugestão, que é uma forma de hipnose.

Vamos usar a hipnose, para abarrotar o nosso subconsciente, não de negatividade, medo e frustração, mas de coisas gloriosas que queremos fazer na vida – coisas que queremos, não aquelas que não queremos.

Veja, por exemplo, que os homens e as mulheres de sucesso conseguem se hipnotizar tão profundamente que vislumbram uma conquista antes mesmo de ela acontecer. Que coisa maravilhosa!

Isso é auto-hipnose. Significa que você fecha os seus olhos para aquilo que não consegue e foca o que consegue. Um dos acontecimentos mais estranhos da natureza é que, se você mantiver a mente focada no lado positivo da vida, ele se torna maior do que o negativo; é sempre assim. Ou seja, se mantiver em mente coisas positivas, acabará repelindo toda a negatividade que tenta se infiltrar nela e influenciar a sua vida.

3

O MasterMind

PREMISSAS

Primeira – Por meio do MasterMind podemos conquistar o pleno benefício da experiência, incluindo aí formação, educação e conhecimento especializado, além da influência das outras pessoas, como se a mente de todos funcionasse de modo único. Não é fantástico pensar que tudo que lhe falta em educação, conhecimento ou influência pode ser obtido de outra pessoa? A troca de conhecimentos constitui um dos maiores presentes do mundo. É muito bom fazer negócios em que a troca de valores rende lucro, mas prefiro trocar ideias com alguém: dar a ele uma ideia que ele não considerou antes e receber em troca uma que eu não tinha.

Você certamente sabe que Thomas Edison foi, talvez, o maior inventor do mundo. Ainda que ele atuasse em diversas áreas da ciência o tempo todo, não conhecia nada sobre elas. Você comentaria que é impossível um homem prosperar em qualquer empreendimento se não tiver formação naquela área. Na primeira vez que conversei com Andrew Carnegie, fiquei chocado ao escutá-lo dizer que não sabia nada sobre a produção ou venda de aço.

– Sr. Carnegie – eu disse –, qual é o seu papel?

– Vou lhe explicar. O meu trabalho é manter a atuação dos membros do meu grupo de MasterMind em um estado de perfeita harmonia.

– É só isso? – perguntei.

– Você já tentou fazer duas pessoas concordarem em alguma coisa por três minutos seguidos?

– Não – eu disse.

– Tente algum dia e apenas sinta como é trabalhoso fazer pessoas trabalharem juntas em um espírito de harmonia. Essa é uma das maiores realizações humanas.

O Sr. Carnegie seguiu detalhando os indivíduos e as funções de cada um em seu grupo de MasterMind. Um deles era metalúrgico; outro, químico líder; outro, gerente da fábrica; outro, assessor jurídico; outro, gerente financeiro; e por aí vai. Mais de vinte homens trabalhavam juntos, e a combinação da formação, da experiência e dos conhecimentos de todos representava todo o conhecimento da produção e venda de aço à época. O Sr. Carnegie disse que não precisava conhecer o assunto, pois contava com homens que entendiam tudo; portanto, cabia-lhe fazê-los trabalhar em perfeita harmonia.

Segunda – Uma aliança de MasterMind ativa de duas ou mais cabeças, em um espírito de perfeita harmonia com a intenção de realizar um objetivo em comum, estimula cada um dos participantes a atingir um grau de conhecimento mais elevado e prepara o caminho para o estado de espírito conhecido como *fé*.

O cérebro humano é uma peça especial do mecanismo. Não sei se alguém o entende, no entanto, conhecemos algumas das coisas que são realizadas pelo cérebro humano. Sabemos que ele é uma estação de transmissão e um aparelho receptor das vibrações do pensamento, que funciona de forma muito similar aos aparelhos de recepção e transmissão de rádio normais.

Isso acontece nas reuniões de pessoas. Seja qual for a denominação que elas atribuam a si mesmas – aliança de MasterMind, grupo da igreja ou grupo social –, quando um grupo se reúne para demonstrar entusiasmo e bom humor, acontece um encontro de mentes, o que intensifica as vibrações de cada uma delas. Portanto, se houver quinze, vinte ou mais pessoas no grupo, cada qual irá sintonizar e colher os benefícios dessa vibração mais elevada.

O princípio do rádio funciona assim: você vai até a estação de transmissão e começa a falar. A estação intensifica a sua voz milhões de vezes até que ela altera a frequência do áudio, ou seja, a frequência que se pode ouvir com o ouvido humano, passando para a frequência de rádio, que é uma frequência impossível de ser captada pelo ouvido humano. O éter capta a vibração e a propaga em todas as direções. Através do aparelho receptor, os ouvintes captam a vibração enviada à frequência do rádio. O som volta então à frequência do áudio, que se consegue ouvir quando ele sai das caixas de som.

É exatamente assim o funcionamento da mente. Pode-se estimulá-la para que ela capte informações em um nível mais elevado do que seria possível no estado mental prosaico e cotidiano em que geralmente as pessoas estão.

Uma das funções mais importantes da aliança de MasterMind é permitir que as baterias mentais sejam recarregadas, em um processo semelhante a dirigir um carro: a bateria acaba e você precisa resolver o problema. Um dia, pela manhã, você sai de casa, liga a ignição e nada acontece. Conheço pessoas que saem da cama cedo e fazem o mesmo, limitadas a uma sensação de mal-estar: não querem colocar os calçados, não querem se arrumar, não querem nem tomar o café da manhã. Do que precisam?

Precisam recarregar as baterias, é claro, e necessitam de uma fonte para isso. Na verdade, se um homem acorda se sentindo assim pela manhã, ele pode conversar um pouco com a esposa. Se a mulher for uma boa coordenadora, ela o ajudará a recarregar as baterias. Caso não o seja, acabará deixando-o sair naquele estado de espírito, e ele voltará para casa de mãos vazias.

Terceira – Uma aliança de MasterMind, quando bem conduzida, estimula cada membro a agir com entusiasmo, iniciativa, imaginação e coragem em um nível muito acima do que cada pessoa consegue quando age sem uma aliança do tipo.

Lá atrás, quando comecei, eu tinha uma aliança de MasterMind com três pessoas: o Sr. Carnegie, a minha madrasta e eu. Nós três nutríamos esta filosofia a cada passo do caminho, quando todo o resto do mundo ria de mim por me comprometer a servir o homem mais rico do mundo, por vinte anos, sem qualquer remuneração. Havia lógica no que eles diziam, porque na época eu não ganhava muito, pelo menos não em termos financeiros. Entretanto, chegou um momento em que eu passei a rir, por mais tempo que tenha levado. Garanto que, antes de eu chegar a um ponto em que podia rir das pessoas que riram de mim, derramaram-se muito sangue e lágrimas.

A relação entre nós três – minha madrasta, o Sr. Carnegie e eu – compensava todo o deboche dos meus parentes e amigos. Todos que se comprometem a fazer qualquer coisa que vá além da mediocridade encontram oposições, pessoas que rirão deles, a maioria delas bem próximas; algumas, os próprios parentes.

Quando você ambiciona alguma coisa que supere a mediocridade precisa de uma fonte à qual se dirigir nos momentos de necessidade a fim de recarregar as baterias, e mantê-las carregadas, de modo que não desista diante das dificuldades do caminho e para que não preste atenção às críticas.

As críticas me atingem da mesma forma como a água atinge o dorso de um pato ou uma bala atinge a cabeça de um rinoceronte. Sou absolutamente imune a elas; construtivas ou destrutivas, não me afetam. E isso ocorreu em razão do relacionamento com algumas pessoas da minha aliança de MasterMind, por exemplo, a minha madrasta e o Sr. Carnegie. Por isso estou aqui agora conversando com todos esta noite, aprendizes desta filosofia propagada pelo mundo, a qual ajuda milhões de pessoas. Sim, tive milhares de oportunidades de desistir, todas muito tentadoras. Às vezes, parecia que eu seria um idiota se não desistisse. Mas mantinha aquela relação maravilhosa com o Sr. Carnegie e a minha madrasta, aos quais sempre podia recorrer. Nós nos sentávamos, conversávamos um pouco e ela dizia: "Fique firme, você vai chegar ao topo. Sei que vai".

Em uma época em que eu não tinha um tostão furado, como diziam os meus inimigos, a minha madrasta comentava: "Você vai ser, de longe, o membro mais rico da família Hill. Sei disso porque consigo ver o futuro". Desconfio que hoje eu tenha acumulado mais riquezas do que todos os meus parentes juntos, por três gerações, dos dois lados da família. Minha madrasta foi capaz de enxergar que o que eu estava fazendo inevitavelmente me tornaria rico. Não me refiro a riquezas materiais, mas sim àquelas superiores e mais profundas decorrentes da descoberta de que se pode prestar um serviço a muitas pessoas.

Quarta – Visando à eficácia, uma aliança de MasterMind precisa ser ativa. Não se pode formar uma aliança com alguém e dizer: "Pronto. Estou engajado com essa pessoa, com aquela, com aquela outra, formamos uma aliança de MasterMind". Ela não funcionará se não for ativa. Todos os membros da aliança têm de participar e começar a contribuir mental, espiritual, física e financeiramente, de todas as formas necessárias. Precisam se dedicar à realização de um propósito definido e agir em perfeita harmonia.

Você sabe a diferença entre harmonia perfeita e harmonia simples? Acho que vivenciei mais relacionamentos harmônicos do que qualquer pessoa viva hoje. Mas a harmonia perfeita nos relacionamentos é praticamente a coisa mais rara do mundo. Consigo contar nos dedos das mãos todas as pessoas que hoje conheço com as quais mantive uma relação de perfeita harmonia. Tenho contatos amigáveis e educados com muitos indivíduos, mas isso não significa harmonia perfeita. Tenho uma aliança de trabalho com muitos, mas isso não significa harmonia perfeita nem permanente.

A harmonia perfeita existe apenas quando o seu relacionamento com o outro companheiro é tal que, se ele precisasse e quisesse tudo que você tem, você entregaria a ele, de boa vontade e imediatamente. É preciso muito altruísmo para se colocar nesse estado de espírito.

O Sr. Carnegie frisou inúmeras vezes que, em uma relação de MasterMind, a harmonia perfeita é um elemento essencial. Sem ela, a aliança não passa de uma cooperação qualquer ou de uma coordenação amigável de esforços.

O MasterMind nos dá total acesso às forças espirituais dos outros membros da aliança. Não estou falando sobre a força mental ou sobre o poder financeiro, mas sobre forças espirituais, de pensamento. E a sensação decorrente da permanência da relação de MasterMind será uma das experiências mais excepcionais e agradáveis da vida. Quando você se envolve em uma atividade de MasterMind, tem tanta fé que sabe ser capaz de fazer qualquer coisa a que se dispuser. Não há dúvidas, medos, limites, e esse é um estado de espírito fantástico.

Quinta – Está comprovado que todo sucesso pessoal baseado em algum tipo de realização que supere a mediocridade resulta do princípio do MasterMind, e não apenas de esforços individuais.

Você tem ideia de quão longe poderia chegar se, no seu trabalho, decidisse caminhar sozinho e não depender de mais ninguém? Imagine que conquistaria pouca coisa se não tivesse a cooperação de outras pessoas.

Suponha que você tenha uma profissão, dentista, advogado, médico ou osteopata, e suponha que ainda não entendeu como converter cada um dos clientes ou pacientes em um vendedor para o seu serviço. Imagine como demoraria para formar uma clientela. Profissionais brilhantes entendem como transformar cada pessoa a quem prestam serviços em um vendedor. E o fazem indiretamente, caminhando um quilômetro a mais, esforçando-se para ser de extrema serventia, e assim transformam todos os clientes em vendedores. Os toques emocionais advêm de um poder pessoal, de proporção suficiente que nos permita superar a mediocridade por meio das aplicações do princípio do MasterMind.

Durante o primeiro mandato de Franklin D. Roosevelt[5] na Casa Branca, tive o privilégio de trabalhar com ele na função de assessor confidencial. Cabia a mim criar o esqueleto do plano de propaganda que tirou as palavras *depressão econômica* das manchetes dos jornais, substituindo-as por *recuperação econômica*.

Aqueles que se lembram do que aconteceu no Domingo Negro[6], quando os bancos fecharam pela manhã na segunda-feira seguinte, irão se lembrar da corrida desencadeada neste país. Em todos os lugares, as pessoas, mortas de medo, faziam filas em frente aos bancos para sacar o dinheiro. Tinham perdido a confiança no país, nos bancos, em si mes-

---

5. Presidente dos Estados Unidos de 1933 a 1945.
6. O Domingo Negro refere-se a uma das piores tempestades de poeira da história americana, que ocorreu em 14 de abril de 1935 e causou imensos danos econômicos e agrícolas.

mas e em todo mundo. Ainda confiavam um pouco em Deus, embora não demonstrassem muito. Digo-lhes que foram tempos assustadores.

Reunimo-nos na Casa Branca, onde nos sentamos para trabalhar em um plano que criou uma das aplicações mais notáveis do MasterMind que esta nação já viu. Duvido que qualquer outro país na face da Terra já tenha feito igual, porque, em questão de semanas, conseguimos afastar o medo das pessoas. Em alguns dias, os vendedores nas ruas, os quais haviam perdido seus fundos e não conseguiam crédito, voltaram a rir e não sentiam mais medo algum.

Meus próprios fundos ficaram bloqueados. Sim, eu tinha dinheiro, US$ 1 mil. É engraçado. Fiquei bem esperto quando descobri o que iria acontecer. Ninguém sacava. Eu poderia ter só dez centavos, e isso não valia nada. Mas não senti medo porque todos estavam no mesmo barco que eu. Mesmo assim, algo precisava ser feito.

Franklin D. Roosevelt era um grande líder, imaginativo e corajoso. E eis o que fizemos: primeiro de tudo, e pela primeira vez na história desta nação, os dois maiores partidos dos Estados Unidos, Democratas e Republicanos, trabalharam em harmonia com o presidente, apoiando-o e deixando de lado suas ideologias políticas. Em outras palavras, não havia Democratas, não havia Republicanos: todos eram apenas americanos apoiando o presidente nas medidas necessárias para interromper a debandada do medo. Nunca vi nada igual na minha vida. Espero nunca ver de novo, porque aquela foi uma emergência excepcional e algo precisava ser feito.

Em segundo lugar, a maioria dos jornais dos Estados Unidos publicava o que nós enviávamos. Eles nos deram um espaço magnífico. As estações de rádio também nos ajudaram, a despeito de suas ideias políticas. E as igrejas, todas as denominações – esta foi uma das coisas mais lindas que já vi neste país: católicos e protestantes, judeus e gentios, e todo o resto se unindo como norte-americanos.

Foi uma época maravilhosa. Todos apoiaram o presidente, cada um contribuindo de algum modo para restabelecer a fé do povo neste país.

Que coisa extraordinária se acontecesse agora um renascimento capaz de unir as forças desta nação em torno de um grande projeto para o povo americano. Todas essas forças promoveriam os privilégios ímpares das pessoas como cidadãos americanos. É isso que precisa ser fomentado. Você e eu e todos nós... não damos o devido valor ao que temos.

Você sabia que menos de trinta homens lá em Washington controlam este país de cabo a rabo? Você acha que tem uns quatrocentos deputados no Congresso Nacional e noventa e seis membros no Senado? Há uns quinhentos representantes por lá. E você também pensa que eles estão representando as pessoas, posicionando-se pelos direitos individuais e desempenhando um papel importante no Estado. Esqueça. Cerca de trinta homens – os líderes dos partidos políticos – dão as cartas. E pela primeira vez na história, vi todos esses líderes juntos chegarem à Casa Branca de forma amigável para descobrir o que o presidente queria que fizessem, e então foram lá e fizeram. Sem discussão, sem brigas.

Não sei o que aconteceu, mas praticamente todos deste país acharam que Franklin D. Roosevelt havia caído diretamente do céu durante aqueles dias temíveis. Inclusive eu. Algumas pessoas mais tarde acharam que ele tinha vindo de outro lugar. (Não fui responsável por isso.) Mas, durante aqueles dias frenéticos, não pairavam dúvidas nas mentes da maioria das pessoas. Não conheci ninguém que não achasse o Sr. Roosevelt o homem mais qualificado, o único capaz de ter lidado com aquela situação caótica.

Não me entenda mal, politicamente falando. Só estou falando sobre um homem incrível que fez um trabalho excelente no momento certo. E teve êxito porque contava com uma aliança de MasterMind imbatível.

ALIANÇAS DE MASTERMIND

Vamos dar uma olhada nos diferentes tipos de alianças de MasterMind. Em primeiro lugar, existem aquelas que se formam por motivos puramente pessoais ou sociais, as quais consistem em parentes, amigos, conselheiros religiosos, sem ganho material algum envolvido. A aliança mais importante desse tipo compreende marido e mulher. Se você é casado, nem sequer consigo enfatizar direito a importância de começar a trabalhar agora para que transforme o seu casamento em uma aliança de MasterMind, que lhe trará felicidade, saúde e sucesso de uma forma que nunca sonhou antes. É esplêndida e incomparável a existência de uma verdadeira aliança de MasterMind entre um homem e sua esposa.

Depois, há alianças de desenvolvimento profissional e de negócios formadas por indivíduos cuja motivação é de natureza financeira ou material. Imagino que a maioria de vocês aqui, estudiosos deste assunto, irá formar a primeira aliança de MasterMind por propósitos econômicos e financeiros, e isso é perfeitamente legítimo, pois todos querem melhorar a sua situação econômica e financeira. Portanto, comece imediatamente a formar uma aliança de MasterMind para esse fim.

Tudo bem se você começar com só mais uma pessoa. Depois, dê uma olhada ao seu redor para que escolham mais uma. E trabalhem os dois juntos; individualmente, vocês não podem selecionar essa terceira pessoa. Definido o terceiro membro, certifique-se de que ambos participaram da decisão. Os três juntos conversarão com muito cuidado antes de escolher um quarto novo membro da aliança. Mais tarde, os quatro escolherão a quinta pessoa.

Na aliança de MasterMind, não existe algo como um elemento que domine o grupo, exceto no seguinte sentido: de forma geral, há um coordenador e líder, mas ele não quer de forma alguma dominar os associados porque, no exato momento em que se começa a querer dominar alguém, haverá resistência e rebelião, mesmo que não declarada. E a aliança de MasterMind deve permanecer em um estado contínuo de harmonia perfeita, em que todos agem como se fossem uma única pessoa.

O sistema ferroviário moderno é um exemplo incrível da aplicação do MasterMind na indústria. Nem sempre se verifica harmonia perfeita na relação dos funcionários de uma ferrovia, mas há respeito pela autoridade, como qualquer um que já trabalhou para uma empresa ferroviária sabe. E é fundamental ter respeito pelas autoridades, caso contrário, as ferrovias não funcionariam.

O sistema norte-americano de livre comércio é outro exemplo do princípio do MasterMind, invejado por todos porque elevou o padrão de vida norte-americano a um patamar nunca visto. Não há nele harmonia perfeita, mas motivação para inspirar cada pessoa a fazer o melhor.

Por acaso, cada vez mais empresas e negócios estão começando a entender que podem ir um pouco além: em vez de conseguirem apenas cooperação e coordenação de esforços entre os gestores e funcionários, podem recorrer ao princípio do MasterMind ao compartilhar problemas de gestão, divisão de lucros, enfim, tudo. Sempre que convenci uma empresa a adotar esse modelo, ela passou a faturar mais do que nunca, os empregados passaram a receber salários mais altos e todo mundo ficou feliz.

Um dos exemplos mais caros dessa prática é um dos meus produtos, a McCormick Tea & Spice Company, de Baltimore, em Maryland. Antes de a fábrica que eles têm hoje começar a operar, havia queixas, reclamações e insatisfação. Os chefes de equipe podiam demitir qualquer um sem a aprovação de outra pessoa. Hoje a demissão de um funcionário da McCormick Company é cinco vezes mais demorada do que a contratação. Não se permite que ninguém sozinho demita um trabalhador, nem mesmo o presidente da empresa. Por quê? Porque, se há uma queixa contra alguém, essa pessoa é ouvida pelos gestores e por um número igual de colegas, para que tenha a chance de expor seu caso. Se na análise final a concordância pela demissão for unânime, não vão simplesmente mandar a pessoa embora para procurar outro emprego: eles mesmos encontrarão outro em uma empresa onde a causa da demissão não seja um problema. Não é extraordinário que uma empresa aja assim?

SEIS QUALIDADES DE UM FUNCIONÁRIO

Se você quiser saber a minha ideia de Cristandade Aplicada, aqui está. Não se trata de teoria, mas não faça aos outros o que não quer que façam a você – zele pelos seus irmãos. Que magnífico é, se você precisa terminar o seu relacionamento com alguém, poder dar as mãos de coração aberto e dizer: "Quis a vida que nossos caminhos se apartassem. Vou para um lado e você para outro. Desejo-lhe sucesso de todo o meu coração". Que alegria seria se você dissesse tais palavras com sinceridade a alguém no rompimento, mas não é assim que acontece nas empresas. Normalmente, esses momentos são marcados por raiva, ataques, ofensas e observações pouco elogiosas sobre a outra pessoa.

Até onde posso constatar, Jesus Cristo e seus doze discípulos formavam uma aliança de MasterMind que, embora fraca e com pouco poder no início, se expandiu tanto que se transformou em uma das maiores forças do mundo.

Você bem sabe que aquele discípulo traidor enfrentou a catástrofe suprema da vida. Vi isso inúmeras vezes nas relações humanas, nos negócios, nas profissões e nos lares – momentos em que alguém azeda e se torna infiel. Estou ajudando o Sr. Stone a criar uma empresa que, segundo nossos planos, se tornará global. Você tem ideia de duas qualidades que procuro em todos os funcionários que contratamos?

Lealdade e *confiabilidade*. Confiança fica em primeiro lugar. Se uma pessoa não for confiável, não quero que ela participe de forma alguma do meu negócio, por mais brilhante ou bem preparada que seja. Quanto mais bem preparada, mais perigosa ela é se não for de confiança.

Quanto à lealdade, eu diria a mesma coisa. Se uma pessoa não é leal àquelas a quem deve lealdade, então para mim ela não tem caráter, e não a quero por perto.

Confiabilidade e lealdade. Depois disso, vem a *competência* para realizar o trabalho. Note que a coloco em terceiro lugar. Só me interesso pelas competências se a pessoa for leal e confiável.

A qualidade número quatro é uma *atitude mental positiva*, é claro. De que serve um cobertor molhado de negatividade embrulhado em você? É melhor pagar para ele desaparecer de vista.

A número cinco é *a caminhada de um quilômetro a mais*. E a número seis, a *fé aplicada*. Quando você encontra pessoas que reúnem esses seis atributos, encontrou alguém de valor. Está diante da realeza.

Os Rotary Clubs são uma ilustração esplêndida do MasterMind. Mas ainda pecam por uma fraqueza, razão pela qual não exemplificam com perfeição os potenciais do MasterMind.

Faltam-lhes definição de propósito e um programa significativo. Como disse Bill Robinson[7], eles vão lá, comem, se empanturram e voltam para casa. Não quero ofender o Rotary Club – fui membro do primeiro –, mas as palavras de Robinson sobre o Rotary também valem para praticamente todos os outros clubes. Muitos fazem coisas maravilhosas em pequena escala, mas precisam de um projeto mais significativo e mais abrangente.

---

7. Bill "Bojangles" Robinson (1877–1949) foi um ator e dançarino mais conhecido por ter sido o primeiro artista negro mais bem pago da indústria do entretenimento, na primeira metade do século 20. (N.P)

Pense no que aconteceria se o Rotary Club, os Kiwanis, o Lions Club, o Exchange Club e todos os outros começassem a falar para esta nação. Pense no que poderiam fazer. Seria incrível, com potencial e força seria de outro mundo. Pense no que aconteceria se o Lions Club, por exemplo, levasse esta filosofia a todas as partes deste país e iniciasse clubes de estudo em todas as cidades onde há um Lions Club. Poderiam ficar com parte dos lucros e ainda organizar um clube de rapazes em cada cidade.

Fica aqui uma ideia: clubes de rapazes. Ouço falar muito sobre delinquência entre jovens, sobretudo entre meninos. Se eles tivessem à sua disposição clubes com coisas que lhes despertassem interesse, não adotariam hábitos destrutivos. Seria fantástico se os Lions Clubs conseguissem levar essa ideia a todo o mundo. Já existe um clube desse tipo em que tive o privilégio de palestrar na semana passada, patrocinado pelo Marshall Square Lions Club, e eles fazem um trabalho incrível.

Em qualquer aliança de MasterMind, unir-se em um espírito de fraternidade, como fazem no Rotary, apesar de esplêndido, não basta. É preciso ter alguma dinâmica, algum projeto significativo por meio do qual se preste um serviço de utilidade pública; é preciso ajudar os outros e ajudar a si próprio.

FORMAÇÃO DE UMA ALIANÇA DE MASTERMIND

Agora quero explicar-lhes como formar e manter uma aliança de MasterMind.

Primeiramente, adote um princípio definido como objetivo a ser alcançado, escolhendo membros cuja formação, experiência e influência sejam valorosas para a conquista do propósito.

Muitas vezes me perguntam qual é o número ideal de pessoas para uma aliança de MasterMind, e como se faz para escolher o tipo certo. O procedimento é o mesmo de se abrir uma empresa e selecionar os funcionários: que tipo de funcionário você escolheria? Escolheria alguém capaz de fazer o que você precisa na empresa.

Quantos? Depende do volume de negócios. Se você tem uma ou duas barraquinhas de amendoim, basta uma pessoa, mas, se você tem uma rede de barraquinhas de amendoim, talvez precise de uma centena delas.

Quanto à qualificação dos membros da aliança de MasterMind, primeiro de tudo, considere os seis pontos que já abordei; são eles as qualificações necessárias para o seu MasterMind: confiança, lealdade, competência, atitude mental positiva, disposição para uma caminhada de um quilômetro a mais e fé aplicada. Se você quer saber as qualificações da sua aliança de MasterMind, aí estão, e não se contente com nada menos do que isso. Se encontrar alguém que incorpore cinco dessas qualidades, mas lhe falte a sexta, aja com cautela, porque todas são fundamentais em uma relação de MasterMind.

Observe com atenção e verá que isso é verdade. Impossível uma harmonia perfeita se você não trabalhar com alguém que tenha marcado cem por cento em todas essas seis frentes. Impossível formar uma aliança de MasterMind. Você talvez até tenha um esquema de trabalho, como ocorre com muitas pessoas, mas ele não daria conta de todos os valores potenciais do MasterMind.

Em seguida, determine os benefícios que cada membro pode receber em troca da cooperação com essa aliança. Lembre-se de que ninguém faz nada se não tiver algum retorno.

É até possível que você diga que, quando ama alguém, não recebe nada em troca, que não age à espera de alguma coisa. Mas vou lhe contar algo: você recebe muito, porque o privilégio de amar é incrível. Mesmo quando o amor não é retribuído, ainda assim você colhe o benefício daquele estado de espírito conhecido como amor, além de desfrutar o desenvolvimento e o crescimento que dele resultam.

Não existe receber sem dar em troca. Ninguém trabalha sem algum tipo de compensação. No entanto, como há diferentes formas de compensação, não espere que os seus aliados de MasterMind o ajudem a ganhar uma fortuna – ou o ajudem a fazer qualquer coisa – se também não estiverem colhendo os benefícios proporcionados pela aliança de MasterMind.

Há um critério a seguir: cada pessoa deve receber um benefício quase igual ao que você recebe, ou monetário ou social, na forma de felicidade ou paz de espírito.

Em seguida, considere também as nove motivações básicas que estimulam ou inibem as pessoas para a ação ao longo da vida. Nunca peça nada a alguém se não der um motivo justo para que o faça.

Se eu fosse ao banco para pedir um empréstimo de US$ 10 mil, qual seria a motivação dele para me emprestar esse dinheiro?

Dois motivos, ambos no escopo dos ganhos financeiros. O banco ficaria feliz por me emprestar o dinheiro se eu desse uma segurança. Afinal, ele quer uma garantia e lucros com o empréstimo, por isso está nesse negócio.

Há ainda outras transações que não se baseiam em motivações financeiras. Por exemplo, quando um homem pede sua garota em casamento, qual é a motivação?

Amor? Às vezes. Teoricamente, sim, mas nem sempre. Sei de muitos casamentos que não tinham nada a ver com amor, de nenhum dos lados.

Quando meu pai trouxe a minha madrasta para casa, ele era só um fazendeiro e nunca tivera uma camisa branca ou uma gravata. Sentia medo de camisas brancas e gravatas. Usava camisetas azuis de algodão.

A minha madrasta era uma mulher com curso superior, bem-educada, e eles eram tão opostos quando o Polo Norte e o Polo Sul.

    Ela o arrumou, colocou nele uma camisa branca e o fez parecer um sujeito importante. Mas levou um tempo. Por fim, ela o fez gostar de dinheiro, e ele se tornou um homem notável. Um dia, eu lhe perguntei: "Como meu pai se rendeu a você? Qual foi a motivação?".

    Ela respondeu: "Vou lhe contar. Reconheci que nas veias dele corria um bom sangue anglo-saxônico, portanto, tinha possibilidades que acreditei ser capaz de destacar". E foi o que ela fez. Muitas vezes, as mulheres se casam por enxergarem potencial nos homens; às vezes é uma motivação financeira, às vezes é amor, às vezes é uma coisa e às vezes é outra. Mas, tenha certeza, sempre que alguém se envolve em uma transação, subjaz uma motivação.

    Qualquer coisa que você deseja que alguém faça, escolha a motivação certa e semeie a mente da pessoa no momento certo; você se tornará um vendedor magistral.

    Em seguida, estabeleça um plano definido; cada membro da aliança vai contribuir para a realização do objeto da aliança, e programe um horário e um local para discutir o plano em conjunto. A falta de definição causará o fracasso. Mantenha um meio de contato regular entre todos os membros da sua aliança.

    Você já teve uma grande amizade com alguém, e então, de repente, ela esfriou e acabou? A maioria de nós, sim. Qual o motivo?

    Descaso. Simples assim, descaso. Se você tem amigos muito próximos e muito queridos, a única forma de mantê-los é o contato regular. Talvez nada mais do que um cartão-postal de vez em quando. Tenho uma aluna que frequentou meu curso em Nova York, em 1928, e ela nunca deixou de me mandar um cartão em nenhum dos meus aniversários desde então. Certa vez, a moça estava de férias e só se lembrou do meu aniversário na metade da tarde. Resultado?

Mandou um telegrama me parabenizando. Em outras palavras, ela tem sido minha aluna mais constante, considerando os milhares que já tive em todo o país. Em virtude da atenção especial que ela me dedica, em alguns momentos pude ajudá-la profissionalmente, como uma promoção que lhe rendeu US$ 4 mil por ano, sem dúvida uma recompensa bem generosa por manter contato.

Mantenha contato com os seus aliados de MasterMind. Agende reuniões regulares. Eles precisam de atividades, caso contrário, ficarão mais frios, indiferentes, e acabarão perdendo o valor para você.

CLUB SUCCESS UNLIMITED

Você tem uma oportunidade de se beneficiar do princípio do MasterMind primeiro como membro do Club Success Unlimited, cujos participantes cooperam com o objetivo de se ajudarem para a concretização do propósito principal definido ou para a resolução dos problemas pessoais de cada um. Se a solução não for encontrada no clube, ela pode ser encaminhada à equipe executiva da Napoleon Hill Associates, e, em tempo oportuno, você terá as respostas para todos os problemas passíveis de resolução.

Vê que coisa maravilhosa você tem em mãos? Não comprou apenas o privilégio de frequentar este curso, mas também uma aliança com a qual você poderá contar daqui em diante. Se usá-la com inteligência, ela sempre lhe dará frutos, independentemente do que você faça com esta filosofia. Mas terá de manter a relação viva. Caso conclua este curso e nos esqueça, também nos esqueceremos de você. O velho ditado – longe dos olhos, longe do coração – não tem como ser mais verdadeiro. Mantenha a aliança. Temos contatos valiosos a que você pode recorrer, se pedir. Quando descobrimos as suas necessidades, buscamos de imediato a nossa lista de contatos – e eles se espalham por todo o mundo. Se você precisar de algo na Índia, por exemplo, posso colocá-lo em contato com os homens mais poderosos daquele país, os quais serão diligentes com você. Se precisar de alguma coisa no Brasil, posso colocá-lo em contato com os homens mais poderosos de lá pelo telefone. Posso conseguir um telefonema com alguém em questão de, no máximo, algumas horas. Em qualquer lugar no Império Britânico, posso arranjar para você um profissional incrível ou um contato social ou de negócios. Consigo isso porque dediquei toda a minha vida à criação de contatos amigáveis, pessoas que se esforçariam para ajudar alguém que eu lhes apresentasse. Quero que você use esses vínculos valiosos neste curso. Para isso serve a Napoleon Hill Associates: servir as pessoas que estão usufruindo desta filosofia e, em troca, ajudá-las a fazer um trabalho melhor servindo outras pessoas.

Ao formar a sua própria aliança com membros deste grupo que concordam com a realização de um propósito desejado, você conhecerá algumas alianças maravilhosas.

O PODER DAS MULHERES EXTRAORDINÁRIAS

As esposas de Henry Ford e Thomas A. Edison são dois exemplos notáveis aos quais recorro reiteradas vezes para demonstrar como uma mulher pode fazer o seu marido prosperar. No caso da Sra. Ford, se não fosse por sua compreensão do princípio do MasterMind (embora ela não o chame dessa forma), o Sr. Ford nunca teria se tornado famoso, a Ford Motor Company não existiria e duvido que a indústria de automóveis se desenvolvesse no mesmo ritmo. A Sra. Ford manteve o marido na linha, alerta, e encheu-o de confiança nos momentos difíceis e de críticas, quando as pessoas chamavam os automóveis de engenhocas que só serviam para assustar os cavalos. A Sra. Ford o apoiou em todas as dificuldades.

Todos vocês passarão por momentos assim na vida, quando as coisas ficam difíceis para todo mundo. Eu vivi mais de vinte anos de dificuldades, mas tive perseverança, tanto espiritual quanto mental e física, para passar pelo que passei. Deve ter sido um propósito principal. Deve ter tido alguém cuidando de mim enquanto eu não via.

4
Fé aplicada

Formação acadêmica, experiência, nacionalidade, credo, nada disso se relaciona com a capacidade de realização. O que vale é seu estado de espírito; é ele que determina como, o que e quando você vai conquistar. Para mim, o elemento mais profundo em todo o conhecimento da humanidade é o fato de uma pessoa ser capaz de assumir o controle da própria mente. Ela pode dar à mente as cores que quiser; pode projetá-la para lugares elevados ou fazê-la descer à sarjeta. Pode fazê-la prosperar ou fracassar; a simples mudança de atitude mental levará a pessoa do sucesso ao fracasso quase instantaneamente.

A atitude mental fará o mesmo com a saúde física. Já pensou nisso? Um ano atrás, fui até a cidade de Jackson, no Mississippi, para ministrar este curso ao longo de cinco noites a um grupo de dentistas, trabalhando quatro horas todas as noites. Das oito da manhã ao meio-dia, eu escrevia roteiros e gravava programas de rádio para a estação local. Da uma às quatro da tarde, entrevistava cada um dos meus alunos, ouvia os seus problemas e lhes dava respostas. O resto do tempo esperava de braços cruzados, à toa.

Cheguei lá com uma gripe forte. Meu médico disse que, em vez de dar palestras, eu deveria ir ao hospital. Ao final da semana, havia conseguido despachar a gripe e descoberto que a minha mente resolveria qualquer circunstância atípica se assim eu quisesse. Diria que não há dinheiro suficiente no Tesouro Americano que me pagasse meu trabalho lá, se eu trabalhasse apenas pelo dinheiro. Não teria submetido meu corpo físico àquele tipo de teste. Mas deu certo. Não tive mal-estar algum, nunca me senti melhor. E aprendi uma grande lição: não há limites para a mente humana, exceto aqueles impostos por ela. Acho que essa foi uma das experiências mais gloriosas e profundas de toda a minha vida.

Descobri alguma coisa que desconhecia: não há limites para o que você consegue fazer com o seu corpo físico ou com a sua mente.

Um desejo ardente constitui o material a partir do qual a fé é criada. Um desejo ardente é uma obsessão, algo que se apossa de você a ponto de deixá-lo obcecado. No mundo, claro, há muitos desejos, mas não são todos ardentes ou obsessivos. A maioria das pessoas nunca sequer sentiu um desejo obsessivo por nada. Começamos com esperanças e desejos tímidos. Todo mundo deseja um monte de dinheiro sem a necessidade de trabalhar. As pessoas querem um Cadillac enquanto dirigem um Ford; querem um casaco de pele enquanto vestem um sintético.

Fui a Miami, na Flórida, com o Sr. Stone para participar de uma convenção dos gerentes estaduais. Na minha palestra, falei para as esposas como seria fácil trocar seus casacos de pele de coelho por casacos de pele de *vison* e seus Fords por Cadillacs. E quer saber? Elas tiveram o bom senso de acreditar em minhas palavras. Todo dia ouvíamos falar da esposa de algum gerente que comprara um novo casaco de pele de *vison* ou um Cadillac.

Depois, convidaram-me a ir até Richmond, na Virgínia, e contar a mesma história para o grupo de lá. Eles queriam aprender como conseguir Cadillacs e casacos de pele. Contei-lhes a mesma coisa que estou contando aqui: não há limites para a mente. Se você quer um casaco de pele de *vison*, não se contente com nada menos; certifique-se de que o seu marido está trabalhando para ganhar dinheiro. Se você quer um Cadillac e decidiu que vai ter um, esforce-se para merecê-lo. Se não quer um Cadillac, é possível que passe o resto da vida dirigindo um Ford.

Você precisa querer as coisas. Precisa querer com um desejo ardente e, então, precisa fazer algo com esse desejo. E o que seria?

Ação. Comece de onde está, demonstrando ter fé na própria capacidade. Comece a agir exatamente onde você está.

Há muitos exemplos de realização pessoal, mas quero chamar sua atenção para um em particular: Helen Keller[8], uma moça que acreditou que conseguiria falar, mesmo tendo perdido a fala, a visão e a audição quando criança. Dá para imaginar? Ela não ouvia, não enxergava e não falava e, ainda assim, se tornou uma das mulheres mais bem formadas do mundo, com mais comunicação em questões públicas e civis de todo o mundo do que 90% das mulheres cujos sentidos estão intactos. É magnífico, e ela só dispõe da vibração. Quando alguém fala com Keller, ela coloca a ponta dos dedos nos lábios da pessoa e consegue entender o que está sendo dito apenas pela vibração. Pense em uma mulher com uma deficiência assim desde criancinha, mas que aproveita a vida, presta um serviço útil, faz palestras. Ela aprendeu a falar e está fazendo um excelente trabalho, enquanto a maioria das pessoas com qualquer um desses problemas teria se contentado com uma latinha e alguns lápis em uma esquina qualquer.

No período em que trabalhei na equipe de Franklin D. Roosevelt, todos os dias, na esquina da Pennsylvania Avenue – a rua que passa pela Casa Branca –, passava por um homem sentado lá com uma lati-

---

8. Helen Adams Keller (1880– 968) foi escritora, conferencista e ativista social norte-americana, a primeira pessoa surda e cega da história a conquistar um bacharelado.

nha e alguns lápis. Fiz contato ele, que perdera o movimento das pernas, exatamente o mesmo problema que afligia Franklin D. Roosevelt, e aconteceu mais ou menos à mesma época. Descobri que a formação acadêmica do sujeito era ainda melhor que a de Roosevelt, mas ali estava ele, com uma latinha e alguns lápis, tentando viver de esmola. A apenas uma quadra de distância, estava o homem que conquistara o cargo de maior importância e responsabilidade de todo o mundo, à frente de uma grande nação, e que também tinha perdido o movimento das pernas. A diferença? O primeiro homem havia perdido o movimento do cérebro, a autoconfiança.

Essas perdas físicas às vezes se revelam grandes bênçãos, ensinando-nos que conseguimos seguir em frente sem um olho, sem as pernas ou sem as mãos. Podemos seguir em frente sem muitas coisas, se tivermos a atitude mental correta diante do que nos restou. Isso é importante.

Se você tiver fé, mantenha o foco no que quer, e não no que *não* quer. Como?

Procure a palavra *transmutar* no dicionário e veja seu significado. Você já deve ter uma ideia dele, mas não deixe de procurar, porque ficará mais bem gravado no seu subconsciente.

A forma de afastar as coisas que você não quer da mente é focar aquilo que você *quer* e falar sobre isso, agradecendo o que já possui. Parece tolo para alguém que não sabe o que você está fazendo, mas não parecerá tolo para você, que sabe o que está fazendo: falando com o seu subconsciente, reeducando-se, mantendo o foco mental nas coisas que quer, distante das que não quer. Para isso, continue falando e pensando. Impossível falar sem pensar (algumas pessoas conseguem, mas a maioria, não). Continue falando sobre aquilo que deseja.

Agora vou explicar a existência de um remédio para um dia em que se sentir desanimado ou desencorajado. Sente-se, pegue um bloco de anotações e comece a numerar. Número um, anote o que mais quer na vida. Número dois, o que você mais quer em segundo lugar. Número três, o que almeja depois. Quando chegar ao tipo de casa onde quer morar, descreva o terreno em que deseja que ela se localize, seja um terreno grande no topo de uma colina, seja à beira da estrada, quantos quartos você quer, como pretende mobiliá-la. Você passará um bom tempo mobiliando a sua casa, o que é bem melhor do que sair olhando vitrines, porque assim terá como único limite a mente. Ao visitar lojas, com apenas duas pernas, você será limitado pela distância. Olhe vitrines com a mente e, acredite, ela alcançará esse estado. Desse modo, colocará o foco mental em algo construtivo e estará educando o subconsciente para se manter no caminho certo.

A tarefa que estou sugerindo aqui não é boba, nem uma brincadeira. É uma tarefa de verdade, e você irá ficar contente ao realizá-la. Comece com alguma coisa concreta. Quando algo o incomodar, anote as coisas que você deseja.

Não sei o porquê, mas, quando uma pessoa decide o que quer e determina que irá concretizá-lo, todas as forças do universo parecem trabalhar para ajudá-la. Não sei o que é, mas o simples *saber* me basta. Enxergo muitas coisas neste mundo e beneficio-me de muitas vantagens que não entendo, nem preciso entender. Eu sei que botão acionar para o resultado desejado. Não preciso saber o que acontece entre o momento em que aperto o botão e o momento em que conquisto o resultado. Sei que, se você seguir as orientações desta filosofia, assumirá o controle da sua mente, conquistará o que quiser e a vida retribuirá de acordo com seus próprios termos.

Como sei que uma pessoa pode de fato fazer a vida retribuir a cada instante, por seus próprios meios, em vez de aceitar as circunstâncias? A partir da minha própria experiência. Digo com toda sinceridade que não há nada de bom no mundo que eu queira e que não tenha ou não consiga com facilidade. Absolutamente nada.

Que afirmação surpreendente se comparada ao que eu talvez tenha dito alguns anos atrás, antes de aprender o segredo para concretizar tudo que quisesse. Houve uma época em que eu carregava no bolso os fósforos com os quais incendiava a minha casa de oportunidades, mas não sabia. Finalmente consegui me livrar deles. Comecei a construir uma casa de oportunidades cujo interior parecia muito com aquela que eu tinha construído na cabeça, até os últimos detalhes.

Não existe fé generalizada. É necessário um propósito definido, um objetivo que a anteceda. A fé é uma atitude mental que liberta a mente de todos os medos e dúvidas e a direciona para a realização de algo definido pela inspiração da inteligência infinita.

A fé é o guia, nada mais. Não é ela que vai conseguir o Cadillac ou o casaco de *vison* para você, ou a casa nova, ou um emprego melhor, ou aquele negócio bom com todos os clientes de que você precisa. Ela não fará isso. Mas será capaz de lhe mostrar como fazer, e você descobrirá um papel que precisa desempenhar. O Criador organizou tudo com sabedoria para que produzíssemos a nossa comunidade com o solo. Tudo que comemos, usamos ou com que trabalhamos vem da terra – tudo. E a inteligência infinita concebeu com sabedoria um método por meio do qual você pode conseguir alimento a partir da terra. Respeitando as leis da natureza, você planta a semente em um solo que analisou para garantir que nele existam os elementos que você quer. E planta na estação certa, na profundidade correta do solo. Todas as coisas que você realiza ao fazer além do necessário, faz em antecipação. E depois o que acontece? Volta no dia seguinte e começa a colher, certo?

Errado. Você planeja, descobre os nutrientes de que a natureza precisa para transmutar a semente de trigo em um ramo com quinhentas, ou até mil sementes. E respeita as leis na natureza.

É igual com a fé. Você espera uma orientação, mas precisa fazer a sua parte, e sempre descobre qual sua função para demonstrar a fé. Ela não fará nada se apenas esperar que tudo seja feito para você, e não por você.

A fé provavelmente opera por meio do subconsciente. Por que uso a palavra *provavelmente*? Por que ninguém sabe ao certo como funciona. É uma teoria, e, na falta de outra melhor, é a que uso. A fé parece operar por meio do subconsciente, que funciona como uma porta de entrada entre a mente consciente e a inteligência infinita. Minha imagem mental do que acontece quando oramos é que primeiro condicionamos a mente – sabendo o que queremos – e depois transferimos uma imagem clara para o subconsciente. É ele o intermediário, o guardião entre nós e a infinita inteligência, a única coisa capaz de ativar o poder da infinita inteligência, a única forma de acessarmos a infinita inteligência, segundo o meu manual de regras. Não sei se é mesmo assim. Particularmente penso desse modo, porque é assim que faço a coisa toda funcionar.

PASSOS PARA DESENVOLVER A FÉ

Agora vamos conhecer os passos essenciais para o desenvolvimento da autoconfiança baseada na fé. Se tem uma coisa de que as pessoas precisam mais do que qualquer outra, é a autoconfiança: acreditar em si mesmas.

Aqui estão os mais importantes. Em primeiro lugar, adote um propósito principal definido e comece a concretizá-lo com as instruções descritas no Capítulo 1. É o primeiro passo para o desenvolvimento da autoconfiança. Quando você sabe o que quer e vai atrás, passa a conquistar um pouco de autoconfiança. Afinal, se não confiasse em si mesmo, nem começaria, não é verdade? O simples fato de começar, por mais longe que esteja de alcançar o que busca, demonstra que você tem um pouco de autoconfiança. Quanto mais você for atrás de uma ideia, mais fortalecerá a sua crença.

Em seguida, associe o quanto puder as nove motivações básicas ao objeto do seu propósito principal definido. Em outras palavras, quando buscar alguma coisa, busque toda a inspiração que conseguir nas nove motivações básicas.

Para alcançar algo que deseja muito – mais dinheiro, digamos –, você precisa planejar e desenvolver algum tipo de plano para ganhar mais dinheiro. O meu filho Blair, aos seis ou sete anos, queria um trenzinho elétrico bacana que custava US$ 50, um valor muito elevado naquele momento, porque teríamos também que presentear nossos outros filhos com a mesma quantia. Falei isso para Blair e ele disse: "Eu não lhe pedi para comprar nada para mim. Só queria que me deixasse comprar o trem, porque já escolhi. E já encomendei". E ele tinha mesmo encomendado: trem Lionel, US$ 50.

No dia seguinte, nevou muito. Blair pediu emprestada a pá do zelador e caminhou pela rua limpando calçadas. As pessoas saíam de suas casas para conversar com meu filho, e ele dizia: "Achei que seria bom se eu limpasse a sua calçada. Vi que você ainda não começou a limpeza". E todos acabavam lhe dando algumas moedas, às vezes 25 centavos, às vezes cinquenta, às vezes até mesmo US$ 1. Um homem chegou a dar US$ 5. Muito antes do final do mês, ele já acumulara o valor, e mais US$ 10 de lucro. Minha esposa achou que deveria proibir aquilo: era uma vergonha para nós deixá-lo sair pela rua limpando calçadas. "Bom", eu disse, "vergonhas à parte, eles descobriram quem são as pessoas que conseguem criar filhos assim". E como conseguimos? Dando-lhes um motivo.

Escreva uma lista com todas as vantagens do seu propósito principal definido e relembre-as várias vezes ao dia, despertando, assim, a sua mente para o sucesso. Você sabia que, para ser saudável, precisa abrir a sua mente para a saúde? Não importa quais precauções tome, se a atitude mental não se voltar à saúde, se você não pensar em termos de saúde, se não estiver vivendo a saúde, não será saudável, não importa o que faça.

Acontece o mesmo com o sucesso. Se você aceitar qualquer tipo de medo ou complexo de inferioridade, se não esperar o sucesso para si mesmo e não desenvolver uma consciência ou expectativa voltada a ele, não o alcançará. Se o seu propósito principal é a conquista de bens materiais ou dinheiro, já se veja em posse disso. É de vital importância trazê-lo para a consciência, porque, novamente, o poder da fé vai entrar em ação. Se a fé não for poderosa o bastante para você visualizar seu propósito nas suas mãos antes mesmo de começar a correr atrás, então não está usando a fé aplicada.

Associe-se a pessoas – amigos próximos ou membros da aliança de MasterMind – que simpatizem com você e com o seu propósito principal e permita-lhes incentivá-lo de todas as formas possíveis. Não divulgue os seus objetivos e propósitos para pessoas que não sejam confiáveis, fiéis e próximas a você. Às vezes, você conta as suas ideias – se forem boas – a pessoas que lhe dão as costas e lhe passam a perna, e ainda se apropriam das suas ideias antes que as use, ou dizem alguma coisa para desmotivá-lo.

Não deixe passar um dia sequer sem ao menos um movimento decisivo rumo à realização do seu propósito principal, e escolha alguém próspero e autoconfiante como líder – alguém que marque os seus passos não apenas para que você o alcance, mas para acelerar o processo.

Espero e oro com todas as minhas forças para que cada um dos meus alunos que se dedique a lecionar decida que vai superar Napoleon Hill, e rápido. Vocês contarão com minha cooperação absoluta e minha sincera solidariedade para ajudá-los. Um verdadeiro professor sempre quer que os alunos o superem. E vou fazer exatamente isso, e explico a razão: porque meus alunos têm muito mais facilidades à disposição do que eu tinha quando comecei. Em outras palavras, temos os equipamentos com os quais podemos ajudá-los a conquistar muito mais em pouco tempo do que eu jamais conquistei. Não consigo imaginar qualquer pessoa inteligente, com uma formação razoável, assistindo a estas aulas sem que elas a levem a um bom emprego de professor. Vocês se tornarão com rapidez professores competentes, todos vocês que seguirem as instruções.

A fé é uma atitude mental positiva em ação. A atitude mental – a soma dos seus pensamentos em um certo momento – se reflete em todas as palavras que você diz, mais elevada do que a própria voz. Uma atitude mental positiva se origina no desejo espiritual, caracterizando-se como o meio pelo qual as adversidades podem se transmutar em benefícios.

Encontre algumas sugestões que lhe agradam, imprima-as em um cartão ou em algo que pendure, veja-as todos os dias e tome-as para si. Cerque-se dessas sugestões. Para qualquer lugar que você olhar, verá alguma coisa sugerindo uma atitude mental positiva. Ao entrar no escritório ou na casa de alguém bem-sucedido, note que muitas vezes essas pessoas se cercam de imagens de outras que consideram incríveis. Com frequência você verá frases espalhadas pelas paredes. Já vi centenas delas.

Entrei no escritório de Jennings Randolph[9], meu amigo, quando ele era congressista em Washington, e descobri que fotos de homens que ele considerava incríveis cobriam todas as paredes. Com isso, ele

---

9. Jennings Randolph (1902–1998) foi um político americano democrata mais notável por seus serviços na Câmara dos Representantes dos Estados Unidos de 1933 a 1947 e no Senado dos Estados Unidos de 1958 a 1985. Foi o último membro sobrevivente do Congresso dos Estados Unidos a servir durante os primeiros cem dias da administração de Franklin D. Roosevelt.

objetivava estar em um ambiente de grandeza, o que mantinha sua mente positiva.

Comece na sua casa, na sua empresa, no seu escritório, no lugar onde você mais fica. Talvez seja o quarto onde dorme todas as noites. Coloque algo visível que desperte um pensamento positivo logo antes de você se deitar e sempre se lembrará disso ao entrar ali. Ficará surpreso com a sensação de bem-estar.

5
Caminhada de um quilômetro a mais

O próximo assunto envolverá fazer além do necessário. Em outras palavras, prestar um serviço melhor e mais abrangente do que lhe pagaram para prestar, o tempo todo, e com uma atitude mental agradável.

Hoje existem tantos fracassos no mundo porque a maioria das pessoas não anda nem sai do lugar, muito menos caminha um quilômetro a mais. Quase sempre, fazem o primeiro esforço queixando-se e tornando-se um peso para aqueles que as acompanham.

Não conheço nenhuma qualidade ou característica que renda oportunidades mais rapidamente a alguém do que se desviar do próprio caminho para prestar um favor ou fazer algo útil ao outro. Esse privilégio é a única coisa que se pode fazer na vida que dispensa ser pedida a alguém. Você sempre pode aprimorar os seus serviços e desviar-se do seu caminho em prol de alguma gentileza, mesmo quando pertence a um sindicato e eles não querem que você assente mil ou mil e poucos tijolos, ainda que o faça com facilidade. Mas há um jeito de contornar essa questão também. Se você faz parte de um sindicato e precisa se adequar às normas, seja agradável e sorridente durante o trabalho, atraindo, assim, a atenção de alguém que lhe oferecerá um emprego melhor, no qual não tenha que observar as regras sindicais. Nada o impede de fazer isso.

Na verdade, você talvez coloque na cabeça que nunca será livre, determinado e independente financeiramente se não criar o hábito de caminhar um quilômetro a mais e se tornar indispensável sempre que puder. Essa é a única maneira de alguém se tornar indispensável, prestar um serviço fora do previsto e agir com a atitude mental correta.

Ela é importante. Se você se queixa de andar um quilômetro a mais, há uma boa chance de que não colha muitos frutos.

O EXEMPLO DA NATUREZA

O que me qualifica para enfatizar o princípio de caminhar um quilômetro a mais? A experiência, olhar ao redor e observar a ação da natureza. Não tem erro. Inversamente, sempre que não identificarmos a forma como a natureza age e não a aceitarmos, teremos problemas de alguma forma. A natureza opera por meio de um plano geral, não importa como o chame, seja a causa primeira, seja o Criador, mas há apenas um plano, apenas um conjunto de leis naturais. Cabe a cada um descobri-las e se adaptar a elas.

Um elemento primordial da natureza é o fato de ela exigir que todos os seres vivos façam além do necessário para se alimentar, viver e sobreviver. Os homens nem sequer sobreviveriam a uma única estação se não fosse pela lei de andar um quilômetro a mais. Por exemplo, quando o camponês planta a semente no solo, coloca um grão de trigo no chão, digamos, e faz o quê? Espera.

O tempo é importante. Não preste um serviço valoroso em um dia e espere receber um cheque milionário no dia seguinte. Em outras palavras, se você prestar serviços valorosos, talvez precise esperar um tempinho para o reconhecimento. Nesse período, é possível que não seja recompensado por andar um quilômetro a mais. É possível que ainda caminhe um quilômetro a mais por um bom tempo antes de alguém perceber.

Mas seja cuidadoso. Se você andar um quilômetro a mais por muito tempo sem que alguém o note, e se a pessoa certa nem sequer perceber, olhe em volta até encontrar alguém que perceba. Ou seja, se o seu atual empregador não o reconhece, você vai acabar demitindo-o de qualquer modo e deixar que o concorrente saiba que tipo de serviço você está prestando. Estimule a concorrência no seu caminho.

A LEI NATURAL DOS RETORNOS CRESCENTES

Ninguém aceita uma regra ou faz qualquer coisa sem uma motivação, e eu lhe dei aqui inúmeros motivos para andar um quilômetro a mais.

Um dos mais razoáveis que eu conheço está no fato de colocar a lei dos retornos crescentes a seu favor, o que significa que você recebe mais do que dá, bom ou ruim, positivo ou negativo. Tudo o que você dá, tudo o que faz por ou para outra pessoa, tudo o que lhe pertence e você distribui volta multiplicado muitas vezes. Não há exceção para essa regra.

Mas vale aqui também a questão de tempo. O processo do retorno nem sempre é rápido, às vezes leva mais tempo do que você espera. Mas tenha certeza de que, se você emitir influências negativas, elas voltarão mais cedo ou mais tarde. Talvez nem mesmo identifique os motivos, mas elas voltarão. Você não passará imune. A lei dos retornos crescentes, eterna e automática, funciona o tempo todo e é tão inexorável quanto a lei da gravidade. Ninguém no mundo pode desobedecer-lhe ou suspendê-la por um instante que seja. Ela opera o tempo todo.

A lei dos retornos crescentes significa que, quando você se desvia do seu caminho para prestar um serviço mais significativo e melhor do que é remunerado para prestar, é impossível *não* receber mais, porque em algum momento essa lei se encarregará disso. Se você for assalariado, por exemplo, receberá pagamentos adicionais, mais responsabilidades, promoções, oportunidades, inclusive de um negócio próprio. Ela voltará de mil maneiras diferentes.

Muitas vezes, as recompensas não virão da fonte para a qual você prestou o serviço. Não receie prestar serviços para um comprador ou um empregador ganancioso, pois isso não faz diferença. Se você trabalhar de boa-fé, com real vontade, e continuar agindo assim por força do hábito, é impossível que não seja recompensado.

Anos atrás, isso me intrigou no início. Quando comecei a testar essa lei, observei que prestava muitos serviços a pessoas que nem me agradeciam. Eu costumava permitir que muitos alunos frequentassem as minhas aulas sem pagar, e descobri que praticamente todas eles me causavam problemas e que quase nenhum se beneficiava dos meus ensinamentos. As pessoas que esperam algo sem oferecer nada em troca não escapam da punição. Assim funciona a lei dos retornos crescentes.

Quando você começar a aplicar esse princípio, não seja tão cauteloso em relação à pessoa a quem prestará o serviço. Na verdade, aplique esse princípio a todos com quem entrar em contato, não importa quem: estranhos, conhecidos, parceiros de negócios e parentes, sem diferenciação. Faça com que a prestação de um serviço útil se torne o seu negócio sempre que mantiver qualquer tipo ou forma de relação humana.

QUALIDADE E QUANTIDADE DE SERVIÇO

A única forma de maximizar o espaço que você ocupa no mundo será pela qualidade e quantidade do serviço prestado. (Por espaço, não me refiro necessariamente ao espaço físico, mas ao mental e ao espiritual.)

A qualidade e a quantidade de serviço, aliada à atitude mental com a qual você trabalha, determinará aonde vai chegar, o que vai obter, quanto vai aproveitar a vida e quanta paz de espírito terá.

Prestar serviços também desperta a atenção daqueles que podem e oferecem oportunidades de promoção. Ao entrar em qualquer empresa, caso permaneça alerta e observe, logo descobrirá não apenas as pessoas que estão andando um quilômetro a mais, mas também quais delas serão promovidas. Essas pessoas não precisam pedir, por exemplo, uma promoção, porque os empregadores naturalmente procuram quem anda um quilômetro a mais. Ao fazê-lo, tendemos a nos tornar indispensáveis em muitas relações humanas e, portanto, merecer mais do que uma remuneração média.

O PRAZER DE PRATICAR O BEM

Andar um quilômetro a mais também mexe com alguma coisa dentro da alma. Faz você se sentir melhor. Se não há outra razão no mundo para fazê-lo, essa seria adequada. Muitas coisas na vida nos despertam sentimentos negativos e experiências desagradáveis. Andar um quilômetro a mais é a única coisa que você pode fazer por si mesmo que sempre irá provocar um sentimento agradável. Se você retomar suas experiências, tenho certeza de que nunca agiu com generosidade sem se sentir contente depois. Talvez a outra pessoa não tenha gostado – não importa. Assim acontece com o amor: amar sozinho é um grande privilégio. Pouco importa se o amor é correspondido. Você colhe os benefícios do próprio sentimento de amor.

Com o princípio de andar um quilômetro a mais ocorre o mesmo efeito. Ele vai lhe dar coragem. Simplesmente tomar a iniciativa e se fazer útil para alguém o ajudará a superar as inibições e os complexos de inferioridade que vem guardando ao longo dos anos.

Não se surpreenda quando praticar um ato de gentileza ou de utilidade para alguém que não esperava por isso, e a pessoa fitá-lo com um sorriso estranho, como dizendo "por que você está fazendo isso?". Algumas pessoas ficam desconcertadas quando você se desvia do seu caminho para ser-lhes útil.

Além disso, fazer além do necessário nos proporciona crescimento mental e aprimoramento físico, levando-nos, assim, a mais capacidade e competência na vocação que escolhemos. Seja o que for que você faz da vida – ministrar este curso, fazer uma palestra, redigir anotações no seu manuscrito ou realizar o seu trabalho –, coloque na cabeça que sempre superará todos os próprios esforços anteriores. Em outras palavras, você estará sempre se desafiando, e acabará se desenvolvendo mais rápido.

Nunca fiz uma palestra na vida desprovido da intenção de deixá-la melhor do que a última. Nem sempre consigo, mas essa é a minha intenção. E pouco importa o tipo de público, pois me empenho do mesmo modo em uma turma pequena e em uma grande, não só porque quero ser útil aos meus alunos, mas também porque quero crescer e me desenvolver. Do esforço, da luta, do uso das próprias capacidades vem o crescimento.

BENEFICIE-SE DA LEI DOS OPOSTOS

O hábito de fazer além do necessário também permite que nos beneficiemos da lei dos opostos. Já pensou nisso? Você não precisará fazer tanta propaganda dessa questão – a propaganda se fará sozinha, pois a maioria das pessoas ao seu redor não fará além do necessário. Se todos o fizessem, viveríamos em um mundo magnífico, embora não pudéssemos tirar tanto proveito desse princípio quanto agora, em razão da enorme concorrência. Não se preocupe: você não enfrentará esse tipo de concorrência. Garanto-lhe: estará praticamente sozinho em uma sala.

Em alguns casos, as pessoas com quem você trabalha ou com quem faz parcerias talvez até se vangloriem por não caminhar o primeiro quilômetro, quanto mais além dele, e não vão gostar se você fizer isso. E vai se lamentar, desistir e retomar os antigos hábitos só pelo fato de os colegas não apreciarem o que você está fazendo?

Claro que não. Prosperar neste mundo cabe a você, é uma responsabilidade exclusiva sua, e não pode se dar ao luxo de permitir que ideias, idiossincrasias ou concepções de outras pessoas prejudiquem o caminho do seu sucesso. Seja justo com as outras pessoas. Além disso, não se sinta obrigado a permitir que a opinião de alguém o impeça de ser bem-sucedido, e quero que você se sinta alguém de sucesso. Coloque na cabeça que vai pôr essas leis para funcionar e que não vai deixar ninguém impedi-lo de fazer isso.

DESENVOLVIMENTO DE UMA ATITUDE MENTAL POSITIVA

Andar um quilômetro a mais também ajuda a desenvolver uma atitude mental positiva e aprazível, o traço mais importante de uma personalidade agradável. Na verdade, é o primeiro traço de uma personalidade agradável.

Você é capaz de mudar com facilidade a química cerebral para sair da negatividade e entrar em um estado de positividade. Como? Adotando o estado de espírito que lhe desperte o desejo de fazer algo útil para os outros, sem prestar um serviço com uma mão e meter a outra no bolso deles. Aja movido apenas pela bondade de fazer, sabendo que, se você prestar um serviço mais significativo e de qualidade superior àquele pelo qual está sendo pago, acabará recebendo mais do que recebe, e de forma voluntária. A lei da compensação funciona assim, e é eterna. Ela nunca se esquece; tem um método de contabilidade maravilhoso. Tenha certeza de que, ao prestar o tipo certo de serviço com a atitude mental correta, estará acumulando créditos que, mais cedo ou mais tarde, voltarão multiplicados.

O hábito de andar um quilômetro a mais também tende a desenvolver uma imaginação alerta e aguçada, porque nos mantém sempre à procura de formas novas e mais eficientes de prestar um serviço útil. Você começa a olhar em volta e vê locais, formas e meios para ajudar as pessoas a se encontrarem. E, ao ajudar os outros a se encontrarem, encontra a si mesmo.

OS BENEFÍCIOS DE SER PRESTATIVO

Quando você enfrenta um problema ou uma situação desagradável que não sabe como resolver, mesmo depois de ter tentado tudo que você sabia, há sempre uma coisa que pode ser feita. Fazendo-a, é provável que não só resolva o seu problema, mas também aprenda uma grande lição.

E qual é essa coisa? Encontrar alguém com um problema igual ou maior e então começar, no mesmo instante, a ajudar a pessoa. E, pasme, isso destrava algo que permite a entrada da inteligência infinita no cérebro e dá a resposta para o seu problema.

Não sei por que funciona, mas sei que funciona. Sabe por que afirmo com tanta certeza? Por que já experimentei centenas e centenas de vezes por conta própria e já vi meus alunos experimentando centenas e centenas de vezes. Simples!

Não sei o que acontece, não sei como funciona. Há tantas coisas na vida que não sei, mas me aproveito delas. E há algumas coisas que você sabe, mas não faz nada a respeito. Sigo essa lei pois sei que, se preciso que a minha mente se abra para receber oportunidades, a melhor forma é ver quantas outras pessoas posso ajudar. Nunca fujo a essa regra. Nunca fugi, desde que assimilei esta filosofia. (Antes disso, eu fugia, sim, e não fui muito longe.) Olhe em volta, encontre alguém que precise dos seus serviços e comece a oferecê-los.

O Sr. Stone e eu estivemos no College of the Ozarks na semana passada, e lá descobri um escape incrível para a minha energia de andar um quilômetro a mais. Decidi: "Vou levar esta filosofia aos garotos e às garotas das montanhas. Vamos doar o curso para a escola e vou subir as montanhas para eu mesmo ensinar-lhes. Pelo menos a primeira turma".

A escola ficou entusiasmada quando descobriram o que eu faria, mas imaginaram que o curso demandaria um dinheiro que eles não tinham. Pensei: "Bem, não há dinheiro algum no mundo que pague o que vou ganhar ao prestar esse serviço para aqueles garotos e garotas humildes de lá – como era Napoleon Hill na época em que estava em uma situação pior do que aqueles garotos estão hoje. Sei o que esta filosofia pode fazer por eles, e faço questão de levá-la até lá".

Foi uma decisão conjunta entre mim e o Sr. Stone, e ninguém soube. Então apareceu um grande doador, que havia provido muitas centenas de milhares de dólares para as construções, e começou a negociar com a Napoleon Hill Associates para que seus oitocentos funcionários pudessem ter acesso ao nosso curso de ensino autodidata.

Quase que instantaneamente o bem que fiz voltou para mim ainda maior. Valeu muito a pena. E não para aí. Esse homem é o maior acionista das incríveis lojas J.C. Penney. Antes de concluirmos, não teremos só os oitocentos funcionários, mas muitas vezes mais.

Não saímos à procura de contatos. Só fomos lá em busca da oportunidade de levar uma mensagem àqueles meninos e meninas. Agimos com a atitude mental correta e as coisas começaram a acontecer imediatamente. Você também pode rapidamente mudar a sua vida quando começa a andar um quilômetro a mais com a intenção de ser útil às outras pessoas.

DESENVOLVIMENTO DA INICIATIVA

Essa prática também desenvolve o importante fator da iniciativa pessoal. Ela o leva a criar o hábito de procurar alguma coisa útil para fazer, sem que alguém lhe diga que faça. A procrastinação é uma velha rabugenta, responsável por muitos problemas no mundo. As pessoas deixam para depois de amanhã o que deveriam ter feito anteontem. Todos carregamos essa culpa. Não estou livre dela, mas estou mais livre do que era há alguns anos.

Encontro muitas coisas para fazer agora. Por quê? Porque me alegra fazê-las. Sempre que você anda um quilômetro a mais, vai se alegrar por isso. Caso contrário, não estará andando um quilômetro a mais.

INCENTIVO DA DEFINIÇÃO DE PROPÓSITO

O hábito de andar um quilômetro a mais, além de nos fazer conquistar a confiança dos outros na nossa própria integridade e nas nossas capacidades, também desenvolve a definição de propósito, sem a qual não podemos esperar o sucesso. Só isso já bastaria para justificar o hábito. Ele lhe dá um objetivo, para que não ande em círculos como um peixinho em um aquário, sempre voltando para onde começou, sem nada de diferente. A definição de propósito surge quando você anda um quilômetro a mais.

O hábito também lhe permite encarar o seu trabalho como uma alegria, não como um peso, chegando a amá-lo. E se você não estiver engajado em uma missão de amor na vida, estará desperdiçando o seu tempo. Acho que uma das maiores alegrias do mundo é termos a possibilidade de fazer aquilo de que gostamos, mais do que qualquer outra coisa na vida.

ALEGRIA

É certo que, quando você anda um quilômetro a mais, anda justamente porque não precisa. Ninguém espera que o faça. Ninguém lhe pediu que fizesse. Certamente, nenhum gestor pediria aos seus funcionários que andassem um quilômetro a mais. Ele pode pedir uma ajuda de vez em quando, mas não tornaria isso rotineiro. Então você faz por iniciativa própria, o que dignifica o seu trabalho, mesmo se estiver cavando um fosso; o importante é que esteja ajudando alguém. A dignidade atrelada a isso elimina o cansaço e o aborrecimento do trabalho.

Acredite, já passei muitas madrugadas em claro trabalhando e não acho que tenha sido um trabalho duro. Foi ideia minha. Usei apenas a minha própria iniciativa, mas foi uma atividade que me alegrou muito, e fiz valer a pena.

De que maneira aplicou esse princípio e se sentiu mais alegre? Talvez alguém diga que foi no casamento. Quando você está cortejando o parceiro escolhido, é maravilhoso como pode perder o sono. Não seria incrível se você conseguisse agir da mesma forma com as pessoas do seu trabalho ou do seu negócio?

Faremos exatamente isso. Vamos acender a faísca de novo. Comece na sua casa, com seu companheiro ou companheira. Acredite, seria impossível para mim contar o número de casais nos quais acendi uma nova faísca. Eles ficaram muito felizes. Poupou-lhes conflitos, discussões e muitas despesas.

Não estou brincando. Com muita seriedade digo que esse é um dos melhores lugares do mundo para começar a andar um quilômetro a mais. Mas cuidado para não despejar tudo de uma vez na sua esposa. Um dos meus alunos se engajou nesse processo imediatamente, e a esposa ficou tão desconfiada que contratou a agência de detetives Pinkerton para vigiá-lo dia e noite. Por fim, ele percebeu que estava sendo espionado e veio me perguntar como agir. O que aconteceu? Ele foi até uma loja, comprou uma lingerie bonita – do tipo que não comprava para ela havia anos –, um frasco de um bom perfume francês e um grande buquê de flores. Muitas coisas de uma só vez. A esposa achou que ele estava aprontando alguma e tentava compensá-la.

UM DISCURSO VENDEDOR

Quando você começar a fazer além do necessário com alguém, sente-se e assuma um discurso vendedor com essa pessoa. Conte-lhe que você mudou de atitude e quer um acordo mútuo para que os dois mudem de atitude dali por diante: "Todos nós vamos fazer além do necessário. Começaremos a nos relacionar em outros termos e assim ficaremos mais felizes, teremos mais paz de espírito e alegria de viver". Não vai doer se hoje, quando for para casa, tiver essa conversa com o seu parceiro ou sua parceira. Talvez até ajude.

E quanto àquela pessoa do trabalho com quem você não vem se dando muito bem, se chegar amanhã com um sorriso, estender-lhe as mãos e disser: "Olha, companheiro, a partir de agora quero que a gente goste de trabalhar juntos. O que você me diz?". Será que funcionaria? Ah, funcionaria. Experimente para ver.

O grande responsável por estragos neste mundo é uma coisinha chamada orgulho. Não tenha medo. Não tenha medo de se humilhar se for para melhorar as relações com aqueles com quem você se relaciona o tempo todo.

MERECIMENTO DE FAVORES ALHEIOS

Por fim, você só terá direito de solicitar promoções ou aumento de remuneração se fizer além do necessário; só terá argumentos para ir até o comprador dos seus serviços e pedir um aumento ou uma promoção se já estiver fazendo além do necessário por algum tempo, fazendo mais do que recebe para fazer. Caso contrário, então lhe pagam por tudo a que tem direito, não é? Primeiro, comece a andar nesse sentido e deixar o outro devendo um favor a você antes de lhe pedir algum favor. Se existirem muitas pessoas lhe devendo favores por ter feito além do necessário, quando precisar de algum favor, sempre terá para onde correr para alcançar aquilo de que precisa. Não preciso pedir mil, US$ 5 mil, US$ 10 mil ou US$ 25 mil emprestados. Mas, se precisasse, conheço pelo menos meia dúzia de lugares onde, com um simples telefonema, conseguiria o dinheiro sem nem precisar pedir. Bastaria eu dizer que precisava. Por quê? Porque criei contatos: pessoas que me devem favores em troca de favores que lhes fiz. Conheço pelo menos uma dúzia de multimilionários que começaram do zero e que devem as fortunas a mim. Se eu quisesse que me emprestassem US$ 25 mil, eles não poderiam negar. É claro que não farei isso, mas é bom saber que vocês têm esse tipo de crédito disponível na praça, não é? Quero que também o tenham com outras pessoas, e quero ensinar-lhes a técnica para isso.

A NATUREZA FAZ ALÉM DO NECESSÁRIO

Podemos ver indícios da solidez do princípio de andar a mais observando a natureza, que assim o faz e produz tudo de que precisa, além de um extra para emergências e sobras. Flores nas árvores. Peixes nos oceanos – e não os produz apenas para perpetuar as espécies, mas também para alimentar cobras e jacarés e para compensar aqueles que morrem de causas naturais, restando ainda o bastante para perpetuar a espécie. A natureza é abundante na questão de fazer além do necessário. No entanto, em troca, é bastante exigente e faz questão de que todos os seres vivos andem um quilômetro a mais também. As abelhas recebem mel como recompensa pelo serviço de fertilizar as flores, nas quais o mel é armazenado tão lindamente, mas precisam trabalhar para produzir mel, e devem fazer isso de antemão.

Você já ouviu dizer que os pássaros no ar e as feras na floresta não tecem nem fiam, mas sempre têm alimentos. Mas, se observar a vida selvagem de modo geral, essas aves e animais não comem antes de prestar algum tipo de serviço, de trabalhar, de fazer alguma coisa que anteceda a alimentação. Considere, por exemplo, um bando de corvos que atacam os campos de milho. Eles precisam se organizar: viajam em bando, têm sentinelas e códigos por intermédio dos quais chamam a atenção uns dos outros. Enfim, precisam se educar antes de comer em segurança.

A natureza exige que o homem ande um quilômetro a mais. Todo o alimento vem do solo, e, se quiser comê-lo, ele precisa plantar; não pode viver apenas do que a natureza provê. Temos que plantar o nosso alimento no solo. Primeiro, limpar o terreno, em seguida, ará-lo, passar o rastelo, cercar a propriedade, protegê-la contra predadores, e tudo isso demanda trabalho, tempo e dinheiro. E ainda precisa ser feito de antemão, ou não comeremos.

Não teria de me dar ao trabalho de vender a um camponês a ideia de que a natureza impele todo mundo a fazer além do necessário. Ele não duvida disso. Sabe, a cada minuto da sua vida, que, se não fizer além do necessário, não comerá e não terá nada para vender. O camponês limpa o solo, planta a semente, antes selecionando-a com cuidado para garantir que seja o tipo certo e fértil. Planta na profundidade correta do solo e planeja o calendário durante todo o processo.

Quero enfatizar a importância do planejamento. Um novo funcionário que chega a um novo emprego e começa a fazer além do necessário pode exigir imediatamente os melhores salários ou o melhor cargo da empresa? Não funciona assim. É necessário que se crie um histórico, uma reputação, reconhecimento por fazer além do necessário antes de pressionar para ser recompensado. Na verdade, se você andar a mais com a atitude mental correta, há grandes chances de que nem precise pedir uma recompensa condizente com o serviço que prestou, porque ela lhe será dada automaticamente na forma de promoções e aumentos salariais.

A LEI DA COMPENSAÇÃO

Em todo o universo se observa a lei da compensação, como Emerson descreveu tão adequadamente, pois, por assim dizer, o saldo da natureza é equilibrado. Tudo tem o seu oposto equivalente em alguma coisa. Positivo e negativo em cada unidade de energia, dia e noite, quente e frio, sucesso e fracasso, doce e amargo, felicidade e tristeza, homem e mulher. Em tudo e em todos os lugares, vemos o funcionamento da lei da ação e reação, ou seja, toda ação causa uma reação de alguma natureza. Tudo que você faz, tudo que pensa, tudo que emana causa uma reação, se não for em outro alguém, será em si mesmo. Na verdade, a emissão de um pensamento não acaba ali, pois, ainda que em silêncio, torna-se uma parte definida no padrão do subconsciente. Se você armazenar muitos pensamentos negativos, o subconsciente será predominantemente negativo, repelindo as coisas que você deseja e atraindo apenas aquelas que não quer. Se você criar o hábito de emanar apenas pensamentos positivos, o seu padrão subconsciente será predominantemente positivo e atrairá as coisas que deseja. Essa também é uma lei da natureza.

Fazer além do necessário também é uma das melhores formas que conheço de educar o subconsciente para atrair as coisas que você deseja e repelir as que não quer. Tenha certeza de que, caso não desenvolva e aplique esse princípio, nunca conquistará sucesso pessoal e nunca se tornará independente do ponto de vista financeiro.

Tive o privilégio de observar milhares de pessoas, algumas que colocaram em prática o princípio de fazer além do necessário e outras que não. Sei, sem sombra de dúvidas, que ninguém supera a mediocridade ou a banalidade na vida sem o hábito de fazer além do necessário. É impossível. Se eu tivesse descoberto um caso que fosse de alguém que chegou ao topo sem aplicar esse princípio, diria que há exceções. Mas não há, afinal, nunca encontrei um caso sequer. E afirmo definitivamente, a partir da minha própria experiência, que nunca conquistei nenhum benefício significativo no mundo que não resultasse de fazer além do necessário.

Quando comecei a trabalhar com o Sr. Carnegie, ele me deu três horas de trabalho, e depois me pediu que ficasse mais três dias e três noites. Eu não precisava disso; a minha revista não me pagara por esse tempo a mais. Naquelas três horas, reuni todo o material de que precisava para redigir um artigo sobre o Sr. Carnegie.

No entanto, não só fiquei três dias e três noites sem saber se teria dinheiro suficiente, mas também fui agradável, causando no Sr. Carnegie a impressão de que deveria ser eu a levar ao mundo a sua filosofia. Valeu bastante a pena.

Estou dando vários exemplos desse princípio, mas, por favor, avaliem os seus próprios. Não pensem apenas em gente como Andrew Carnegie ou Thomas A. Edison ou Henry Ford ou Napoleon Hill. Vejam o menino engraxate ou alguém que se tornou bem-sucedido por fazer além do necessário, e use-os como exemplo.

Levei muito tempo para aprender que as pessoas se assustam quando falo muito sobre aqueles a quem me associei, porque não desejam se tornar um Henry Ford ou um Thomas Edison. Querem apenas ser normais com o suficiente para progredir e ter independência, saúde e paz. Portanto, não assuste as pessoas que não querem chegar ao topo da montanha, por assim dizer, recorrendo a exemplos aos quais elas acreditam que nunca vão se igualar.

Pegue, por exemplo, este cara, o Napoleon Hill. Não sei se já ouviu falar, mas ele é o sujeito que, por vinte anos, prestou um serviço útil para o homem mais rico do mundo sem ganhar nada em troca. Pelo menos foi isso que o pai, os irmãos e todos os conhecidos dele disseram (com exceção da sua madrasta): ele fazia papel de bobo trabalhando para o homem mais rico do mundo sem ganhar nada. O cara tinha um bom senso tão reduzido que insistiu naquilo. Devia ter cabeça fraca.

Mas chegou um momento em que Hill não precisava nem pedir a Andrew Carnegie que pagasse suas despesas de viagem. Ele próprio o fazia; não precisava do Sr. Carnegie. Isso é importante, não é?

Quando esse sujeito começou, precisava portar cartas de apresentação para conseguir se encontrar com outros homens, até que, depois de um tempo, não precisava mais do Sr. Carnegie para aquilo. Ele mesmo se apresentava.

Quero isso para você. Quero que se torne autodeterminado, para que aja sem a ajuda de ninguém. E aí virá a recompensa: você conseguirá fazer qualquer coisa que quiser no mundo, pouco importando se os outros querem ou não, se o ajudam ou não. Você conseguirá sozinho e vivenciará uma das sensações mais grandiosas e gloriosas que conheço. No meu caso, faço tudo o que desejo. Não preciso pedir a ninguém, nem mesmo à minha esposa. (Mas eu pediria, porque me dou bem com ela.) E há meios e maneiras de se colocar em tal posição.

UMA OPORTUNIDADE PODEROSA

Até onde posso dizer, nunca houve um escritor na minha área de trabalho que tenha conquistado tantos seguidores tão determinados e que mantenha uma relação tão boa com eles quanto mantenho com os meus.

A minha relação com os meus alunos é de outro mundo, boa para eles e para mim, razão pela qual gosto de ver pessoas vindo às minhas aulas. Mesmo se elas já tiverem lido todos os meus livros, mesmo se os souberem de cor, ainda quero que venham e testemunhem um pouco da sinceridade, do entusiasmo e da fé de Napoleon Hill, porque essas coisas se enraízam, começam a florescer e se tornam parte da sua personalidade.

Tenho milhões de seguidores amigáveis que se beneficiaram desta filosofia. Não sei sinceramente quantos são, mas sei que já foram vendidos cerca de treze a catorze milhões de cópias do livro *Quem pensa enriquece* fora dos Estados Unidos, e estimamos que pelo menos cinco pessoas leram cada cópia. Portanto, são aproximadamente setenta milhões de pessoas fora dos Estados Unidos, e só Deus sabe quantas aqui no país. Na Califórnia, uma pesquisa descobriu que uma a cada três pessoas segue Napoleon Hill, tem seus livros ou os leu em alguma biblioteca. Fizemos uma pesquisa em todas as grandes bibliotecas dos Estados Unidos, que foram unânimes em dizer que *Quem pensa enriquece* liderou todos os livros, de todos os tipos, e ainda lidera.

Não preciso me desculpar pelo que estou dizendo. Nem preciso falar que não estou me vangloriando, porque você também vai se tornar tudo que sou. Estou apenas lhe apresentando uma oportunidade poderosa a partir desta filosofia. Será de grande ajuda não só para o mundo, mas também para você, porque, quando sair por aí e ocupar mais espaço nas mentes e nos corações das pessoas, estará ocupando mais espaço na própria mente e no próprio coração.

Meus livros são requisitados. Obtenho um contrato com qualquer editora que eu escolha na minha área para publicar qualquer livro que escreva, mesmo antes de estar pronto. Mas nem sempre estive nessa posição invejável. Quando o Sr. Carnegie me deu essa oportunidade, não tive o bom senso de recusar, como meu irmão me disse que eu deveria ter feito. Sempre desconfiei que ele tivesse uma motivação egoísta para querer que eu recusasse a oferta, porque me comprometera a pagar o nosso percurso acadêmico na Faculdade de Direito da Universidade de Georgetown, e minha decisão o deixou sozinho. Só depois de dois anos ele continuou os estudos, mas seguiu em frente e conseguiu. Acho que foi uma das melhores coisas que lhe aconteceram: ele conquistou a própria formação acadêmica, sem depender de mim para pagar o curso. Meu irmão nunca me disse, mas desconfio que ache que foi bom para ele.

E ainda tem o meu programa no rádio. Pense em criar um programa de rádio, oferecê-lo a uma das maiores estações do país e fazê-lo dar certo desde o primeiro momento, sem qualquer preparação. Nunca aconteceu antes. Qualquer um que atue no segmento de rádio dirá que isso é impossível. E eu também diria o mesmo a princípio, se não tivesse cortado a palavra *impossível* do meu dicionário há muito tempo. O programa foi transmitido de 1947 a 1950 na KFWB, uma das grandes estações de rádio de Los Angeles. Foram três anos, verões e invernos, sem férias, como acontece no rádio, e o meu programa ficou na frente de todos os outros da estação juntos. E, acredite, a concorrência era bem acirrada.

Como sei de todo esse sucesso? Não dá para afirmar apenas a partir de uma pesquisa, ligando para um monte de gente e calculando as médias. Não fizemos nenhuma especulação, pois o correio falava por si. Havia, acredito, 657 respostas em média a cada programa. Lá na KFWB me disseram – e desde então corroborei essa informação em outros circuitos de rádio – que, para casa pessoa que mandava uma carta, provavelmente havia outras mil ouvindo, mas que não enviavam cartas. Isso significava que mais de 650 mil pessoas me ouviam todo domingo à tarde.

Por que você acha que aquele programa superou todos os outros mesmo sem ter uma preparação? Quais fatores o levaram a tal sucesso?

Número um, ao longo da vida, acumulei créditos extraordinários que me permitiram começar a colher esse tipo de resultado. Número dois, meus livros foram distribuídos em toda a Califórnia antes de eu ir para lá. Número três – e este é provavelmente o mais importante –, o meu programa era o único no gênero, não tinha concorrência de nenhum outro ao abordar o sucesso pessoal dos ouvintes. Sempre que se começa a falar com alguém sobre como conquistar sucesso pessoal, não é preciso ser brilhante nem muito eficaz, porque a pessoa continuará ouvindo desde que se ofereçam a ela informações que se possa colocar em prática.

Por isso o programa deu tão certo. Por isso esta filosofia vai dar certo para você lá fora, porque ela é potente, dá às pessoas aquilo que desejam. Não há ninguém tão bem-sucedido a ponto de não querer mais sucesso.

Aí está a sua chance de andar um quilômetro a mais. Comecei com um pequeno grupo de pessoas. Mesmo se forem só duas ou três na sua casa ou no seu local de trabalho, sempre que eu liberar uma lição, volte imediatamente e experimente aplicá-la em mais alguém para ver como você se sai. Ficará surpreso com o resultado. Não se preocupe com o que irá colher; apenas comece fazendo. Caso não encontre ninguém para ministrar a lição, tente com a sua esposa, o seu esposo ou os seus filhos. Talvez precise simplificar o conteúdo de forma que os mais jovens entendam. Mas, sempre que estiver interpretando esta filosofia para outras pessoas, estará fazendo algo por você, e vai descobrir que só fará um bom trabalho aprendendo e aplicando esta filosofia se começar a ensiná-la a outras pessoas. Aí você vai de fato começar a crescer. Atuo com esta filosofia desde 1928, e só cresço e vivo momentos maravilhosos. E devo continuar crescendo enquanto viver por causa da alegria que sinto ao crescer e ao ver outras pessoas crescerem sob a minha influência.

PAZ DE ESPÍRITO

Há, portanto, um pequeno aspecto que não deve ser desconsiderado: minha paz espiritual em todos esses vinte anos durante os quais venho andando um quilômetro a mais.

Você tem ideia de quantas pessoas no mundo se dispõem a fazer algo por vinte anos seguidos sem receber nada em troca? Mais do que isso, tem ideia de quantas pessoas no mundo se dispõem a fazer algo por três dias seguidos sem a certeza de que serão recompensadas?

Você ficaria surpreso ao descobrir que são poucas, o que significa ignorar uma das mais significativas oportunidades que um ser humano tem, sobretudo aqui no nosso país, onde realmente podemos criar o nosso próprio destino e nos expressar da forma que quisermos. Temos liberdade de expressão, de atividades, de educação, uma oportunidade incrível para acertar em cheio e fazer além do necessário em qualquer direção que queiramos. E, mesmo assim, não é o que a maioria das pessoas faz. E isso é bom para você porque, se todos fossem bem-sucedidos, não precisariam de você para ensiná-los.

Durante toda a minha carreira, nunca houve uma época em que o mundo estivesse tão preparado e tão propício para esta filosofia quanto hoje. As pessoas de todos os lugares estão sofrendo medos, frustrações, decepções e complexo de inferioridade, sobretudo em razão da atual situação política incerta. Nunca vi políticos se rebaixarem tanto em ataques uns contra os outros como hoje. Nunca vi isso em toda a minha vida, o que significa a existência de muita gente doente neste mundo. Portanto, vocês, os médicos, terão muitos pacientes para curar.

Penso que o presente foi feito sob medida para esta filosofia. Já testemunhei uma época em que não havia muitas pessoas interessadas nos próprios defeitos, porque eram prósperas, faziam tudo certo e não tinham problemas sobre os quais discutir. Hoje quase todos têm problemas, ou pensam desse modo. Se a pessoa é leitora de um determinado jornal, ela tem um tipo de problema; se lê outro, os problemas são diferentes. Se lê outro ainda, ela tem todos os tipos de problemas. Se você lê jornais, descobre muitas coisas erradas no mundo.

Em vez de descobrir o que há de errado com o resto do mundo, tento descobrir o que posso fazer para corrigir este cara aqui. Preciso comer com ele, dormir com ele, lavar o rosto e barbeá-lo todas as manhãs, dar um banho nele de vez em quando. Você nem imagina o trabalho que ele me dá. E preciso conviver com este cara 24 horas por dia. Então dedico meu tempo a me aprimorar e, assim, tento melhorar meus amigos e meus alunos escrevendo livros, fazendo palestras, ensinando e de outras formas. Isso compensa muito mais do que se eu pegasse qualquer jornal e ficasse lendo as histórias de assassinato, os bate-bocas conjugais e tudo o mais estampado nas páginas todos os dias.

Porque, para este camarada aqui no palco, que não teve o bom senso de negar a oferta de Andrew Carnegie e trabalhou por vinte anos sem receber nada em troca, o período de abnegação será de felicidade por causa das sementes de bondade e apoio que ele plantou no coração das pessoas.

Se eu tivesse que viver a minha vida mais uma vez, viveria exatamente igual. Cometeria todos os erros que cometi no mesmo momento da vida, já cedo, para ter tempo de corrigir alguns deles. E encontraria a paz de espírito e a compreensão no alvorecer da vida, não na aurora, pois, quando somos jovens, conseguimos suportar os problemas, conseguimos encará-los. No entanto, passado o apogeu e rumo ao fim do dia, quando nossas energias e nossa capacidade mental às vezes não são tão boas quanto antes, não mais conseguimos enfrentar tantos problemas. Não temos mais tantos anos pela frente para corrigir nossos erros.

Ter a tranquilidade, a paz espiritual de hoje, no alvorecer da vida, é uma das maiores alegrias que consegui alcançar com esta filosofia. Se você me perguntasse qual foi a melhor recompensa, eu diria que é essa, porque muitas pessoas da minha idade, e até muito mais novas, não encontraram paz de espírito. E nunca encontrarão, pois a procuram no lugar errado; não agem, limitando-se a esperar que alguém faça alguma coisa por elas. Mas a paz de espírito é uma conquista individual: você precisa merecê-la.

Acho que meu melhor livro ainda não foi publicado. Já foi escrito há uns três ou quatro anos, e vou publicá-lo de qualquer forma. Ele fala sobre como alcançar a paz espiritual. Chama-se *Como alcançar a paz de espírito*[10]. Na verdade, não escrevi esse livro: eu o vivi por quarenta anos. E só consegui escrevê-lo quando me descobri e quando descobri o caminho, a fórmula para fazer qualquer pessoa alcançar a paz de espírito.

Comece indo atrás dela não onde as pessoas comuns a procuram – nas alegrias daquilo que o dinheiro pode comprar, nas alegrias do reconhecimento, da fama e da fortuna –, mas na humildade do seu coração.

Encontro muita paz de espírito por detrás daquelas muralhas internas tão altas quanto a eternidade, aonde eu vou para meditar muitas vezes por dia. Ali a encontro, e posso sempre me retirar nela, eliminando qualquer influência terrena, para comungar com as forças mais poderosas do universo. Que coisa mais grandiosa! E qualquer um consegue fazer isso, inclusive você. Quando entender esta filosofia por completo, será capaz de fazer o que quiser, tão bem ou melhor do que eu.

Espero que cada um dos meus alunos me supere de todas as formas possíveis. Talvez você retome de onde parei e escreva livros melhores do que escrevi. Por que não? Eu não disse a última palavra nos meus livros, nas minhas palestras ou em lugar algum. Na verdade, sou só um aprendiz. Inteligente, sem dúvida, mas apenas um aprendiz pelo caminho, e minha única perfeição está em ter conseguido alcançar a paz de espírito e saber como alcançá-la.

Quando você começar a ensinar esta filosofia, precisará de muitos exemplos, e as coisas que contei sobre mim nos últimos minutos virão bem a calhar. Afinal, você me conhece e conhece a minha história, sabe

---

10. Publicado com o título *Paz de espírito, riqueza e felicidade*.

que estou dizendo a verdade. Se alguém o questionar, haverá sempre muitas provas da minha sinceridade.

Os exemplos pessoais são muito poderosos do ponto de vista pedagógico. Quando você diz a uma pessoa que algo funciona de um determinado jeito, e tem certeza de que funciona porque você ou outro camarada fez assim, impressiona bastante. Mas se você diz a alguém que algo funciona e não dá exemplos, ele não saberá se está certo. Aceitará o que você diz como uma opinião, e não necessariamente como um fato.

Os exemplos a que recorri se baseiam em casos reais que observei, e você tem a liberdade de usá-los.

UMA TAREFA

Agora quero lhe propor uma tarefa: dedicar-se a pelo menos uma ação em que você faça além do necessário todos os dias. Escolha; pode ser algo simples como telefonar para um conhecido para desejar-lhe boa sorte. Não vai custar nada. Você se surpreenderá com os resultados quando começar a ligar para os seus amigos, aqueles que tem deixado de lado há um tempo, e disser simplesmente: "Oi, estava pensando em você e quis ligar para perguntar como vão as coisas. Espero que você esteja tão bem quanto eu".

Você se surpreenderá com o bem que essa ação fará a você e ao seu amigo. Não precisa ser um amigo pessoal próximo. Na verdade, não precisa nem ser alguém que você conhece, mas uma pessoa que deseja conhecer. Recebi uma ligação no meu escritório em Washington em uma tarde chuvosa com uma das vozes femininas mais agradáveis e ricas que já ouvi. Ela disse:

– Sr. Hill, quero me encontrar com o senhor; pode fazer a gentileza de aceitar?

Eu respondi:

– Bem, depende de onde, quando e por quê.

– Quero que o senhor vá à loja de departamentos Woodward & Lothrop e suba até a seção de roupas masculinas. Tenho algo para lhe mostrar e acho que vai gostar. Faria isso por mim?

– Chego em breve – confirmei.

Fiquei muito curioso. É claro, o local do encontro parecia seguro. Eu tinha certeza de que as outras pessoas na loja me protegeriam se alguma coisa acontecesse. Quando cheguei lá, vi outro homem a quem a moça vendia uma capa de chuva. O dia estava chuvoso e, acredite, ela estava fechando um negócio. Comprei não só uma capa de chuva, mas também um terno antes de sair de lá. Ela não me conhecia, eu não a conhecia, mas algo naquela voz me motivou a querer conhecê-la.

Você sabia que vender por telefone está se tornando uma das formas mais incríveis de negócio atualmente? Você está conversando com alguém que não conhece, mas, se o vendedor coloca algo a mais na voz, isso acaba criando um contato pessoal.

Eu não estava de todo errado ao lhe dizer que ligue para alguém que você não conhece. É claro, precisa ter uma motivação e vender tal motivação para a outra pessoa de maneira convincente, ou então não irá muito longe na sua ligação.

Outra forma de fazer além do necessário é dar uma ajuda para um amigo por meia hora ou um pouco mais, ou se oferecer para cuidar dos filhos do vizinho enquanto ele vai ao cinema. Você pode cuidar do bebê de um dos vizinhos, afinal, estará mesmo em casa. Talvez você também tenha filhos. Talvez conheça alguma vizinha que gostaria de ter um tempo para ir ao cinema, mas não consegue ficar longe dos filhos. Sei que crianças são barulhentas e que provavelmente vão brigar com os seus filhos, mas, se agir com diplomacia, conseguirá mantê-los afastados. Sua vizinha ficará em débito com você, que se sentirá bem por ajudar alguém que, de outra forma, não desfrutaria um pouco de liberdade.

A maioria das donas de casa não recebe salário. Trabalham 24 horas por dia, passam por todos os tipos de provações e atribulações e parece que, às vezes, não conseguem aproveitar a vida, sobretudo quando cuidam de filhos pequenos. Seria legal se alguém que não tivesse filhos dissesse: "Por que você e o seu marido não vão ao cinema e me deixam cuidar do bebê?". Você certamente deve ter algum vizinho de quem possa se aproximar desse jeito.

Não é tanto pelo que você faz pelo outro, mas sim pelo que faz por si mesmo ao procurar maneiras de fazer além do necessário. Você sabia que os sucessos e os fracassos na vida são feitos de coisas pequenas, tão pequenas que quase sempre são ignoradas? Ignoram-se os verdadeiros motivos para o sucesso porque as coisas que o constroem são pequenas e aparentemente insignificantes.

Conheço algumas pessoas tão queridas que não conseguem ter um inimigo. Simplesmente não conseguem. Uma delas é o meu distinto sócio, o Sr. Stone. Acho que ele não conseguiria ter um inimigo permanente. Seria mesmo incapaz. É um homem atencioso demais com as pessoas, esforçado, e não faz só um esforço a mais, mas dois, três, quatro, cinco, seis, dez. Veja como ele é próspero. Veja quantas pessoas fazem mais por ele. Há muita gente que, se não ganhasse um bom dinheiro trabalhando para o Sr. Stone, pagaria para trabalhar para ele. Ouvi alguém dizer exatamente que havia enriquecido trabalhando para o Sr. Stone: "Se eu não ganhasse dinheiro trabalhando para ele, pagaria por isso se precisasse. Só para ter um vínculo com ele".

O Sr. Stone não é diferente de mim ou de você ou de qualquer um, exceto pela sua atitude mental em relação às pessoas e a si mesmo. Ele gosta de fazer além do necessário, razão pela qual algumas pessoas se aproveitam dele e não agem com justiça. Já vi acontecer. Mas ele nem sequer se preocupa muito com isso. Na verdade, não se preocupa com coisa nenhuma, porque aprendeu a se adaptar às situações de tal forma que encontra prazer na vida e na relação com as pessoas.

Você também pode escrever para um conhecido oferecendo-lhe um incentivo. No seu trabalho, pode ir além do que é pago para fazer – ficar um pouco mais ali, deixar algum colega um tantinho mais feliz. Quando você estiver preparado para ensinar esta filosofia, poderá estabelecer uma base sólida para si trazendo um novo aluno por semana para a sua aula de treinamento complementar até que a turma esteja lotada. O serviço gratuito muitas vezes acaba se revelando o mais lucrativo que você já terá prestado.

Não por acaso, esta é uma escola de formação para professores: quero me multiplicar em pelo menos mil outros professores antes de parar. Não farei todo o treinamento sozinho, mas espero que muitas pessoas nesta turma treinem a próxima. Há muitas oportunidades para você atrair e trazer para esta filosofia pessoas capazes de lhe dar uma oportunidade ímpar em todo o mundo.

6

Personalidade agradável

Agora quero lhe apresentar a pessoa mais maravilhosa do mundo: é aquela sentada onde você está neste instante. Quando começar a esmiuçá-la – de acordo com os 25 fatores que fazem parte de uma personalidade agradável –, descobrirá exatamente os pontos em que você é maravilhoso e por quê.

Vou pedir-lhe que atribua uma nota a si mesmo em relação aos 25 fatores que apresentarei, indo de 0 a 100. Quando ficar em dúvidas, não se dê uma nota muito alta, não se dê o benefício da dúvida. Dê ao questionário o benefício da dúvida e atribua a si mesmo, preferencialmente, uma nota mais baixa.

Assim que terminar, some o total e divida por 25 para verificar a sua nota média em relação a ter uma personalidade agradável; se a média for maior do que 50%, você está se saindo bem. Espero que alguns aqui alcancem uma nota ainda mais alta.

1. Atitude mental positiva

O primeiro traço de uma personalidade agradável é a *atitude mental positiva*, pois ninguém quer ficar perto de uma pessoa negativa. Não importam as suas outras características; se você não tiver uma atitude mental positiva, ao menos na presença de outras pessoas, sua personalidade não será considerada agradável. Dê uma nota a si mesmo de 0 a 100 neste quesito. Se você tirar 100, estará no mesmo patamar de Franklin D. Roosevelt. Sem dúvida, uma nota e tanto.

2. Flexibilidade

O próximo traço é a *flexibilidade*. Por flexibilidade entende-se a capacidade de se desdobrar, de se ajustar às várias circunstâncias da vida sem se abater por elas. Muitas pessoas são tão apegadas aos próprios hábitos e atitudes mentais que não conseguem se adaptar a nada desagradável ou a nada com que não concordem.

Você sabe por que Franklin D. Roosevelt foi um dos presidentes mais queridos da nossa geração? Na verdade, talvez o mais querido de todos, porque ele podia ser tudo para as pessoas. Vi senadores e deputados entrarem em seu gabinete prontos para lhe cortar o pescoço e saírem fazendo elogios, só por causa da atitude mental com que Roosevelt os recebia.

Em outras palavras, ele se adaptava à atitude mental dos outros e não se permitia viver a irritação ao mesmo tempo que eles. A propósito, esta é uma excelente maneira de se adaptar – aprender a ser flexível o bastante para não se irritar quando alguém está nervoso. Se você quer ficar irritado, faça-o por conta própria, quando a outra pessoa estiver de bom humor, e terá uma chance muito maior de não se machucar.

Já vi a chegada e a partida de alguns presidentes dos Estados Unidos. Estive próximo de muitos deles. Sei o significado da flexibilidade no cargo mais poderoso do mundo. Herbert Hoover[11] foi, provavelmente, um dos melhores executivos de todos os tempos na Casa Branca, mas não conseguia mudar a opinião das pessoas sobre ele porque era inflexível. Não conseguia ceder. Era intransigente, rígido.

Calvin Coolidge[12] também, bem como Woodrow Wilson[13], que era muito austero, muito intransigente, muito rígido, muito correto. Em outras palavras, não permitia que ninguém lhe desse um tapinha no ombro e o chamasse de "Woody", ou tomasse qualquer liberdade pessoal. Franklin D. Roosevelt permitia tudo isso e muito mais. Se você lhe desse um tapinha nas costas, ele retribuiria na hora. Era flexível, adaptável.

E escutem, meninos e meninas, há tantas coisas nesta vida às quais precisam se adaptar temporariamente, se quiserem ter paz de espírito e uma boa saúde, que é bom começarem a aprender como conseguir isso. Se não são flexíveis, poderão se tornar.

3. Tom de voz agradável

O número três é um *tom de voz agradável*, algo bom para se tentar. Muitas pessoas têm tons ríspidos e anasalados, com um quê de irritante. Veja, por exemplo, um palestrante enfadonho: ele não tem magnetismo pessoal, não sabe acertar o ritmo e o tom da própria voz. Nunca conquistará o público, nem em um milhão de anos. Se você vai ensinar, se vai palestrar, se vai falar em público ou ter uma boa conversa, precisa aprender a usar um tom de voz agradável e simpático, o que conseguirá

---

11. Presidente dos Estados Unidos de 1929 a 1933.
12. Presidente dos Estados Unidos de 1923 a 1929.
13. Presidente dos Estados Unidos de 1913 a 1921.

com um pouco de prática. Às vezes, a voz já soará mais agradável para os ouvidos alheios em um tom mais baixo; caso o suba, talvez queiram lhe dar uma tijolada. Entre esses dois extremos, há um meio-termo ideal para suas conversas, aulas e falas em público.

Acho que ninguém é capaz de ensinar outra pessoa a ter um tom de voz agradável; você precisa fazer isso por conta própria, tentando. Primeiro de tudo, precisa se *sentir* agradável. Como conseguirá usar um tom de voz agradável se estiver bravo ou não gostar da pessoa com quem está conversando? É possível, mas não será muito eficaz caso não se sinta da mesma forma que está se expressando.

Você tem ideia de como consigo cativar qualquer público e, em questão de três a cinco minutos, ainda os mantenho atentos pelo tempo que eu quiser, sem sair do palco ou mexer no cabelo ou fazer qualquer gesto do tipo? Sabe como se faz?

Em primeiro lugar, o que tem no meu coração? Alguma coisa que expresso em um tom de voz natural. Em outras palavras, falo exatamente como falaria se estivesse em uma conversa normal com você e, quando preciso demonstrar entusiasmo, demonstro.

Há outro truque importante para você aprender: fazer com que o público me aplauda a qualquer momento. Sabe como?

Fazendo uma pergunta. Você quer que eu diga quantas vezes já ouviu isso desde que começamos? Quer que eu diga? É claro, recebo aplausos, mas recorro a técnicas estudadas cuidadosamente, as quais você precisa aprender se pretende se mostrar agradável. Não conheço nada que valha mais a pena do que ser agradável aos olhos dos outros; sem isso, não dá para se sair bem.

4. Tolerância

Tolerância – qual o significado dessa palavra? Muitas pessoas não entendem o sentido pleno dela. Significa ter uma mente aberta para todos os assuntos, diante de todas as pessoas, o tempo todo. Em outras palavras, a mente não se fecha para nada nem para ninguém. A gente está sempre disposto a ouvir outra palavra.

Você se surpreenderia se soubesse como há poucas pessoas de mente aberta neste mundo. Algumas são tão fechadas que não se conseguiria abri-las nem com um pé de cabra. Mesmo se tentasse, não se conseguiria enfiar uma ideia nova na cabeça delas. Você já viu alguém assim ser agradável? Nunca viu e nunca verá.

É fundamental que se tenha uma mente aberta porque, no mesmo instante em que as pessoas descobrirem que você nutre algum preconceito em relação a posicionamentos religiosos, políticos, econômicos ou de qualquer natureza, elas se afastarão.

Você tem ideia do motivo pelo qual consigo ter seguidores de todas as religiões nas minhas aulas e me dar bem com todos eles – católicos e protestantes, judeus e gentios, de todas as raças, de todos os credos? Porque os amo. Para mim, são todos iguais, meus irmãos e minhas irmãs. Por essa razão me dou bem com todos. Nunca penso nas pessoas em termos do que elas acreditam sobre religião, política ou economia. Penso nelas em termos do que estão tentando fazer para aprimorarem a si mesmas e aos outros. É assim que penso nas pessoas e por isso que me dou tão bem com elas.

Eu não costumava ser como hoje. Carregava alguns preconceitos bem acentuados; tinha a cabeça fechada para muitas coisas. Você não precisa me perguntar em relação a quê. Eu poderia contar, o que, é claro, tornou-me bastante famoso. Não dou mais informações de graça, apenas para meus próprios alunos, porque eles me pagaram, então tenho essa obrigação, mas, quanto aos estranhos, não dou mais informações de graça.

Uma mente aberta! Que coisa maravilhosa é o autodomínio para conseguir manter a mente aberta. Se isso não ocorrer, você não será capaz de aprender muito. Se tiver a mente fechada, perderá muitas informações de que precisa, as quais só vai obter com a mente aberta.

Ter a cabeça fechada afeta nosso interior. Se queremos ter a última palavra e desprezamos mais informações, paramos de crescer. Se dizemos: "Esta é a palavra final. Não quero mais nenhuma informação a respeito", paramos de crescer.

5. Senso de humor

Por *senso de humor* aguçado não me refiro a contar um monte de piadas, mas a ter disposição. Se não a tiver, precisa cultivá-la para se adaptar a todas as coisas desagradáveis que aparecem na vida sem levá-las muito a sério.

Uma vez vi uma frase no escritório do Dr. Frank Crane[14] que me impressionou muito, sobretudo por estar no escritório de um pastor. Dizia: "Não se condene a levar-se tão a sério". Ele me explicou o significado de "condenar", ou seja, se você se leva muito a sério, está se condenando. Muito óbvio, certo? Não é uma palavra profana. Eu gostei. Ainda gosto da frase. Considero-a um bom lema para qualquer um que não queira se levar muito a sério.

Depois de todo o reconhecimento mundial que conquistei das pessoas mais notáveis, se eu tivesse me levado muito a sério, não conseguiria viver comigo. Teria me tornado egoísta e vaidoso, o que trans-

---

14. Dr. Frank Crane (1861–1928) foi um ministro presbiteriano, palestrante e colunista que escreveu um conjunto de dez volumes de "Four Minute Essays" que foram publicados em 1919.

pareceria para os outros. Jamais ganharia a confiança das pessoas. Ninguém gosta de gente vaidosa ou egoísta.

Outra coisa, se você tiver um senso de humor aguçado, nunca sofrerá de úlcera no estômago. As úlceras surgem de uma única causa, e para curá-las só existe um jeito: o fomento de um senso de humor aguçado e a manutenção dele o tempo todo.

Leio os quadrinhos em alguns jornais porque de vez em quando eles me fazem rir para valer. Temos um quadrinho lá no litoral que se chama *Emily and Mabel*, envolvendo a história de duas velhas solteironas que estão sempre caçando em vão algum homem. Os casos se parecem tanto com a vida real que só posso rir. Quando não dou uma boa gargalhada, digo à minha esposa que me trapacearam em um centavo na compra do jornal.

A propósito, um dos melhores remédios (além de vitaminas e suplementos alimentares, dos quais a maioria de nós precisa) é dar uma boa risada várias vezes por dia. Se não tiver um bom motivo para rir, invente-o. Olhe-se no espelho, por exemplo. Sempre dá para rir disso. Você se surpreenderia em saber como sua química cerebral muda durante esse processo. Se está com problemas, eles desaparecerão e parecerão menores se estiver rindo, não chorando.

Não sei se meu senso de humor é aguçado, mas sei que ele é atento. Divirto-me em quase todas as situações da vida. Antes via como punição algumas das circunstâncias que hoje me divertem, porque ajustei meu senso de humor e agora ele está mais atento do que costumava ser.

6. Franqueza

O próximo aspecto envolve a *franqueza* nos modos e na fala, com um controle seletivo da língua, baseado sempre no hábito de pensar antes de falar.

A maioria das pessoas primeiro fala e pensa depois, ou melhor, arrepende-se depois. Antes de expressar uma opinião a alguém, descubra se as palavras irão beneficiar ou prejudicar o ouvinte, e se irão beneficiar ou prejudicar você mesmo. Se você ponderar um pouco antes de abrir a boca, nunca dirá metade das coisas que acabaria desejando não ter dito.

Há pessoas que simplesmente abrem a boca e falam sem pensar. Até se esquecem do que disseram, porque nem estavam presentes. Esse comportamento quase sempre as coloca em dificuldades.

Franqueza no modo de falar não significa que é preciso dizer a todo mundo o que acha deles, porque, se assim fosse, você não teria nenhum amigo. Franqueza também não significa ser evasivo ou ter duas caras. Ninguém gosta de gente assim. Ninguém gosta de pessoas sempre evasivas e que não opinam sobre nada.

7. *Expressão facial agradável*

O número sete envolve uma *expressão facial agradável*. Não sei se você já analisou a sua expressão facial no espelho. É maravilhoso ver como conseguimos deixá-la mais agradável se tentarmos. É maravilhoso aprender a sorrir quando estamos conversando. Você se surpreenderia em saber como o seu discurso fica mais eficaz se o emite sorrindo, em vez de ficar com uma cara fechada ou séria. Faz uma enorme diferença para o receptor.

Detesto conversar com alguém com uma expressão facial séria, como se estivesse carregando o mundo nas costas. Isso me inquieta, quero que ele termine logo o que tem a dizer e vá embora. No entanto, se a pessoa se ilumina, como fazia Franklin D. Roosevelt, e lhe dá um sorriso de US$ 1 milhão, até a coisa mais trivial soa como música, como sabedoria, por causa da forma como nos afeta psicologicamente.

Não dê sorrisos forçados, porque sorrir assim até os macacos conseguem. Aprenda a sorrir porque se sente bem. De onde vem o sorriso? Dos lábios? Do rosto? Vem do coração, o órgão dos sentimentos. Você não precisa ser bonito. Sorria... Isso vai embelezá-lo, seja você quem for. Um sorriso embeleza a expressão facial.

8. Profundo senso de justiça

A próxima qualidade é um *profundo senso de justiça* perante todos. Em outras palavras, ser justo com os outros mesmo quando tal atitude lhe trouxer desvantagens. Você cativa as pessoas se descobrem que, para ser justo com elas, está tendo de pagar um preço. Não há grandes virtudes na justiça só quando ela o beneficia.

Muita gente é justa e honesta somente quando sabe que tirará proveito da situação. Portanto, não vale imaginar que seriam desonestas se tivessem algum ganho? Imagino que muitas pessoas fariam isso.

9. Sinceridade de propósito

O próximo é *sinceridade de propósito*. Ninguém gosta de uma pessoa que mente sobre o que diz e faz, que fica tentando aparentar ser algo que não é, ou dizer coisas que não representam o pensamento dela de verdade. Essa atitude não é tão negativa quanto mentir descaradamente, mas é um primo bem próximo, uma ausência intencional de sinceridade.

10. Versatilidade

Há também a *versatilidade*: um amplo leque de conhecimentos de pessoas e eventos mundiais que fogem dos nossos interesses pessoais mais imediatos.

Uma pessoa especialista em um único assunto ficará chata assim que a conversa sair da área que ela domina. Você nem precisa colocar a cabeça em ação para se lembrar de algum conhecido tão focado em uma coisa só que acaba não entendendo nada fora daquilo. As pessoas só terão um bom papo, só serão interessantes, se tiverem um amplo leque de assuntos estimulantes sobre os quais conversar.

Sabe a melhor maneira do mundo de fazer com que gostem de você? Falar sobre coisas que despertem o interesse dos outros. Se fizer isso, quando mudar de assunto e começar a falar de coisas que o interessem, a pessoa será uma ouvinte muito mais receptiva.

11. Diplomacia

Destaco também a *diplomacia* na fala e nos modos. Você não precisa deixar transparecer a sua atitude mental em palavras, pois se tornará um livro aberto que todos leem, às vezes até mesmo quando você não quiser.

Sempre dá para ser diplomático. Quando você está dirigindo e um sujeito arranha o seu para-lama, perceberá se ele age com diplomacia se sair do carro e correr para ver o estrago que causou. Talvez o conserto até não custe muito, mas o prejuízo seria muito mais elevado se todos partissem para a ofensa.

Ainda hei de ver uma colisão de carros e dois sujeitos saírem cada um do seu para se desculpar, ambos alegando culpa e desejando pagar a conta. Não sei quem fará isso, mas hei de ver um dia.

Você se admiraria do que pode fazer com as pessoas simplesmente sendo diplomático. Às vezes, em vez de lhes dizer o que elas têm que fazer, é melhor perguntar-lhes se não se importam em fazer. Mesmo com autoridade para dar-lhes uma instrução, ainda é melhor pedir.

Um dos mais notáveis empregadores que já conheci nunca deu ordens diretas aos seus sócios e funcionários. Andrew Carnegie sempre lhes perguntava se não se importariam em fazer algo para ele ou então se aquilo era conveniente, adequado. Ele nunca ordenou; sempre pedia. Portanto, não surpreende como se dava bem com as pessoas. Não surpreende por que era tão bem-sucedido.

12. Agilidade de decisão

O próximo aspecto diz respeito à *agilidade de decisão*. Ninguém será estimado ou terá uma personalidade agradável se ficar sempre postergando decisões, mesmo com todos os fatos necessários diante de si. Não me refiro a agir de improviso ou tecer julgamentos precipitados. Mas, quando se reúnem todos os fatos e chega a hora de tomar uma decisão, tome-a de fato. Se for errada, sempre dá para voltar atrás, então não se julgue tão grande, ou melhor, tão pequeno, para se redimir e recuar quando percebe que isso se torna necessário. É uma excepcional vantagem ser justo consigo e com os outros, voltando atrás se tomou uma decisão errada.

13. Fé na inteligência infinita

Não preciso falar muito sobre o número treze. Fé na inteligência infinita. Você sabe o significado da fé, e, se for fiel à sua religião, seja ela qual for, conseguirá uma nota alta neste quesito.

Você ficaria perplexo ao descobrir quantas pessoas falam da boca para fora sobre a fé e a inteligência infinita, mas pouco fazem a respeito. Não se comprometem com atos significativos que comprovem sua dita fé na inteligência infinita. Não sei como o Criador se sente nesse sentido, mas acredito que os nossos atos valem muito mais do que boas intenções ou crenças.

14. Seleção adequada de palavras

Número catorze: *seleção adequada de palavras*, sem gírias, gracinhas ou palavras de baixo calão. Nunca vivemos uma época como agora, em que as pessoas se deixam levar por tantas gracinhas, gírias e palavras de duplo sentido. O sujeito que se expressa dessa maneira talvez se ache esperto, mas quem ouve não achará. Apesar de algumas pessoas até rirem, ninguém ficará impressionado por conta de um monte de gracinhas.

Não é a coisa mais fácil do mundo dominar a nossa língua tão linda, com um amplo vocabulário. É maravilhoso conseguir controlá-la de forma a transmitir aos outros exatamente o que se está pensando (ou o que você quer que as pessoas achem que está pensando).

15. Entusiasmo controlado

Agora passamos ao *entusiasmo controlado*. Você talvez diga: "Por que controlar o entusiasmo? Por que não deixá-lo correr solto?". Porque vai arranjar problemas se fizer isso. O entusiasmo precisa ser tratado como a eletricidade. Ela é incrível – para lavar louça, lavar roupa, ligar a torradeira, talvez preparar a comida no fogão –, mas deve ser manuseada com cuidado. Além disso, você pode ligá-la e desligá-la quando quiser.

Trate o entusiasmo com o mesmo cuidado. Ative-o quando quiser, e desative-o tão rapidamente quanto ativou. Caso isso não ocorra, alguém poderá fazer você se entusiasmar com alguma coisa irrelevante. Já ouviu falar sobre isso? E, rapaz, que patético é!

Você conhece o significado do entusiasmo? É uma forma moderada, às vezes não tão moderada, de hipnotismo. O entusiasmo hipnotiza também outras pessoas, mas não exagere, pois correrá o risco de se entusiasmar tanto que o outro vai acabar destruindo as próprias nuances mentais. Já tive vendedores tão entusiasmados que eu acabava impedindo-os de entrarem de novo, porque não queria ter de me defender deles.

Já ouvi alguns palestrantes assim. E também alguns pregadores. Eu não iria querer segui-los. Vocês conhecem o tipo. O sujeito que carrega toda a bateria de entusiasmo e sai por aí. Só nos resta correr dele ou tentar desligá-lo.

Uma pessoa assim não será bem-vista. Será considerado agradável aquele capaz de ativar a quantia certa de entusiasmo no momento certo, e desativá-lo quando chegar a hora.

Da mesma forma, se você não conseguir expressar entusiasmo quando quiser, também não será considerado agradável, porque há momentos em que precisa mesmo disso. Ensinar, palestrar, falar ou qualquer coisa que se faça na área de relações humanas exigirá, às vezes, de você um tanto de entusiasmo.

E você pode cultivá-lo. Há só uma qualidade impossível de ser cultivada. Andrew Carnegie dizia que podia despertar em alguém qualquer qualidade, menos uma: o magnetismo pessoal. Se você o tiver em excesso, será possível controlá-lo e transmutá-lo, mas ninguém pode dá-lo aos outros.

16. Espírito esportivo

A próxima qualidade é um bom e honesto *espírito esportivo*. Você não vai vencer sempre na vida. Ninguém vai. Haverá momentos de perda. E, quando isso acontecer, perca com graça e elegância. Diga: "Bem, eu perdi, mas talvez tenha sido melhor assim porque agora começarei a busca da semente de um benefício equivalente. Da próxima vez, vou deixar outra pessoa perder. Ficarei mais sábio". E nunca leve as coisas tão a sério.

Durante a Depressão[15], quatros amigos meus suicidaram-se: dois saltaram do alto de um prédio, um deu um tiro na cabeça e outro se envenenou. Mas eu perdi o dobro do que eles perderam. Não saltei de um prédio, não atirei na minha cabeça nem me envenenei; disse: "A Depressão é uma bênção porque, tendo perdido esse dinheiro, terei de recomeçar e ganhar ainda mais". Essa foi a minha atitude mental. Disse a mim mesmo: "Se eu perder cada centavo, cada terno, até as cuecas, posso sempre pedir emprestada uma barrica e recomeçar. Em qualquer lugar onde consiga reunir pessoas para me ouvirem, ganharei dinheiro".

Como é possível desanimar uma pessoa com uma atitude dessas? Não importa quantas vezes seja derrotada, ela sempre se levanta. É como uma rolha. Você pode empurrá-la, mas ela vai pular assim que tirar a mão dela, e, se não tirar, ela o obrigará a fazê-lo.

---

15. Referência à Crise de 1929, também conhecida como "A Grande Depressão", a maior crise do capitalismo financeiro. O colapso econômico teve início em meados de 1929, nos Estados Unidos, e se espalhou por todo o mundo capitalista, com efeitos também políticos e econômicos que duraram uma década.

17. Cortesia

Ah, que coisa mais maravilhosa uma boa e simples *cortesia*! Principalmente direcionada a pessoas que estão em uma camada social, econômica ou financeira mais baixa que você. É fantástico ser cortês com alguém com quem você não precisa ser. Faz bem para a outra pessoa e faz bem para você.

Sempre detesto ver uma pessoa querendo ser superior às outras. Nada me irrita mais do que ir a um restaurante e ver um novo rico entrar, dar ordens aos garçons e desrespeitá-los. Ainda que às vezes eles mereçam, nunca aprendi a ser assim. Sempre achei que aqueles que desrespeitam outros em público, com ou sem motivo, têm algo errado dentro de si.

Quando eu vivia no Bellevue-Stratford Hotel, na Filadélfia, um garçom derrubou uma sopa quente bem na minha nuca e me queimou. O *maître* veio correndo, e logo depois o gerente do hotel também, e queria chamar um médico. Eu disse: "Não é nada; foi só um pouco de sopa que o garçom derrubou".

Eles disseram que mandariam lavar meu terno, mas retruquei: "Não. Não se incomodem. O incômodo é meu, e não estou incomodado".

Fora do horário de expediente, o garçom veio até o meu quarto e disse: "Quero que o senhor saiba que suas palavras me alegraram muito. Poderia ter feito com que me demitissem, pois já era certo que fariam isso. Se o senhor não tivesse se manifestado daquele modo, eu estaria na rua, e não posso me dar ao luxo de ser demitido".

Não sei se aquilo fez mesmo bem para o garçom, mas fez muito bem para mim. Afinal de contas, ali estava um homem que eu podia ter humilhado.

Ao que me consta, nunca humilhei alguém intencionalmente por motivo algum (embora talvez o tenha feito sem querer). Sinto-me bem em poder dizer isso. Sinto-me bem agindo assim com as pessoas. E essa sensação positiva volta para mim, porque as pessoas agem comigo sem querer me humilhar. Por quê? Porque você recebe o que dá. Você é um ímã humano e atrai a soma de tudo aquilo que está no seu coração e na sua alma.

18. *Apresentação pessoal adequada*

Uma *apresentação pessoal adequada* é importante para qualquer pessoa pública. Não me refiro a se vestir de maneira extravagante, ou como um palhaço, ou com roupas vistosas, mas qualquer pessoa que lide com o público deve escolher uma apresentação pessoal adequada à própria personalidade.

Nunca fui muito exigente nesse sentido. Usei roupas formais em pouquíssimas ocasiões. Há algum tempo, eu estava dando uma palestra em Chicago para um clube de executivos comerciais e avisaram-me que deveria usar um *smoking*. Eu nem tinha um por vinte anos. Então, comprei um *smoking* para aquela única ocasião.

Quando subi ao palco, contei a história de um dos banqueiros locais que estava conversando comigo no bar antes de nos sentarmos para jantar. Ele disse:

— Sr. Hill, não fica nervoso sempre que vai falar em público?

Respondi que sim naquela noite, e ele quis saber a razão. E daí falei da maldita roupa que fora obrigado a vestir.

Contei isso para o público, que se divertiu à beça.

É perfeitamente adequado vestir roupas formais quando necessário, mas recorra ao bom gosto. De modo geral, se mais tarde alguém perguntar o que a pessoa mais bem-vestida estava usando, você não conseguiria responder. Só diria: "Só sei que ela estava bonita".

19. Espetáculo

Espetáculo – é preciso saber dar um espetáculo se quiser vender alguma coisa em algum momento da vida. Saiba quando dramatizar as palavras e as circunstâncias.

Veja, por exemplo, a história do homem mais notável do mundo. Se você só contasse os fatos nus e crus sobre ele, sem dramatizar a narrativa, ficaria chato. É necessário dramatizar as coisas que vai contar àqueles com quem está fazendo negócios. Aprenda a arte do espetáculo na sua vida; isso é possível.

20. Fazer além do necessário

Não preciso repetir a importância do hábito de *fazer além do necessário*. Tivemos uma aula toda sobre isso.

21. Moderação

Moderação se refere a qualquer coisa. Comer pode causar-lhe tantos danos quanto beber álcool. A regra é nunca permitir que nada o controle. Quando eu fumava, cheguei a um ponto em que eram os charutos que me fumavam, então parei. Posso tomar um drinque, dois, acho que três. Não me lembro de ter ido além disso socialmente, mas, se um dia eu descobrisse que a bebida está me controlando, ou se descobrisse que não sou capaz de resistir, abriria mão dela no mesmo instante.

Quero estar no controle de Napoleon Hill o tempo todo. Não tanto, nem tão pouco. A moderação é incrível. Você sabia que não há na vida algo que seja tão ruim se o usar com moderação?

Pense bem nisso. Certo e errado são termos relativos. Olhando de perto, o certo e o errado dependem de quem está falando. Se algo o afeta negativamente, é errado. Se o afeta positivamente, então é certo. É assim que a maioria das pessoas se posiciona.

22. *Paciência*

Em seguida vem a *paciência* em todas as circunstâncias. Ela é fundamental neste mundo competitivo, que a testa o tempo todo. Usando a paciência, você aprende a esperar as coisas no momento mais favorável. Se você for impaciente e tentar forçar as coisas com as pessoas, acabará recebendo um não ou uma rejeição indesejada.

Você precisa de muita paciência para dedicar um tempo aos seus relacionamentos pessoais. Precisa ser capaz de se controlar o tempo todo.

A maioria das pessoas não tem muita paciência; consegue-se irritá-las em dois segundos simplesmente dizendo ou fazendo algo errado.

Não preciso me exasperar porque alguém disse ou fez algo errado. Até poderia, se quisesse, a escolha é minha. Posso escolher não me aborrecer. Posso ser paciente e esperar a minha vez de revidar, se assim quiser. Se alguém agir errado comigo, vou revidar de uma única forma: fazendo um favor à pessoa e mostrando-lhe a sua pequenez.

23. *Elegância*

O número 23 refere-se à *elegância* postural. Quando alguém fala, deve manter as costas eretas e não se apoiar em nada.

24. *Humildade*

O número 24 é a *humildade* no coração, baseada em um senso preciso de modéstia. Não conheço nada tão incrível como a verdadeira humildade no coração.

Às vezes, preciso criticar as pessoas com quem trabalho – algumas, não todas –, e sempre digo para mim mesmo: "Por Deus, eu poderia ser o homem criticado e talvez já tenha feito coisas dez vezes piores do que ele". Em outras palavras, tento manter um senso de humildade no coração, por mais desagradável que seja o momento.

Quanto mais prospero, mais vejo o sentimento de humildade no coração. Reconheço que todo o meu sucesso se deve inteiramente aos maravilhosos e amistosos sentimentos de amor, afeto e cooperação alheios, porque sem eles minhas palavras nunca teriam conseguido se disseminar pelo mundo. Sem eles, nunca beneficiaria as pessoas que beneficiei, nunca teria me desenvolvido tanto. E mais, eu não teria contado com tanta cooperação se não tivesse me ajustado aos outros com um espírito de cordialidade.

25. Magnetismo pessoal

Por último, mas não menos importante, vem o *magnetismo pessoal*, que se relaciona com uma emoção sexual, com um traço inato do seu detentor. Esse traço de personalidade não pode ser cultivado, embora seja viável controlá-lo e direcioná-lo a um uso benéfico. Aliás, os líderes, vendedores, palestrantes, religiosos, advogados, professores de mais destaque – os indivíduos mais eminentes em todos os campos de atuação – são pessoas que aprenderam a transmutar a emoção sexual: elas, na maioria das vezes, conseguem convertê-la em uma intensa energia criativa para realizar as coisas que desejam.

A palavra *transmutação* precisa ser invocada, buscada no dicionário. Certifique-se de entender bem seu significado.

Pense bastante nessas 25 qualidades, e fará descobertas sobre si mesmo. Quando você responder a essas perguntas e dar a si uma nota, descobrirá algumas fraquezas que desconhecia, e algumas competências e qualidades que talvez subestimasse.

Vamos nos descobrir para entender em que lugar estamos. O que nos motiva? Por que as pessoas gostam de nós? Por que não gostam? Eu poderia me sentar com cada um de vocês e discutir tais aspectos. Se fizesse perguntas a você – não mais do que vinte –, eu poderia apontar meu dedo para os fatores que inviabilizam seu reconhecimento.

Quero que faça o mesmo. Quero que aprenda a analisar as pessoas, começando consigo mesmo, e descubra o que as torna social e profissionalmente reconhecidas, o que as motiva. Ao fazer isso, conquistará um imenso triunfo.

Agora você tem algum trabalho para essa aula, e quero que o faça com alegria, com prazer, e que aprenda muito sobre si mesmo.

7
Liderança e iniciativa

Preciso contar algo que aconteceu sábado passado. Fui até a agência de viagens para mudar a minha passagem e voltar na segunda-feira, e não no domingo. Quando entrei, o gerente apertou minha mão, apresentou-se e começou a elogiar o *Quem pensa enriquece*. Em poucos instantes, enquanto ainda segurava a minha mão, apareceu um homem, um amigo dele que tinha algum tipo de relação com algumas companhias aéreas. Ao ouvir o nome "Napoleon Hill", ele segurou minha outra mão e começou a elogiar o *Quem pensa enriquece*: "Talvez lhe interesse saber que, antes de entrar para a companhia aérea, eu era proprietário de uma organização comercial onde trabalhavam cerca de cem pessoas. E exigia que todos tivessem todos os seus livros. Era um requisito".

Eu me senti muito bem. Quando saí, duas jovens muito bonitas estavam paradas na calçada distribuindo panfletos políticos. Enquanto eu passava, uma delas disse: "Você não é o Napoleon Hill?".

Virei-me, confirmei com um gesto de cabeça e perguntei-lhes quem eram. A resposta veio logo: "Há mais ou menos dois anos, eu estava no clube de mulheres onde você fez uma palestra, e esta é minha prima. Os nossos maridos hoje são muito bem-sucedidos e devem o sucesso aos seus livros".

Caminhei até o meu carro, onde um policial estava me multando. Eu tinha colocado uma moeda no parquímetro, achando que ficaria lá dentro só por doze minutos, mas todas as conversas agradáveis em que me envolvi acabaram levando muito mais tempo.

Fui até o policial e disse:

– Você não faria isso com Napoleon Hill, faria?

O homem me fez repetir meu nome, e depois disse:

– Não, não com Napoleon Hill, mas com você faria.

Eu me apresentei, tirei meu cartão de crédito e o entreguei a ele, com a minha carteira de habilitação.

O policial exclamou:

– Macacos me mordam! – E, pegando o bloco, rasgou o papel e ainda falou mais: – Vamos esquecer isso tudo. Talvez o senhor queira saber que entrei para o corpo de polícia de Glendale depois de ler o seu livro *Quem pensa enriquece*.

Entrei no carro e fui para casa o mais rápido possível. Temi que, se ficasse ali mais um pouco, acabaria encontrando mais alguém que tentaria me vender esta filosofia.

Não faz diferença se você já é famoso e reconhecido; acho que nenhuma pessoa normal deixa de apreciar um elogio honesto e sincero. Eu aprecio, e espero nunca deixar de apreciá-lo.

Essa é uma bela lição, porque se refere à parte prática desta filosofia. Não faria muita diferença se você entendesse todos os outros princípios sem agir, faria? Em outras palavras, o benefício que vai obter com esta filosofia não está em nada do que direi nestas aulas. Importa o que você fará com isso, ou seja, suas atitudes usando esta filosofia por iniciativa própria.

Apresentarei alguns atributos de iniciativa e liderança, em um total de 31, e quero que você comece a dar uma nota para si mesmo em relação a eles, de 0 a 100 em cada um dos quesitos. Ao terminar, some-

-os e divida por 31, e então terá uma média geral de iniciativa pessoal. Aliás, atribuir notas a si mesmo em relação a essas qualidades será o primeiro passo para desenvolvê-las.

1. Propósito principal definido

Não preciso comentar muito sobre a importância de um *propósito principal definido*, porque é claro que, se você não adotar um objetivo na vida, um propósito geral, não terá muita iniciativa própria.

Este é um dos passos mais importantes: descobrir o que quer fazer. Se você ainda não tem certeza do que quer fazer para o resto da vida, vamos descobrir o que vai fazer neste ano, ou no resto deste ano. Não definiremos uma meta muito audaz nem muito distante.

Se você tem uma empresa, uma profissão ou um emprego, o seu propósito definido pode ser aumentar a renda a partir dos serviços prestados, sejam eles quais forem. Ao final do ano, revise o seu histórico, restabeleça o seu propósito principal definido e parta para algo maior, talvez determinando um plano de um ano, ou quem sabe de cinco anos. O ponto de partida da iniciativa própria é descobrir aonde você está indo, por que está indo, o que vai fazer depois de chegar lá e quanto vai obter de renda financeiramente.

A maioria das pessoas poderia fazer muito sucesso se conseguisse se decidir sobre o sucesso que deseja e aprendesse como avaliá-lo. Há gente que almeja um bom cargo e um monte de dinheiro, mas não sabe ao certo que tipo de cargo, quanto dinheiro e quando querem ganhá-lo. Vamos pensar um pouco nisso e nos dar uma nota neste atributo número um.

2. Motivação adequada

Uma *motivação adequada* nos inspirará uma ação contínua em busca do objeto do nosso propósito principal definido.

Estude-se cuidadosamente e observe se você tem uma motivação ou motivos adequados. Será muito melhor se tiver mais de um motivo para conquistar o objeto do seu propósito principal ou o seu propósito imediato.

Repito, ninguém age sem motivo. Permita-me reafirmar: ninguém fora de um hospício age sem um motivo adequado. Uma pessoa em um hospício ou desequilibrada pode agir sem qualquer motivo, mas as pessoas normais não. Quanto mais intenso o motivo, mais ativas elas se tornam e mais aptas para agir por iniciativa própria.

Você não precisa ter muitos neurônios, nem precisa ser brilhante. Não precisa ter uma formação fantástica para se destacar. Basta pegar tudo o que tem, muito ou pouco, começar a agir e fazer algo sobre isso e com isso. E, é óbvio, para tanto você precisa de iniciativa.

3. Aliança de MasterMind

O número três se refere a uma *aliança de MasterMind*: uma colaboração amigável por meio da qual se adquire poder para triunfar.

Tome essa iniciativa agora e comece descobrindo amigos com quem poderia contar se precisasse de colaboração. Liste pessoas a quem pode recorrer se precisar de um favor: um aval, uma apresentação, talvez um empréstimo.

A menos que você tenha todo o dinheiro do mundo, talvez chegue um momento em que precise de um empréstimo. Não seria formidável ter a quem recorrer nesse caso? Claro, você pode ir a um banco: basta que lhes ofereça uma garantia quatro vezes superior ao valor do empréstimo e assim terá o dinheiro. Mas em alguns momentos talvez necessite de somas moderadas ou de outros favores afins, e então precisará de alguém a quem pedi-los.

Acima de tudo, se estiver ambicionando qualquer coisa que vá além da mediocridade, precisará de uma aliança de MasterMind com uma ou mais pessoas além de si mesmo, as quais não apenas cooperem com você, mas também se esforcem para ajudá-lo e consigam fazer algo que irá beneficiá-lo.

Cabe a você tomar a iniciativa de formar aliados de MasterMind, pois as pessoas não aparecerão simplesmente por companheirismo. Trace um plano, tenha um objetivo e encontre indivíduos adequados para a sua aliança. Então, dê a eles um motivo pertinente para se tornarem seus aliados de MasterMind.

Sei que a maioria das pessoas não mantém uma aliança de MasterMind com outras. Não receie aplicar uma nota zero neste atributo se não tiver a sua própria aliança, mas, da próxima vez que se atribuir notas, busque uma melhor. A única maneira de conseguir isso é encontrar pelo menos um aliado de MasterMind agora mesmo.

4. Autoconfiança

Número quatro: *autoconfiança* proporcional ao propósito principal. Descubra exatamente seu nível de autoconfiança. Talvez precise da ajuda de outras pessoas, da sua esposa, do seu esposo, do seu amigo mais próximo, ou de alguém que o conheça bem.

Talvez considere que já tem autoconfiança. Como saber? Volte ao número um. Avalie cuidadosamente o seu propósito principal definido e analise a sua extensão. Caso você ainda não o tenha, ou se ele não estiver acima daquilo que você conquistou até o presente, então não tem muita autoconfiança e deve se dar uma nota baixa neste atributo. Com o nível certo de autoconfiança, você maximiza o seu propósito principal definido para além de tudo que já conquistou e conquista determinação para alcançá-lo.

5. Autodisciplina

Número cinco: *autodisciplina* para garantir o domínio da mente e do coração e para manter a motivação até que atinja o propósito.

Quando a autodisciplina é mais necessária? Quando você está subindo na vida, as coisas estão indo bem e está prosperando? Não. Precisa de autodisciplina quando o caminho é difícil e as perspectivas não são favoráveis.

Nesse momento, precisará de uma atitude mental positiva. Precisará de uma mente disciplinada na medida em que sabe aonde está indo, sabe que tem o direito de chegar lá e sabe que está determinado a chegar, independentemente das dificuldades pelo caminho ou da oposição que talvez encontre. Precisará, no mínimo, de autodisciplina para sustentá-lo nas dificuldades, a fim de que não desista ou fique apenas se queixando.

6. Persistência

O número seis envolve a *persistência* baseada na vontade de vencer. Você imagina quantas vezes uma pessoa normal falha antes de desistir ou de se decidir por outra coisa? Uma vez? Já ouviu falar do sujeito que fracassa antes de começar por saber que nem adianta começar, porque não consegue fazer nada?

A grande maioria das pessoas falha antes mesmo de começar. Pensam nas coisas que poderiam fazer, mas nunca agem para que aconteçam. Desistem na primeira dificuldade ou se distraem por alguma outra coisa.

Para ser sincero, o meu maior trunfo é a persistência. Tenho persistência, vontade de vencer e autodisciplina para persistir nas coisas, ainda mais quando o caminho se complica. São essas as minhas qualidades mais marcantes, sempre foram e sempre serão. Sem elas, eu nunca conseguiria concluir esta filosofia, e nunca conseguiria divulgá-la de maneira tão ampla.

A gente nasce com a persistência ou podemos desenvolvê-la? Bem, se não fosse possível desenvolvê-la, não faria sentido falar dela aqui nesta aula, não é mesmo?

É certo que se pode desenvolvê-la, e nem é muito difícil. Aliás, o que torna uma pessoa persistente? Motivação, desejo ardente por trás de uma motivação.

É difícil pensar em persistência e desejo ardente sem levar em conta conquistas amorosas. Lembro-me de que coloco mais persistência e desejo ardente na conquista de alguém do que em qualquer outra coisa na vida.

Você não acha que poderia transmutar essa emoção em outra coisa, trazendo-a para o seu negócio, a sua profissão ou o seu emprego, e ter sentimentos tão intensos em relação ao sucesso quanto tem na conquista de quem escolheu? Você não acha que conseguiria fazer isso?

Aliás, você já sabe o significado da palavra *transmutar*. Se nunca tentou, comece. Da próxima vez em que se sentir para baixo ou desmotivado, tente transformar essa sensação em um sentimento de coragem e fé. Veja que maravilha acontecerá. Ative toda a química, todo o corpo, todo o cérebro. Você será muito mais eficaz.

7. Imaginação

O atributo número sete diz respeito a uma capacidade de *imaginação* bem desenvolvida, controlada e direcionada, pois o contrário poderá ser muito perigoso. Eu queria fazer uma pesquisa envolvendo todos os presidiários nas penitenciárias federais dos Estados Unidos. Fiz isso para o Departamento de Justiça. A maioria deles estava lá porque, apesar de terem muita imaginação, não a controlavam ou não a direcionavam de forma construtiva.

A imaginação é maravilhosa, mas, se ela não estiver sob controle e se você não a direcionar para fins definidos e construtivos, será muito perigosa.

8. *Tomada de decisões*

O número oito envolve o hábito de *tomar decisões definidas e rápidas*. Você faz isso? Toma decisões definidas e rápidas quando tem em mãos todos os fatos dos quais precisa para tomá-las?

Se, com os fatos disponíveis, você não tiver o hábito de tomar decisões claras de forma rápida e definitiva, está fazendo corpo mole, procrastinando e destruindo esta coisa vital chamada de iniciativa própria.

Uma das melhores formas de praticar a iniciativa própria é aprendendo a tomar decisões firmes, definitivas e rápidas assim que reunir todos os fatos. Não estou falando de julgamentos intempestivos ou opiniões baseadas em evidências insuficientes. Estou falando de ter em mãos disponíveis todos os fatos relativos a um determinado assunto e, em seguida, partir para a ação, ou seja, decidir o que exatamente fará com eles e não perder tempo, como algumas pessoas. Caso contrário, sem nem perceber, você adotará o hábito de enrolar. Em outras palavras, não agirá por iniciativa própria.

9. *Capacidade de embasar opiniões em fatos*

O próximo atributo é a *capacidade de embasar opiniões em fatos*, em vez de confiar em palpites. Para formar sua opinião, você se dá conta de quantas vezes age com base em palpites, em relação ao número de vezes que age com base em fatos? Pergunto-me se tem ideia da importância de se obrigar a conhecer os fatos antes de formar uma opinião sobre qualquer coisa. Sabia que você não tem direito a formar uma opinião sobre qualquer coisa, a qualquer momento, em qualquer lugar se ela não se embasar em fatos ou no que acredita que sejam fatos? A razão se assenta em você não desejar se meter em apuros, não desejar fracassar.

É claro que você pode ter opiniões e todos nós as temos – muitas delas. Você pode até manifestar sua opinião sem que lhe peçam, e fazemos isso mesmo. Mas, antes de expressar – ou ter – uma opinião com segurança, pesquise e baseie-se em fatos, ou no que acredita que sejam fatos. Se você não fizer isso, não será um professor especialista nesta filosofia.

10. Entusiasmo

Chegamos agora ao atributo número dez: a capacidade de suscitar *entusiasmo* segundo a sua própria vontade.

Você sabe despertar entusiasmo sempre que quer? Basta que decida agir com entusiasmo. Como? Sentindo a emoção. A mente precisa ficar alerta a algum objetivo, propósito ou motivação definidos, e então cabe a você agir conforme essa motivação. Você o faz com palavras, com a expressão facial ou com alguma outra forma de ação. A palavra *ação* é inseparável da palavra *entusiasmo*.

Há dois tipos de entusiasmo. O primeiro se classifica como passivo, que você sente, mas não expressa de forma alguma. Em algumas ocasiões ele é necessário, caso contrário, deixará transparecer o que há na sua cabeça mesmo quando não quiser.

Um grande líder, por exemplo, um executivo excepcional, pode ter um grande entusiasmo, mas só o demonstrará a quem e quando quiser. Ele não vai só despertar o entusiasmo e partir, embora seja isso que a maioria das pessoas faz. Quando se entusiasmam com algo, simplesmente se acendem, criam um tumulto e acabam não realizando nada.

O segundo tipo é o entusiasmo controlado – despertado no momento certo e apaziguado também no momento certo –, controlado somente por iniciativa própria. Caso você se engaje apenas neste assunto – como despertar e acalmar o entusiasmo – e domine essa arte, será capaz de se tornar um vendedor extraordinário. De verdade.

Você já ouviu falar de alguém tentando vender um produto sem demonstrar qualquer entusiasmo? Você já vendeu alguma coisa sem ter entusiasmo pelo que estava tentando vender? Talvez tenha até se achado entusiasmado, mas não. Sem um sentimento de entusiasmo, você não consegue vender. É possível que tenham comprado algo de você por precisar do produto, e, nesse caso, você nem sequer motivou a venda.

Como despertar o sentimento de entusiasmo alheio? Como fazer isso durante uma venda, por exemplo? Venda o produto para si mesmo. Em outras palavras, tudo começa com a estrutura emocional. Você precisa se sentir entusiasmado.

Se abrir sua boca para falar, expresse-se de um modo entusiasmado. Coloque entusiasmo na sua expressão facial: um sorriso bom e bem largo, porque ninguém fala com entusiasmo de cara amarrada. Ambos não andam juntos.

Há muitas coisas que você precisa aprender sobre expressar entusiasmo se quiser tirar o máximo proveito disso, e todas envolvem iniciativa pessoal, ou seja, dependem exclusivamente de você. Não posso lhe dizer como ser entusiasmado. Posso lhe dizer como o entusiasmo é formado e como expressá-lo, mas, depois disso, o trabalho todo fica por sua conta.

11. Senso de justiça

O número onze se refere a *senso de justiça* aguçado sob quaisquer circunstâncias. Não o comentarei porque suponho que todos nós sentimos que agimos de maneira honrosa com as pessoas, com um senso de justiça aguçado em qualquer situação. Caso contrário, devemos no mínimo nos sentir assim a esse respeito.

12. Tolerância

Passemos agora para o número doze: *tolerância*, mente aberta. Só devemos agir em qualquer circunstância se tivermos como justificar a nossa atitude aos outros, ou ao menos acreditar que podemos justificá-la.

Você tem ideia de quanto se perde na vida só por fechar a mente para pessoas de quem não gosta, sem pensar que poderiam lhe trazer muitos benefícios?

Uma das coisas mais dispendiosas em uma empresa decorre de mentes fechadas umas às outras, às oportunidades, às pessoas que elas atendem e a si próprias.

A palavra quase sempre remete a alguém que não gosta do outro por motivos religiosos ou políticos, o que, no entanto, não chega nem a arranhar a superfície do problema. A intolerância se estende a quase todas as relações humanas. Se você não criar o hábito de manter o tempo todo a cabeça aberta sobre todos os assuntos, nunca será um grande pensador, nunca terá uma personalidade extraordinária e magnética e, certamente, nunca será muito apreciado.

Dá para ser honesto com as pessoas de quem você não gosta e que não gostam de você se elas perceberem que fala de modo sincero e com a mente aberta. As pessoas não toleram falar com outra de mente fechada, pois tudo o que dizem não surte qualquer efeito, independentemente de ser sincero e valoroso.

De vez em quando surge alguém que quer levar esta filosofia para escolas particulares ou para universidades. Esqueça. Eu quebrei a cabeça por muito tempo e acabei desistindo porque lá estão mentes muito fechadas. Aí está o erro no nosso sistema educacional: muitas mentes fechadas e pouco ensino sobre como mantê-las abertas.

13. *Fazer mais do que lhe pagam*

O número treze é o hábito de sempre *fazer mais do que lhe pagam*. Nesse aspecto, você precisa agir por iniciativa própria. Ninguém vai lhe dizer ou esperar que o faça. É uma iniciativa exclusivamente pessoal, e talvez uma das formas mais importantes e mais lucrativas de exercê-la. Se eu tivesse que escolher uma situação em que a iniciativa traz mais benefícios, seria, sem dúvida, na prestação de um serviço mais abrangente e de qualidade superior àquele pelo qual sou pago, porque não preciso pedir esse privilégio a ninguém.

Se você criar esse hábito – não apenas de vez em quando, porque assim não será tão eficaz –, em algum momento a lei dos retornos crescentes começa a render dividendos que voltarão para você multiplicados muitas vezes. Em outras palavras, o serviço que você presta ao fazer além do necessário sempre compensa, pois receberá algo muito mais significativo de volta.

Trabalhei para a extraordinária R.G. LeTourneau Company por um ano e meio e doutrinei os seus dois mil funcionários com esta filosofia. Pagaram-me pelo serviço, aliás, muito bem. Anos mais tarde, depois de sair da empresa, recebi um cheque bastante generoso. Metade do valor se referia a contribuições dos funcionários, e a outra metade foi paga pela empresa, sobretudo em razão do valoroso princípio de fazer além do necessário. Eles queriam evidenciar a importância de que eu continuasse falando sobre esta filosofia nas minhas aulas particulares e de todas as outras formas possíveis, como eu havia falado lá.

Em toda a minha experiência, nunca ouvi falar de um homem que recebesse um cheque de gratificação anos depois de deixar o serviço de uma empresa. Isso acabou se revelando uma das coisas mais inesperadas da minha vida.

Quando você começar a viver segundo o princípio de fazer além do necessário, espere que coisas excepcionais e agradáveis aconteçam com você.

14. Diplomacia

Por que ser diplomático vale a pena? Porque por meio da *diplomacia* você conquista mais facilmente a cooperação dos outros. Se você entrar aqui e me disser que preciso fazer alguma coisa, eu direi: "Só um momento. Acho que não. Acho que tenho outra coisa para fazer". Se você se expressar assim, vou de imediato criar resistência. Mas, se vier aqui e me disser: "Gostaria muito que pudesse fazer algo por mim", sabendo de antemão que tem o direito de me pedir, alcançará resultados bem distintos.

Reitero que uma das coisas mais impressionantes que aprendi com o Sr. Andrew Carnegie foi nunca dar ordens a alguém. Seja lá quem fosse a pessoa, ele nunca mandava, sempre pedia: "Você poderia, por favor, fazer tal coisa?".

É surpreendente a lealdade do Sr. Carnegie aos seus funcionários. Por ele, os funcionários faziam qualquer coisa, a qualquer hora do dia ou da noite, porque eram tratados com diplomacia. Quando ele precisava disciplinar algum deles, geralmente o convidava para ir a algum lugar fora da empresa, oferecia-lhe uma refeição de muitos pratos – o tratamento completo. Após o jantar, acontecia o confronto, quando eles iam até a biblioteca e ele começava a fazer perguntas.

Um dos principais assessores do Sr. Carnegie foi escolhido para se tornar membro do grupo de MasterMind dele. No entanto, o garoto descobriu que receberia uma promoção, e isso lhe subiu à cabeça. Começou a andar com um bando de figurões de Pittsburgh, pessoas que davam festinhas e coisas do gênero, e em pouco tempo passou a beber muito e a ficar na rua até tarde. Chegava ao trabalho de manhã com o rosto marcado por profundas olheiras.

O Sr. Carnegie deixou essa situação continuar por cerca de três meses, e então convidou o rapaz para um jantar. Quando terminaram a refeição, eles foram à biblioteca, onde o Sr. Carnegie lhe disse: "Agora que estou sentado na minha cadeira e você está sentado na sua, quero saber o que você faria se estivesse no meu lugar. Se tivesse um sujeito prestes a ganhar uma promoção importante e de repente isso lhe subisse à cabeça, ele começasse a andar em más companhias, passar as noites fora, beber demais e dar atenção a tudo, menos ao trabalho. O que faria nesse caso? Mal posso esperar para saber".

O jovem respondeu que, como o Sr. Carnegie o demitiria, então seria melhor acabar de uma vez por todas com aquilo.

Carnegie retrucou: "Ah, não. Se eu quisesse demiti-lo, não o teria convidado para um jantar bacana na minha própria casa. Eu o demitiria no escritório. Não, não vou demiti-lo. Só quero que você se faça uma pergunta e veja se não estaria em condições de se demitir. Talvez esteja. Talvez esteja mais perto disso do que imagina".

O rapaz retomou as rédeas da vida, tornou-se parte do grupo de MasterMind de Andrew Carnegie e mais tarde ficou milionário. A atitude do Sr. Carnegie o salvou dele mesmo.

A diplomacia de Andrew Carnegie era de outro mundo. Ele sabia lidar com as pessoas. Sabia motivá-las à autoanálise. Não adianta muito eu analisar você, mas adianta muito se você se analisar e entender os próprios vícios e as próprias virtudes.

A autoanálise é uma das atividades pessoais mais importantes que uma pessoa realiza. Não passo um dia sem me analisar e entender meus erros, meus pontos de fraqueza, os aspectos em que posso melhorar, minhas ações para entregar um serviço mais abrangente e de mais qualidade. Eu me analiso todos os dias. Acredite, já faço isso há muitos anos e até hoje sempre encontro algum aspecto em que posso melhorar ou fazer algo a mais e melhor.

Isso se revela uma forma muito saudável de iniciativa pessoal, porque finalmente você chega a um ponto em que pode ser honesto consigo mesmo. Consegue imaginar quantas pessoas por aí são desonestas consigo mesmas? A pior forma de desonestidade que conheço é criar álibis mentais para justificar os seus atos e pensamentos, em vez de se analisar, descobrir as suas fraquezas e então resolvê-las ou pedir a alguém na sua aliança de MasterMind que as resolva por você.

Prefere que alguém de fora o critique e aponte os seus erros? Ou prefere criticar a si mesmo e descobrir por conta própria os seus erros?

Neste último caso, você pode manter suas fraquezas em sigilo. Não precisa anunciá-las aos quatro ventos e pode corrigi-las antes que alguém as descubra. Mas, caso espere até que lhe chamem a atenção, então suas fraquezas virarão um patrimônio público com potencial para constrangê-lo e ferir o seu orgulho. Se você ficar esperando que alguém as aponte, elas poderão levá-lo a um complexo de inferioridade.

Isto também é iniciativa pessoal: descobrir os seus pontos fracos. Por que as pessoas não gostam de você? Por que você não está prosperando tanto quanto os outros, mesmo sabendo que tem tantos neurônios ou talvez até mais do que eles?

Outra instância importante em que você pode agir por iniciativa própria é comparar-se a pessoas cujo sucesso está um nível acima do seu. Compare, analise e veja o que elas têm de diferente. Você se surpreenderá ao descobrir quanto pode aprender com os outros, talvez até com aqueles de quem não gosta muito. Pode aprender algo com eles sobretudo se estiverem acima de você, ou saindo-se melhor que você.

Acredite, sempre é possível aprender alguma coisa com alguém que está se saindo melhor do que você, às vezes, até com aquele que não está se saindo tão bem assim. Funciona em ambas as direções. Talvez descubra por que as coisas não estão funcionando para ele.

15. Capacidade de saber ouvir

Você *ouve* mais do que fala? Já pensou na importância de tomar uma iniciativa nesse sentido? Já pensou na importância de fazer perguntas inteligentes e deixar que o outro fale para que ele revele os próprios pensamentos, sem que tenha necessariamente que revelar os seus? Sabe o valor disso?

Aprendemos ouvindo e observando. Nunca ouvi falar de alguém que aprendesse enquanto falava, exceto, talvez, se a lição fosse sobre aprender a não falar tanto.

A maioria das pessoas fala muito mais do que ouve, e parece determinada a repreender os outros em vez de ouvi-los.

Na noite passada, tive o privilégio de me dirigir a um grande grupo de executivos de Los Angeles. Quando encerrei minha fala, disse: "Agora vamos inverter as coisas. Vou deixar o espaço aberto e solicitar-lhes que me façam perguntas e falem enquanto eu escuto".

Fiz três perguntas ao grupo, uma das quais originou respostas de vital importância para a Napoleon Hill Associates, para a propagação desta filosofia e para o futuro de todos os professores que ensinam esta filosofia.

Uma delas foi: "Se você fosse encarregado de administrar esta filosofia, como a apresentaria às empresas deste país para que os figurões a adotassem?".

Fiz duas outras perguntas e saí de lá carregado de ideias. E ainda me convidaram para fazer a palestra que há dez anos desejava fazer: falar para o clube Million Dollar Round Table no ano que vem, do qual participam os maiores profissionais da área de seguros de todo o país.

O presidente da reunião, que estava analisando o meu nome, será também o presidente do grupo da Round Table do ano que vem. Ele estava considerando me convidar para o evento, havia lido os meus livros e ouvido falar muito sobre mim, mas não poderia correr o risco de um fracasso. Portanto, ele queria me ouvir falar pessoalmente. Eu estava sendo testado, e só soube disso quando a palestra acabou. Que situação curiosa! Às vezes você está sob observação e as grandes oportunidades despontam logo ali, prontas para se abrirem se você disser ou fizer a coisa certa, ou então para virar-lhe as costas se disser ou fizer algo errado.

A segunda pergunta que fiz aquela noite foi: "Se você estivesse no meu lugar e desfrutasse o privilégio de oferecer ao mundo a primeira filosofia prática sobre realização pessoal, o que faria para propagá-la?". Recebi cerca de vinte respostas. A terceira pergunta não era tão relevante. Eu queria mesmo que respondessem à primeira.

Vamos retomar a questão de ouvir mais e falar apenas quando necessário. Da próxima vez que você criticar alguém, lembre-se do que eu disse sobre ouvir em primeiro lugar. Antes de começar a perder a cabeça, deixe que o outro sujeito perca a dele. Quando quiser criticar alguém ou dizer algo que possa ofender, dê primeiro ao outro sujeito a chance. Talvez, quando ele passar por tal situação, acabe se condenando, sem que você precise dizer nada. Pense primeiro e fale menos.

16. Observação

Você sente que tem um senso aguçado de *observação* dos detalhes? Sente-se capaz de passar diante de uma loja e, depois de chegar ao fim da quadra, descrever em detalhes tudo que viu na vitrine?

Certa vez participei de um curso na Filadélfia conduzido por um sujeito que nos ensinava a importância de observar os pequenos detalhes, dizendo-nos que definiam os sucessos e os fracassos na vida. Nada grandioso, mas sim pequenas coisas – aquelas que geralmente deixamos de lado por não as considerarmos importantes ou por nem desejarmos observá-las.

Como parte do nosso treinamento, saímos da sala de aula e caminhamos. Atravessamos a rua, subimos uma quadra e voltamos para a sala. No percurso, passamos por cerca de dez lojas, uma das quais vendia ferramentas e em cuja vitrine havia cerca de quinhentos artigos. Ele nos pediu que levássemos um bloco de anotações, um papel e uma caneta – veja você, o professor estava nos dando uma muleta para a nossa memória –, e anotássemos as coisas que considerávamos importantes enquanto caminhávamos.

O número mais alto de coisas que alguém listou foi 56. Quando o homem voltou, sem carregar consigo papel ou lápis, ele enumerou 746 e ainda descreveu cada uma delas, apontando a vitrine e o local exato onde estavam.

Eu não conseguia aceitar. Depois da aula, refiz o mesmo caminho para conferir. Ele tinha acertado todas. O sujeito tinha se educado para observar os detalhes – não alguns poucos, mas todos.

Um bom executivo, um bom líder, enfim, uma pessoa competente em qualquer área, observa tudo que acontece ao seu redor, coisas boas e ruins, positivas e negativas. Ele não observa por acaso o que desperta o seu interesse, mas tudo que possa lhe interessar ou afetá-lo. Isso é atenção aos detalhes.

17. Determinação

Os melhores líderes se recuperam depois das derrotas, confiantes de que estão mais bem preparados para alcançar a vitória.

18. Capacidade de aceitar críticas sem ressentimentos

Você lida bem com as críticas alheias amigáveis? Em caso negativo, está negligenciando algo muito importante. Uma das melhores coisas na vida é contar com uma fonte constante de críticas amigáveis em relação ao que você está fazendo – ao menos ao que constitui o seu propósito principal.

Nos meus tempos idos, eu costumava ter seis, sete ou, às vezes, oito, nove ou dez assistentes espalhados pela plateia para ouvir as conversas das pessoas. Na verdade, eles puxavam conversa com as pessoas depois do evento e em pouco tempo eu descobria meus erros e acertos.

Quero me desenvolver. Se estou cometendo um erro, quero saber qual é. Por essa razão peço críticas amigáveis, e se um aluno ou parceiro de negócios vier até mim e disser: "Dr. Hill, se fizesse isso aqui um pouquinho diferente, seria muito mais eficaz", eu acharia maravilhoso. E tenho parceiros de negócios que agem exatamente desse modo.

Você acha que as coisas que faz diariamente estão certas, caso contrário não as estaria fazendo, mas talvez ofendam outras pessoas. E, mesmo assim, você continuará fazendo igual caso ninguém lhe chame a atenção.

Todos precisamos de uma fonte de críticas amigáveis. Não me refiro a pessoas que o criticam porque não o apreciam. Isso não é bom, e não deve surtir efeito algum em você. Por outro lado, eu não prestaria muita atenção a alguém que faz uma crítica amigável porque gosta de mim, uma atitude que poderá também prejudicá-lo. Ouvi dizer que, em Hollywood, quando os astros começam a acreditar em seus assessores de imprensa, eles já eram.

Você precisa ter o privilégio de se enxergar através dos olhos das outras pessoas. Todos precisamos disso, porque lhe garanto que, ao caminhar pelas ruas, você não passa aos outros a impressão que acredita passar. Ao abrir a boca e falar, o que fica registrado na mente dos outros nem sempre é o que você pensa.

Você necessita de críticas, de análises. Necessita que as pessoas apontem as mudanças essenciais porque todos nós precisamos mudar ao longo do caminho, caso contrário não nos desenvolvemos.

Você sabia que a maioria das pessoas se magoa diante de qualquer tipo de sugestão ou crítica? Magoam-se com qualquer coisa com potencial de mudar a forma como agem, e acabam prejudicadas em razão de uma crítica amigável.

Já disseram que não existem críticas construtivas, mas discordo. E acho que são absolutamente incríveis.

Eu não pensava assim no início, pois, quando alguém me criticava, sentia-me ofendido. Sabe o que me curou? Certo dia, eu estava conversando com um senhor muito gentil, bem mais velho do que eu, e acabara de ouvir uma crítica muito maldosa sobre algo que eu tinha feito, não me recordo o quê. Talvez decorrente de um editorial que escrevi na revista *Golden Rule*.

Eu disse àquele homem:

– Não consigo entender por que alguém criticaria qualquer artigo daquela revista, porque ela objetiva ajudar as pessoas a se encontrarem. É puramente construtiva, sem nada de negativo.

O senhor comentou:

– Isso tudo é verdade, meu amigo, mas você ouviu falar de um homem, uma alma muito gentil, que passou por este plano há quase dois mil anos? Apesar de propagar uma filosofia maravilhosa, não agradava a todos. Já ouviu falar dele? Chamava-se Jesus Cristo. Se nem ele agradava a todos, quem é você para presumir que vai agradar? Lembre-se de que, não importa o que você faça, quem você seja, ou como você faz, nunca terá aprovação unânime. Não espere que isso ocorra, e não se deixe afetar se não conseguir.

19. Comida, bebida e hábitos sociais

Não pretendo comentar este item aqui.

20. Lealdade

O vigésimo atributo é a *lealdade* a todos a quem se deve lealdade. Ela está em primeiro lugar na minha lista de qualificações para selecionar as pessoas a quem quero me associar. Se você não é leal àqueles que têm direito à sua lealdade, você não tem nada. Na verdade, quanto mais brilhante, esperto, inteligente ou bem-educado você for, mais risco existe de não ser leal às pessoas que merecem sua lealdade.

Sou leal àqueles de quem gosto, mas também incorporo um senso de obrigação perante aqueles com quem me relaciono nos negócios, na profissão ou no meu círculo familiar. Há poucas pessoas de quem não gosto, mas sou leal por obrigação. Se quiserem retribuir e ser leais a mim, muito bem. Se não quiserem, o problema é delas, não meu. Tenho o privilégio de ser leal e vou honrá-lo.

Preciso conviver com este sujeito – eu mesmo. Durmo com ele. Olho a cara dele no espelho todas as manhãs enquanto faço a barba. Dou-lhe um banho de vez em quando e compartilho o dia a dia com ele. Impossível viver tão perto de um sujeito e não se dar bem com ele. "Acima de tudo sê fiel a ti mesmo,/Disso se segue, como a noite ao dia,/Que não podes ser falso com ninguém[16]." Shakespeare nunca escreveu nada tão bonito e tão filosófico quanto esses versos. "A ti mesmo", ser verdadeiro, leal consigo mesmo, porque você precisa conviver consigo. Fazendo isso, há grandes chances de os seus amigos e parceiros de negócios serem leais também.

21. Franqueza

22. Familiaridade com as nove motivações básicas

Essas motivações serão enumeradas em outra lição. Você certamente reconhece que elas integram o princípio para o entendimento do que leva as pessoas a agirem.

23. Personalidade atraente

E que negócio é esse de *personalidade atraente*? A gente nasce com ela ou precisa construí-la por iniciativa própria?

É possível construí-la. Nos 25 fatores, o único inato é o magnetismo pessoal, e até isso se resolve. Os outros 24 fatores podem ser cultivados por meio de iniciativa pessoal.

É claro que ela depende de você. Em primeiro lugar, precisa descobrir sua situação em cada um desses pontos. Precisa saber como está, e não dá para confiar na sua própria palavra. A sua esposa, o seu marido ou alguma outra pessoa lhe dirão.

---

16. Shakespeare, *Hamlet*, cena III, ato I.

Às vezes, o seu inimigo que lhe falará onde você errou. Sabia que inimigos são bons de vez em quando? Eles não poupam palavras. Caso analise o que os seus amigos dizem sobre você, possivelmente aprenderá alguma coisa de valor, no mínimo, a perceber se eles são sinceros sobre você. Tudo o que disserem não estará correto, porque você caminhará tão nos trilhos que mesmo algo depreciativo não será verdade. É uma vantagem, não é?

Não tema os inimigos. Não tema pessoas que não gostam de você, pois elas dizem coisas que lhe dão pistas para a descoberta de alguma coisa que precisa saber sobre si mesmo.

Um vendedor que vinha me ver há algum tempo disse que trabalhava na mesma empresa havia cerca de dez anos. Tinha um histórico incrível, com várias promoções, e destacava-se entre os dez melhores. No entanto, seis meses antes suas vendas tinham começado a cair. Os clientes habituais viravam-lhe as costas. Notando que ele usava um daqueles chapéus altos de *cowboy* texano, eu lhe disse:

– Aliás, você usa este chapéu há quanto tempo?

Ele me respondeu que o comprara havia uns seis meses no Texas, ao que retruquei:

– Escuta aqui, amigo, você está vendendo no Texas?

Ele negou e explicou que nem sequer ia muito até lá. Então eu falei:

– Escute o que eu digo e só use este chapéu quando estiver no Texas, porque não gosto dele; não fica bem em você.

O sujeito questionou se aquilo faria mesmo diferença, e fui bem objetivo na resposta:

– Você ficaria surpreso ao ver a diferença que uma apresentação pessoal faz. Se alguém não gosta da sua apresentação, não fará negócios com você.

Sim, é possível fazer alguma coisa em relação à sua personalidade. Descubra quais traços irritam os outros e corrija-os. Descubra por conta própria ou encontre alguém que seja honesto a ponto de fazer isso por você.

24. Concentração

O atributo de número 24 é a capacidade de *concentrar* toda a sua atenção em um só assunto por vez. Quando você começar a ensinar esta filosofia e for recorrer a exemplos, não interrompa no meio e comece a falar de um belo campo de flores silvestres que não se relaciona com o ponto a que deseja chegar, para depois retomar a explanação. Quando você entrar em um argumento, analise-o por completo, chegue a seu objetivo e depois parta para o próximo.

Vendendo ou falando em público, tente não abordar muitas coisas ao mesmo tempo, senão vai acabar não abordando nada. Essa é uma das minhas fraquezas mais acentuadas. Eu costumava fazer isso até que um homem chamou a minha atenção. Nenhum curso sobre como falar em público foi tão valioso quanto aquilo, e ainda de graça. Ele disse: "Você tem um excelente domínio linguístico, uma capacidade enorme de entusiasmar o público e um estoque extraordinário de exemplos interessantes, mas tem o péssimo hábito de falar sobre algo que não se relaciona com o seu assunto e retomá-lo mais tarde. Nesse meio-tempo, o assunto já esfriou".

Atribua uma nota à sua capacidade de focar um assunto por vez, falando, pensando, escrevendo ou lecionando. Em tudo que você fizer, concentre-se em uma coisa de cada vez.

25. Capacidade de aprender com os erros

Sobre o hábito de *aprender com os seus erros*, se você não aprende com eles, não os cometa. Sempre que vejo um homem repetindo o mesmo erro indefinidamente, penso naquele velho aforismo chinês: "Se uma pessoa me engana uma vez, a culpa é dela. Se ela me engana uma segunda vez, a culpa é minha".

Muitas pessoas deveriam dizer "a culpa é minha", porque não parecem aprender nada com os próprios erros.

26. *Aceitação da responsabilidade pelos erros dos subordinados*

Se você tiver subordinados e eles cometerem erros, a falha será sua, não deles. É impossível ser um bom líder ou um bom executivo se você não assumir essa responsabilidade. Se alguém sob o seu comando não estiver fazendo ou não conseguir fazer a coisa certa, tome a iniciativa e faça algo a respeito, seja treinando-o para fazer o certo, seja colocando-o em outra função que dispense monitoramento. Mas, se a pessoa for subordinada a você, a responsabilidade é sua.

27. *Reconhecimento dos méritos alheios*

Não tente roubar o brilho dos outros. Se uma pessoa fizer um bom trabalho, dê a ela todo o crédito, até mais do que aquele a que teria direito, mas nunca menos. Um tapinha nas costas nunca faz mal quando se sabe que o outro se saiu bem. Pessoas bem-sucedidas gostam de reconhecimento, e às vezes trabalham mais para conquistá-lo do que por qualquer outra coisa.

Às vezes, você corre o risco de exagerar. No entanto, isso depende de cada pessoa. Algumas são incorruptíveis, portanto, não se deve enfatizar demais os elogios porque elas conhecem a própria capacidade. Se você exacerbar, ficarão desconfiadas.

Mas a maioria das pessoas se corrompe no quesito elogios: você pode exagerar neles a tal ponto que começarão a acreditar. Isso é ruim para elas e para você também.

Existe um livro muito distribuído por todo o país cujo argumento central se assentava na questão de que, se você quisesse se dar bem no mundo, era preciso elogiar as pessoas. Mas elogios são tão velhos quanto o tempo, uma das armas mais antigas e mais letais.

Gosto de aprovação. Gosto quando as pessoas me reconhecem, me elogiam. Mas se alguém dissesse "Sr. Hill, sou grato por tudo que fez por mim; o senhor se importaria se eu fosse à sua casa esta noite? Gostaria de conversar sobre uma proposta de negócios", imediatamente eu diria: "Ele me elogiou para conseguir um pouco do meu tempo e colher alguns benefícios". Elogios e louvores em excesso também não são bons.

28. Aplicação da Regra de Ouro

O próximo atributo se refere à *aplicação da Regra de Ouro* em todas as relações humanas. Uma das melhores coisas é se colocar no lugar do outro ao tomar decisões ou participar de qualquer transação que envolva outra pessoa. Faça isso antes de tomar uma decisão definitiva. Se o fizer, é provável que sempre aja da maneira certa com os outros.

29. Manutenção de uma atitude mental positiva

30. Assunção da responsabilidade total

O atributo de número trinta é o hábito de assumir *responsabilidade total* por qualquer tarefa, sem arrumar pretextos. Você sabe no que as pessoas costumam ser muito habilidosas? Em arrumar pretextos, criando motivos para justificarem o que não funcionou ou o que não conseguiram realizar. Se a maioria das pessoas conseguisse dedicar metade desse tempo fazendo a coisa certa, em vez de ficar explicando por que não fizeram o que era preciso, elas iriam muito mais longe na vida e estariam numa situação bem melhor.

De maneira geral, as pessoas mais ligeiras em criar pretextos são as mais ineficientes no trabalho. Especializam-se em inventar desculpas de antemão para que, quando alguém lhes der uma dura, já tenham uma resposta pronta.

Importa o sucesso. Ele não exige explicações. O fracasso não aceita desculpas. Se você for um sucesso, não precisará recorrer a explicações. E, se for um fracasso, todas as desculpas e pretextos do mundo de nada adiantarão. Continuará sendo um fracasso, não é mesmo?

31. Capacidade de manter a mente ocupada com o que desejamos

O atributo de número 31 é o hábito de *manter a mente ocupada com o que desejamos,* não com aquilo que não queremos.

Quase sempre as pessoas tomam iniciativa diante de coisas que não querem, e que não precisam ser ensinadas. Elas realmente se esforçam, passam tempo pensando naquilo que não querem. Mas lembre-se do que a vida lhe reserva: as coisas em que você pensa, as coisas para as quais direciona a mente.

Aqui é um bom momento para a palavra *transmutar* entrar em jogo. Em vez de pensar nas coisas que você não quer, nas coisas que teme, nas coisas em que desacredita, pense em todas as coisas de que você gosta, em todas as coisas que deseja e em todas as coisas que está determinado a conseguir. Treine a sua mente para se conectar com as coisas que você deseja. Para isso, é necessário ambição.

8

Atitude mental positiva

Nada de construtivo ou que valha algum esforço jamais será feito ou conquistado se não for acompanhado de uma atitude mental positiva baseada em uma definição de propósito, ativada por um desejo ardente e intensificada até que o desejo ardente se eleve ao plano da fé aplicada.

CINCO PASSOS PARA UMA ATITUDE MENTAL POSITIVA

Aqui estão os cinco passos, cinco diferentes estados mentais, os quais fomentarão uma atitude mental positiva.

No número um estão os *desejos*. Todo mundo tem um monte de desejos. Mas pouca coisa acontece quando você se limita apenas a desejar as coisas, certo?

Depois, indo um pouco além, surge a *curiosidade*. Você dedica muito tempo à curiosidade improdutiva. Passa muito tempo analisando o que as pessoas fazem ou deixam de fazer, o que os concorrentes fazem ou deixam de fazer. Acha mesmo que qualquer coisa valiosa decorre da curiosidade? Ela não leva a uma atitude mental positiva.

Um passo acima estão as *esperanças*. Os desejos agora assumiram uma forma mais concreta, tornaram-se esperanças – esperança de conquista, esperança de realização, esperança de sucesso, esperança de acúmulo das coisas que deseja.

Uma esperança por si só não é muito eficaz. Todos nós temos um bando delas, e a maioria tem esperança de alcançar o sucesso. Isso já é mais positivo do que desejar, porque significa que uma esperança está começando a assumir a natureza da fé; significa a transmutação de um desejo em um estado de espírito muito desejável conhecido como *fé*. Você eleva a sua atitude mental para que as suas esperanças se transmutem em um desejo ardente.

A diferença entre um desejo ardente e um desejo qualquer está no fato de um desejo ardente ser intensificado pela esperança, com base em uma definição de propósito. É um desejo obsessivo. E você certamente não será capaz de tê-lo sem uma motivação ou motivos subjacentes, não é? Quantos mais motivos houver para algo definido, mais rápido você transformará as próprias emoções em um desejo ardente.

Mas isso não basta. Você precisa alcançar outro estado de espírito antes de chegar ao sucesso: a *fé aplicada*. Aí você terá transmutado desejos, curiosidades, esperanças e um desejo ardente em algo ainda mais significativo.

FÉ APLICADA X CRENÇA COMUM

Qual é a diferença entre fé aplicada e crença comum? A primeira é praticamente sinônimo de ação; chame-a de *fé ativa*, respaldada em ações. A oração só traz resultados positivos se expressada em uma atitude mental positiva. E as orações mais eficazes vêm de indivíduos que condicionaram a mente para sempre pensar com uma atitude mental positiva.

Você tem ideia de quanto tempo dedica por dia aos pensamentos do lado negativo das coisas, em detrimento do positivo? Não seria interessante se, durante dois ou três dias, registrasse em uma tabela o tempo exato dedicado a pensamentos do tipo "eu não posso" e "eu posso" ou, em outras palavras, aqueles voltados ao lado negativo e ao lado positivo? Até as pessoas mais bem-sucedidas se assombrariam se soubessem quantas horas passam focadas nos elementos negativos da vida. Os sucessos mundiais mais notáveis, os grandes líderes, passam pouco ou nenhum tempo pensando no lado negativo, focados no positivo. Certa vez, perguntei a Henry Ford se havia alguma coisa no mundo que ele desejasse fazer e não tivesse conseguido. Ele disse que não. Eu lhe perguntei se já tinha vivido algo assim. Ele confirmou, dizendo que isso lhe acontecia em um tempo em que ainda não tinha aprendido a usar a cabeça.

– Bem – eu disse –, o que você quer dizer com isso?

– Quando eu quero algo, começo pensando no que posso fazer. Não me preocupo com o que não posso, porque isso vai por si só.

Sem dúvida, uma afirmação simples, mas em cujo interior há mundo de filosofia. Ele se concentra em pensar e fazer algo relativo ao que se consegue fazer, e não àquilo em relação ao que não se pode fazer nada.

Se você apresentar um problema difícil para a maioria das pessoas, elas imediatamente começarão a listar todas as questões que as impedem de resolvê-lo. Se houver algo vantajoso no problema, a maioria das pessoas verá primeiro o lado desfavorável e muitas vezes nem chegará a ver o favorável.

Não acho que existem problemas a respeito dos quais não se pode fazer nada ou que não tenham alguns aspectos favoráveis. Não consigo pensar em nenhum problema diante de mim no qual não consiga ver um lado favorável. No mínimo, este consistiria em eu dizer que, se posso resolvê-lo, então vou fazê-lo, caso contrário, não me preocuparei com ele.

Mas, quando a maioria das pessoas se vê diante de problemas difíceis e aparentemente sem solução, elas começam a se preocupar e entrar em um estado de espírito negativo. Você já realizou qualquer coisa positiva estando em um estado de espírito assim?

Não, não realizou. A mente negativa apenas turva as águas e nunca lhe permite realizar nada de bom. Aprenda a manter a mente positiva o tempo todo se quiser fazer coisas de valor.

Uma atitude mental negativa atrai oportunidades favoráveis para você ou as repele? Isso as repele, não é? Essa rejeição de oportunidades tem algo a ver com seu mérito ou direito a essas oportunidades? Não tem nada a ver com isso. Você pode ter direito a todas as coisas boas da vida, mas, se tiver uma atitude mental negativa, repelirá as oportunidades que levam à obtenção dessas coisas.

Então, o seu trabalho se resume a manter a mente positiva para atrair as coisas que deseja, aquelas que está buscando.

Você já se perguntou por que as orações quase sempre não trazem nada além de resultados negativos? Curiosamente, esta é a maior pedra no sapato da maioria das pessoas, em todas as religiões: não entender por que as orações às vezes trazem consequências negativas. E é impossível esperar que seja diferente, pois há uma lei natural que rege esse processo todo: a mente atrai para você o equivalente às coisas que ela está alimentando. Não existem exceções.

Então, caso queira atrair, seja por meio da oração, seja de qualquer outra forma, as coisas que deseja, a mente precisa de positividade. Não basta acreditar; é preciso agir mentalizando aquela crença e transmutá-la em fé aplicada. Não existe fé aplicada com um estado de espírito negativo. As duas coisas não andam juntas.

LEMAS

Lemas construtivos geralmente são usados por pessoas que reconhecem a poderosa influência do nosso ambiente diário na manutenção de uma atitude mental positiva. Toda a fábrica da R.G. LeTourneau Company, com dois mil funcionários, era injetada de positividade, com lemas impressos em letras garrafais distribuídos por todos os departamentos da empresa. Durante um ano e meio em que trabalhei lá, escrevi quatrocentos lemas, sempre com um propósito. Em todos os departamentos daquela extensa fábrica havia lemas trocados com frequência, às vezes até diariamente na cantina, e uma vez por semana nos outros departamentos. Os lemas eram escritos em letras de quinze centímetros de altura, para que fossem lidos do outro lado do prédio. Sempre que entravam nos respectivos departamentos, os funcionários viam o lema.

Aliás, tivemos uma experiência engraçada nesse sentido. Eu estava na cantina no dia em que fixaram um lema lá no alto. Ali era o lugar onde todo o pessoal se enfileirava para as refeições ao meio-dia. O lema dizia: "Lembre-se sempre de que o seu verdadeiro chefe é aquele que anda debaixo do seu chapéu". Qualquer um que lesse a mensagem entenderia, em última análise, que você é o seu verdadeiro chefe, mas ouvi um homem dar um grito e dizer: "Rapaz, é isso que eu sempre digo! Sempre soube que o meu patrão era um piolho!".

Esses lemas eram lidos por pessoas de diferentes faixas etárias, e às vezes elas os interpretavam errado, mas ouvi alguns agentes da LeTourneau Company dizerem que a filosofia, hoje com catorze anos de existência, ainda segura os dois mil funcionários por lá. E ouvi agentes empresariais dizerem que os lemas tinham ajudado as pessoas a assimilar a filosofia mais do que qualquer outra coisa que tenhamos feito. Como regra geral, os trabalhadores industriais comuns não são muito bons com a leitura, mas sempre é possível criar um lema com um significado subjacente. Então, eles podem ser bastante úteis quando vocês, professores, estiverem ensinando na indústria.

TRANSMUTAÇÃO DO FRACASSO EM SUCESSO

Seguimos com um método para transmutar o fracasso em sucesso, a pobreza em riqueza, a tristeza em alegria e o medo em fé. A transmutação deve começar com uma atitude mental positiva, porque sucesso, riqueza e fé não andam de mãos dadas com uma atitude mental negativa.

O procedimento de transmutação é simples, e você pode muito bem se permitir retomá-lo várias vezes, assimilá-lo e se apoderar dele.

Número um, quando o fracasso o pegar de surpresa, comece a pensar em como seria se a coisa tivesse sido um sucesso. Em outras palavras, pense no que teria acontecido se ela tivesse sido um sucesso, e não um fracasso; veja-se no lado do sucesso da situação, e não no do fracasso. Imagine os fracassos como sucessos.

Além disso, procure a semente de um benefício equivalente que surge com todo fracasso. Assim, você será capaz de transmutar o fracasso em sucesso, porque cada adversidade, cada fracasso e cada derrota carregam a semente de um benefício equivalente. Se você a buscar, não adotará uma atitude mental negativa diante da situação, mas uma positiva, pois, com certeza, encontrará a semente. Talvez não a encontre tão rápido, mas, se insistir na procura, acabará encontrando-a. Esse é o primeiro passo.

Número dois, quando a pobreza ameaçar se aproximar de você (ou tiver de fato chegado), pense nela como riqueza. Visualize o dinheiro e tudo que faria com ele. Comece também a busca pela semente de um benefício equivalente à pobreza.

Lembro-me de que, quando eu era garoto, ficava sentado às margens do rio no condado de Wise, onde nasci, logo depois de minha mãe morrer. Antes de o meu padrasto chegar, eu sentia fome; não tínhamos comida suficiente. Sentado às margens do rio, imaginava que pescaria um peixe e que o fritaria para me alimentar. Sentado ali, fechei os olhos, olhei para o futuro e me vi partindo, enriquecendo e ganhando fama, e depois voltando àquele mesmo lugar. Eu me vislumbrava subindo o rio em um cavalo mecânico movido a vapor, e até via o vapor exalado pelas narinas do animal. Ouvia as ferraduras batendo nas pedras. Era tão vívido! Em outras palavras, eu me coloquei em um estado de êxtase ali naquele momento de pobreza, fome e necessidade.

Os anos passaram e um dia fui dirigindo o meu Rolls-Royce, pelo qual paguei US$ 22.500, até aquele lugar. Imaginei mais uma vez aquela cena da infância, quando vivia na miséria. E eu disse: "Bem, não sei se a minha imaginação lá atrás teve alguma relação com toda esta mudança. Talvez".

Talvez tenha mantido viva aquela esperança e, em algum momento, eu a transmutei em fé, o que acabou me levando até lá não em um cavalo a vapor, mas em algo muito mais caro e valioso.

Olhe adiante e imagine as coisas que você quer fazer, transmutando as circunstâncias desfavoráveis e as adversidades em algo agradável. Altere a sua mente, deixando de pensar nas coisas desagradáveis e passando a pensar nas agradáveis.

Número três, quando o medo o dominar, lembre-se de que ele é apenas a fé andando em marcha à ré. Comece a pensar em matéria de fé, vendo-se transmutar a fé na circunstância que você quer ou nas coisas que deseja. Acho que ninguém jamais escapou de sentir os sete medos básicos em algum momento, e a maioria das pessoas os sente ao longo de toda a vida. Mas, caso permita que o medo o domine, ele se tornará um hábito e certamente atrairá todas as coisas que você não quer. Aprenda a lidar com o medo, transmutando-o mentalmente em seu oposto. Em outras palavras, transmutando-o em fé. Se você teme a pobreza, comece a se imaginar cercado de opulência e dinheiro. Pense em como ganhá-lo. Não há limites para sonhar acordado, e é muito melhor fazê-lo com o dinheiro que você terá do que gastar o tempo temendo a pobreza que você já tem. Garanto-lhe que não há virtude ou benefício em sentar-se e lamentar-se pela pobreza ou pelo dinheiro de que necessita, mas não sabe como arranjar.

Acredito de verdade que não há nada neste mundo que o dinheiro possa comprar que não terei se quiser. Não penso no que não posso ter, mas em termos do que *posso* ter. Faço isso há muito tempo, e é uma forma maravilhosa de condicionar a mente à positividade para que, quando enfrentar um momento que exija ação mental positiva, isso já seja um hábito.

Não se conquista uma atitude mental positiva só com desejos, do dia para a noite. É preciso tecer um fio da meada de cada vez, dia a dia, um pouco de cada vez.

GUIAS INVISÍVEIS
- O guia para a boa saúde
- O guia para a prosperidade financeira
- O guia para a paz espiritual
- Os guias para a fé e a esperança
- Os guias para o amor e o romance
- O guia para a sabedoria

GUIAS INVISÍVEIS

Em seguida, mentalize um exército de guias invisíveis que cuidarão de todas as suas necessidades e desejos. Você já me ouviu falar dos guias invisíveis. Se você não tivesse adotado esta filosofia, se não entendesse a metafísica, provavelmente diria que eu inventei um método fantástico. Mas garanto-lhe que não é. Ele se encarrega de todas as minhas necessidades e de todos os meus desejos.

Admito que na semana passada me descuidei um pouco e o meu guia para uma saúde de ferro falhou por uns dias, mas logo dei um jeito na situação: resgatei-o. Acertei-lhe um soco na costela e o despertei, e agora estou mais energizado do que no início deste curso. Então foi bom ter uma gripinha, porque me deixou um pouco mais determinado a expressar a minha gratidão por este guia para uma saúde de ferro, passando, assim, a me cuidar melhor.

Agora me dou conta de que minha imaginação criou esses caras. Não estou me enganando nem enganando ninguém. Mas, para efeitos práticos, eles representam entidades e pessoas reais, e cada um executa o tempo todo a tarefa exata que lhe atribuí.

Alguns alunos não me conhecem a ponto de saber se estou ou não dizendo a verdade. Tenham um pouco de fé em mim aqui, mas quem decidir ficar por perto por um bom tempo terá a oportunidade de saber se digo ou não a verdade. E não sou tão esperto assim para enganar os meus alunos mesmo se tentasse, porque perceberiam na hora.

Será tarefa de cada aluno descobrir se de fato vivo esta filosofia. Se eu não conseguir fazer dar certo, que direito tenho de dizer que você consegue? Para mim, dá certo e funciona, pois conquisto tudo que desejo neste mundo, razão pela qual sei que o mesmo pode acontecer com você, que será capaz de também fazer o mesmo por outras pessoas. Mas, antes disso, faça algo por si. Não vejo como alguém poderá tornar-se um bom professor desta filosofia se não demonstrar que consegue fazê-la dar certo.

O guia para a boa saúde

O primeiro guia envolve *a boa saúde física*. Por que você acha que o coloco em primeiro lugar? O que uma mente conseguirá fazer se andar por aí em um corpo que precisa de muletas o tempo todo? Um corpo físico forte, saudável e cheio de energia é o templo da mente.

Ao ligar o velho botão do entusiasmo, se não houver energia, não será possível gerá-la do nada. Você precisa acumular um estoque de energia, e ela é física e mental por natureza. Não conheço ninguém que, acometido por dores e mazelas físicas, consiga expressar um entusiasmo intenso.

Dedique-se primeiro ao seu corpo físico, garantindo que ele atenda a todas as suas necessidades o tempo todo e consiga realizar as coisas de que você precisa. A ajuda ideal nesse sentido vem à noite, quando você se deita e a natureza trabalha, regulando e ajustando o corpo. Treine essa entidade chamada de guia para uma saúde de ferro para garantir que o trabalho seja feito adequadamente.

Não se preocupe com as palavras alheias sobre este método. Siga em frente e implemente-o para sua autossatisfação. Descubra o que funciona e então comece a ensinar isso a outras pessoas, sem recorrer a desculpas.

Estou explicando este método, não me desculpando por ele. Por que nos desculparíamos por algo que nos faz bem noite e dia? Você não deve se desculpar por isso.

O guia para a prosperidade financeira

O número dois é o *guia para a prosperidade financeira*. Por que acha que o listei em segundo lugar?

Você conhece alguém sem dinheiro que seja muito útil aos outros? Por quanto tempo você consegue se virar sem dinheiro? No meu caso, por duas semanas. Faço isso duas vezes por ano, quando jejuo. Mas, se fosse uma situação cotidiana, provavelmente eu morreria de fome em três dias. Faço isso porque quero, porque funciona como um tônico para a minha saúde.

Você precisa de dinheiro. Precisa ter uma consciência sobre o dinheiro a partir desta entidade que está construindo aqui. O meu guia, no entanto, é controlado. Não me permito a ganância, o desejo exacerbado por dinheiro ou o pagamento excessivo pelo dinheiro que ganho. Pago o suficiente, nunca demais. Conheço pessoas que pagam muito caro pelo dinheiro e morrem jovens, porque se empenharam demais em acumular valores de que não precisavam e que não puderam usar. O único resultado foi os herdeiros brigarem pela herança. Mas isso não acontecerá comigo. Quero bastante, mas não em excesso. Este guia financeiro me faz parar quando tenho o suficiente.

Ganhar dinheiro vira um círculo vicioso para muita gente. Você entra nisso e diz: "Bom, vou ganhar meu primeiro milhão e depois paro". Lembro-me de quando Bing Crosby[17] anunciou ao irmão, que também trabalhava como seu gerente, que parariam no momento que ganhassem os primeiros US$ 50 mil. No entanto, ganhavam mais de US$ 1 milhão por ano e ainda assim trabalhavam cada vez mais, lutando em uma corrida de ratos. Veja, não estou falando de forma depreciativa sobre Bing Crosby. Ele é meu amigo e o admiro muito; estou me referindo a pessoas que se inserem na categoria daquelas que pagam demais para ter coisas de que não precisam.

---

17. Harry Lillis Crosby (Bing Crosby) (1903–1977) foi um cantor, ator, locutor, comediante, apresentador e *entertainer* americano com mais de meio século de carreira. Bing Crosby foi o artista mais vendido e bem-sucedido do *show business*.

Esta filosofia trata do sucesso financeiro, e ele não consiste em destruir a sua vida e morrer jovem porque você se esforçou demais. Pare quando tiver o suficiente. Desfrute com mais sabedoria as coisas que tem hoje em vez de tentar conseguir além do que precisa.

Se eu pudesse ter dito isso aos meus quatro amigos antes da Depressão, dois deles não teriam saltado do alto de um prédio e os outros dois não teriam explodido os miolos ou se envenenado.

Nem tanto, nem tão pouco – o suficiente. Aprender o que é suficiente sem ser demais já depende de uma competência maravilhosa! Esta é uma das bênçãos desta filosofia: garantir uma vida equilibrada, aprender o que é suficiente e o que é demais.

O guia para a paz espiritual

O próximo é o mais importante: o *guia para a paz espiritual*. Seria bom se você tivesse tudo e ainda recebesse *royalties* do mundo inteiro se não vivesse com paz espiritual?

Tive o privilégio de me tornar amigo dos homens mais ricos e bem-sucedidos deste país. Dormi nas suas casas, comi com eles, conheci as famílias, esposas e filhos, e vi o que aconteceu com os seus herdeiros depois que os pais faleceram. Vi tudo. Sei a importância de aprender a viver uma vida equilibrada para ter paz de espírito e transformar o trabalho em um jogo divertido. Não vendo o trabalho como algo temível, mas sim como um jogo de que se participa tão animadamente quanto golfe ou algum outro esporte agradável.

Eu sempre disse que um dos pecados da civilização consiste no fato de poucas pessoas trabalharem com o que amam e fazerem as coisas de que gostam, pois a maioria trabalha porque precisa comer, dormir e ter roupas. É muita sorte quando alguém consegue fazer o que faz por amor. Esta filosofia promove esse estado, mas ele só será conquistado com a manutenção de uma atitude mental positiva a maior parte do tempo.

De todos os homens que colaboraram comigo na elaboração desta filosofia – e todos se destacam em suas áreas de atuação –, só houve um bem próximo da paz de espírito, além de todas as outras conquistas: John Burroughs. Depois dele, Thomas Edison.

Eu colocaria Andrew Carnegie em terceiro lugar e explico o porquê. Em seus últimos anos de vida, ele praticamente perdeu a cabeça tentando encontrar formas de se livrar da própria fortuna e doá-la sem causar prejuízos. Isso quase o enlouqueceu, obcecado em organizar bem esta filosofia e levá-la até as pessoas, para muni-las com o conhecimento que lhes permitiria conquistar bens materiais, inclusive dinheiro, sem violar os direitos dos outros. Esse era o maior desejo do Sr. Carnegie. Ele morreu em 1919, antes mesmo que eu colocasse isso tudo no papel, mas havia examinado e reexaminado comigo quinze dos meus dezessete princípios.

Lamento muito o fato de duas pessoas não terem vivido para presenciar meus dias de glória, depois de terem visto meus momentos de desânimo e oposição: minha madrasta e meu patrocinador, Andrew Carnegie. Teria sido uma grande alegria e uma excelente recompensa por uma vida inteira de esforços se mostrasse a essas duas pessoas extraordinárias os resultados de todo o trabalho árduo que tiveram para me orientar quando precisei de orientação.

Não sei se elas estão zelando por mim agora, a partir de algum lugar. Sabe, às vezes tenho certeza de que alguém zela por mim, porque digo e faço coisas que estão além da minha inteligência normal.

Nos últimos anos, mais do que nunca, percebo que o brilhantismo que veem em mim decorre de alguém que, de algum lugar, zela por minha pessoa. Em momentos de emergência, sempre que preciso tomar decisões importantes, quase sinto alguém me dizendo que rumo devo seguir. Tenho a impressão de que, se me virasse, o veria parado atrás de mim, como uma espécie de influenciador.

Este é um bom momento para contar-lhe que eu nunca conseguiria ter trabalhado tanto nesta filosofia sem a colaboração das quinhentas ou seiscentas pessoas que me ajudaram. Não disse isso antes porque não quero que as pessoas julguem que fui favorecido ou que tenho alguma coisa que os outros não podem ter. Sinceramente, o que tenho você também pode ter, partindo das mesmas fontes de inspiração, tão disponíveis para você quanto estiveram para mim. Acredito nisso de todo o meu coração.

Os guias para a fé e a esperança

Os próximos guias são gêmeos: *fé* e *esperança*. Aonde você chegaria na vida se não tivesse a chama eterna da fé e da esperança operando na sua alma? Nada existiria que compensasse viver ou trabalhar. É necessário um método para manter a mente positiva, porque há elementos com potencial de destruir a fé e a esperança: pessoas, circunstâncias, coisas incontroláveis que simplesmente surgem na vida. Você precisa de um antídoto para todas elas, algo a que recorra para neutralizá-las. Eu não conheço um método melhor do que estes guias que adotei, na medida em que funcionam para mim. Eu os ensinei a muitas pessoas para as quais funcionam igualmente bem.

Os guias para o amor e o romance

Os próximos dois também são gêmeos: *amor e romance*. Acredito que não conquistaremos nada de valor se não romantizarmos nossas ações. Em outras palavras, se não colocarmos um pouco de romance no que fazemos, não nos divertiremos.

Com certeza, se há amor no seu coração, então você é um belo ser humano. Os animais inferiores diferem do ser humano sobretudo pela capacidade do homem de expressar amor. É maravilhoso. É incrível. O amor é responsável não só pela criação de gênios e líderes, mas também pela criação e manutenção de uma saúde de ferro. A grande capacidade de amar equivale ao privilégio de se aproximar da genialidade. Sem exceções. É uma verdade absoluta.

O trabalho destes dois guias na minha vida, o amor e o romance, é me manter amigável diante do que faço e jovem de corpo e alma. Mais do que isso, ambos ainda me mantêm entusiasmado, ligado ao que eu estou fazendo, e eliminam toda a fadiga que possa surgir.

Em outras palavras, para mim não existe trabalho duro porque o que faço não é trabalho, mas diversão. Faço tudo com amor.

Reconheço, é claro, que, antes de se atingir uma posição econômica que permita afastar o pensamento do próprio ganha-pão, é preciso pensar em algo que talvez exclua um pouco do prazer do trabalho. Mas, se você se observar, será capaz de desenvolver um método que lhe possibilitará fazer tudo com amor naquele momento, até mesmo lavar a louça ou cavar valas. Quando vou para casa, ajudo Annie Lou a lavar a louça, não porque ela não possa fazê-lo sozinha, mas porque desejo vivenciar a sensação de que não sou bom demais para ajudar a lavar a louça; isso me alegra muito.

Também gosto de trabalhar no jardim porque, se eu não cuidasse dele, a Annie Lou o faria quando eu não estivesse em casa e me tiraria esse prazer. É incrível aprender a viver uma vida simples, a ser um ser humano e não um engomadinho.

Aprenda a criar o hábito de colocar amor e romance na sua vida e mantenha um método por meio do qual você se expresse em tudo o que faz.

O guia para a sabedoria

O último é o *guia para a sabedoria plena*, elemento que controla os outros sete guias. A função dele é não apenas manter os outros guias ativos e sempre engajados no serviço, mas também adaptá-los a todas as circunstâncias da vida, agradáveis ou não, para que se tire proveito dessas circunstâncias.

Nada que chega à minha vida deixa de ser aproveitado. Faço limonadas com todos os limões que surgem. Quanto mais coisas desagradáveis aparecem, mais limonada faço, porque as espremo com vontade para garantir que nada sobrou além do bagaço. Não se perde nenhuma experiência, boa ou ruim, quando você se adapta bem à situação. Você sempre se beneficiará da experiência de vida se tiver um método para isso. É claro que, se simplesmente deixar suas emoções correrem soltas e se entregar às experiências desagradáveis, atrairá mais coisa desagradável.

Existe um aspecto curioso nas circunstâncias estranhas: elas são covardes. Quando você diz "Vamos lá, estou com um arreio preparado aqui e vou fazer você trabalhar", de alguma forma tais circunstâncias vão achar o que fazer em outro lugar. Elas não aparecem com tanta frequência no seu caminho quando sabem que você as fará trabalhar.

Caso tema as circunstâncias desagradáveis, elas o alcançarão aos montes, entrando pela porta dos fundos e pela da frente. Virão sem avisar, quando você não estiver preparado para lidar com elas. Eu não vivo tantas experiências desagradáveis, mas, se elas forem bestas o suficiente para aparecer no meu caminho, acabarão espremidas na minha limonada da vida, isso é certo, e não vou me deixar abalar. Por quê? Porque tenho um método para lidar com elas. Quero que você o tenha também, e que ensine outras pessoas a tê-lo.

Lidando com influências negativas

A vigilância eterna é o preço que pagamos para manter uma atitude mental positiva, em razão de alguns opostos do pensamento positivo. Primeiro de tudo, a negatividade está sempre manobrando para exercer poder sobre você. Sabia que há entidades trabalhando para ganhar poder sobre você, recorrendo ao seu lado negativo? Esteja eternamente alerta para garantir que elas não assumam o comando. Lide constantemente com os seus medos acumulados, com as suas dúvidas e as limitações autoimpostas para que não ganhem vantagem e se tornem sua influência mental dominante.

Em segundo lugar, aparecem as influências negativas próximas de você. Talvez existam pessoas negativas no seu ambiente de trabalho, na sua própria casa, talvez advenham até de alguns parentes. Se você não cuidar, pode ficar exatamente como eles, porque responderá no mesmo tom. Talvez você seja obrigado a viver na mesma casa de alguém negativo, mas isso não significa que também precise ser negativo. Admito que tenho um pouco de dificuldade de me imunizar contra isso, mas você pode conseguir. Eu consegui. Mahatma Gandhi[18] conseguiu. E olhe o que ele fez se imunizando contra as coisas que não queria.

Em terceiro lugar, talvez você carregue alguns traços inatos negativos, os quais podem ser transmutados em positivos assim que os identifique. Muitas pessoas nascem com traços naturais de uma natureza negativa, por exemplo, alguém que nasceu em um ambiente de pobreza, no qual toda a família, todos os vizinhos são arrebatados pela

---

18. Mohandas Karamchand Gandhi (1869–1948) foi advogado, nacionalista, anticolonialista e especialista em ética política indiano, que empregou resistência não violenta para liderar a campanha bem-sucedida para a independência da Índia do Reino Unido, e, por sua vez, inspirar movimentos pelos direitos civis e liberdade em todo o mundo.

miséria, no qual nunca viu, nem ouviu, nem sentiu nada além da pobreza. Nasci nessa condição, e foi muito complicado, para mim, dominar o medo da pobreza.

Também existem as preocupações com a falta de dinheiro e de progresso nos negócios ou na vida profissional. Você pode passar uma boa parte do seu tempo preocupando-se com essas coisas, ou pode transmutar esse estado mental para criar formas de superá-las. Pense no lado positivo, não no negativo. Preocupar-se com os aspectos negativos não trará nada de bom e só fará você se afundar. Só isso.

Há ainda o amor não correspondido e as frustrações emocionais desequilibradas nas relações com o sexo oposto. Você pode desperdiçar tempo, energia e ir parar no hospício, como acontece com muita gente, mas não vale a pena. Nunca vi mulher alguma pela qual valesse a pena enlouquecer. Tenho uma esposa maravilhosa por quem sou muito apaixonado e que me traz muitas coisas boas, mas não enlouqueceria por ela. Se precisasse me desestabilizar para ficar com ela, eu não ficaria.

Não deixe que o amor não correspondido destrua o seu equilíbrio mental, como muitas pessoas fazem. Cabe a você agir nesse sentido, manter uma atitude mental positiva e reconhecer que esse é um dever que tem consigo mesmo. Controle-se e não permita que ninguém perturbe o seu equilíbrio, seja emocional, seja de qualquer outra natureza. Não era o que o Criador pretendia, e você não deixará isso acontecer.

Em seguida vem a saúde frágil, real ou imaginária. Talvez você se preocupe muito com coisas com potencial para atingi-lo fisicamente, mesmo que não tenham acontecido. Na *medicina*, isso se chama *hipocondria* – uma palavra chique. É bem possível que você perca tempo com a negatividade se não mantiver uma atitude mental positiva em relação à sua saúde, se não desenvolver e cultivar uma consciência sobre a saúde. Pense de modo saudável.

Sempre digo que, se algo de natureza maligna atingisse meu corpo físico, eu iria para o deserto, tiraria as roupas, ficaria nu à luz do sol e venceria qualquer coisa. Sairia correndo por aí e me colocaria nos braços da natureza até vencer. E seria capaz de vencer com a minha mente e com o sol que brilha lá do céu em mim. Simplesmente sei que poderia.

Não há dúvida de que sua atitude mental se relaciona com o que acontece com o seu corpo físico. Experimente sempre que quiser. Quando achar que não está se sentido bem, permita-se receber boas notícias e veja o mal-estar ir embora rapidinho. Nunca teve a experiência de se sentir muito mal e essa sensação ir embora ao chegarem boas notícias?

A intolerância, ou a ausência de uma mente aberta para todos os assuntos, traz problemas e negatividade a algumas pessoas.

Destaco mais uma vez a ganância por mais bens materiais do que você precisa, assunto já comentado em detalhes.

Passamos agora à falta de um propósito principal definido e de uma filosofia de vida norteadora. A maioria das pessoas nem sequer tem uma filosofia de vida; vive de qualquer jeito, seguindo a maré, segundo as circunstâncias, assemelhando-se a uma folha seca carregada pelo vento. Assim, vão aonde o vento sopra e não há nada a se fazer a respeito, porque elas não têm uma filosofia de vida, nenhum conjunto de regras para seguir. Confiam na sorte, mas quase sempre são governadas pelo azar.

Todos precisam de uma filosofia de vida. Há muitas filosofias pelas quais até se morre, mas interesso-me mais por aquelas sob as quais se vive, e é isto que estamos estudando aqui: uma filosofia que o leve a viver de forma que as pessoas ao seu redor o olhem e vejam algo desejável. Sentem-se felizes por ter você ali, e você se sente feliz por estar ali. Mais do que desfrutar a prosperidade, o contentamento e a paz de espírito, você também os reflete para todos. É assim que as pessoas deveriam viver. Esse é o tipo de atitude mental que deveriam adotar.

Por último, mas não menos importante, vem o hábito de permitir aos outros pensarem por você. Se fizer isso, nunca conquistará uma atitude mental positiva, porque não terá uma mente própria.

Todo mundo quer enriquecer, mas nem todo mundo sabe o que faz a riqueza duradoura. A seguir, estão as doze grandes riquezas; familiarize-se com elas. Antes de ficarem ricas, as pessoas precisam adquirir uma proporção razoavelmente equilibrada de todas elas.

Observe a importância que atribuí ao dinheiro em relação às outras: número doze. Portanto, há onze coisas mais importantes que o dinheiro em uma vida bem equilibrada e plena:

1. Atitude mental positiva
2. Boa saúde física
3. Harmonia nas relações humanas
4. Vida livre do medo
5. Esperança de conquistas futuras
6. Capacidade de ter fé aplicada
7. Disposição de compartilhar as próprias bênçãos
8. Um trabalho que se ame
9. Mente aberta para todos os assuntos e todas as pessoas
10. Autodisciplina plena
11. Sabedoria para compreender as pessoas
12. Dinheiro

9

Autodisciplina

Quero chamar atenção para o meu texto "Um desafio para a vida", pois nele está a minha reação a uma das maiores derrotas que já sofri em toda a minha carreira, o que lhe dará uma ideia de como consigo transmutar uma circunstância desagradável em algo útil. Quando o evento aconteceu, eu tinha um bom motivo para partir para a luta, e não me refiro à luta mental, mas à corporal mesmo. Seria justificável se eu precisasse acertar as contas a céu aberto com um revólver de seis tiros, mas em vez disso optei por uma coisa que não machucaria ninguém e ainda me beneficiaria: manifestar-me por meio deste texto:

Vida, você não pode me subjugar porque me nego a levar a sua disciplina tão a sério. Quando tenta me ferir, eu rio – e o riso não conhece a dor. Valorizo suas alegrias sempre que as encontro. Suas tristezas não me assustam nem me desanimam, pois há riso na minha alma.

A derrota temporária não me entristece. Coloco música nas palavras da derrota e as transformo em uma canção. As suas lágrimas não me pertencem, pois prefiro o riso e, por preferi-lo, eu o uso como substituto da dor, da tristeza e da decepção.

Vida, não negue que você é uma vigarista caprichosa. Você colocou sentimentos de amor no meu coração para poder usá-los como espinho para machucar a minha alma – mas aprendi a escapar da sua armadilha com o riso. Tentou me seduzir com o desejo por riquezas, mas eu a despistei seguindo o caminho que leva ao conhecimento. Você me induziu a construir belas amizades – e então transformou meus amigos em inimigos para endurecer o meu coração, mas eu a driblei rindo das suas tentativas e escolhendo novos amigos.

Você fez com que me traíssem para eu me tornar um cético, mas venci mais uma vez porque tenho um trunfo precioso que ninguém pode roubar: o poder de pensar com a minha própria cabeça e ser eu mesmo. Você me ameaçou com a morte, mas para mim a morte não é nada mais do que um sono demorado e tranquilo, e o sono é a mais doce das experiências humanas – salvo o riso. Você armou uma fogueira de esperança no meu coração e depois apagou as chamas com um balde d'água, mas, melhor que você, ainda posso reavivar as chamas – e rio de você mais uma vez.

Você não tem nada que possa me afastar do riso e não tem nenhum poder para me subjugar. A uma vida de riso, então, eu saúdo e brindo!

Você talvez pense que é fácil ter esse tipo de reação emocional diante de uma experiência desagradável, quando somos feridos e magoados por aqueles que nos deviam lealdade, mas tive tantas experiências assim na vida que já me habituei a reagir com um espírito de gentileza.

Quero dar outro exemplo, que penso ser útil para todos que estão estudando os aspectos mais detalhados desta filosofia.

Quando terminei de escrever *Quem pensa enriquece*, levei o manuscrito a um editor famoso de Nova York, a quem o apresentei. Ele disse que a editora tinha gostado do título e provavelmente estaria interessada em publicá-lo. Semanas se passaram. Continuei telefonando e escrevendo, e, sempre que entrava em contato, eles me davam uma desculpa por ainda não terem me respondido.

Seis meses se passaram. Fui até o escritório do editor na Madison Avenue e disse a um dos funcionários:

– Vim aqui para pegar de volta o meu manuscrito ou fechar um contrato, e não tenho preferência por qual vai ser, mas saiba que não sairei desta sala sem um deles. Estou cansado de tanta enrolação. Vocês estão aprontando alguma coisa e eu não sei o que é, mas vou descobrir.

O editor se abaixou na mesa e tirou de lá o meu manuscrito. Constrangido e com um sorriso culpado, ele explicou:

– Sr. Hill, nós lhe devemos um pedido de desculpas. Quando este manuscrito chegou aqui, foi lido por todos os nossos leitores, que foram unânimes em dizer que este é o melhor manuscrito que já havia chegado à nossa editora, o que nos deu a ideia de escrever o nosso próprio livro, e foi o que fizemos. Estamos escrevendo o livro com o nome de outro senhor que atua na sua área, a quem pagamos mil dólares pelo privilégio de poder colocar o próprio nome na obra, e assim não teremos de lhe pagar *royalties*. O texto que ele escreveu não é tão bom quanto o seu, mas vamos vendê-lo porque investiremos US$ 100 mil em publicidade na divulgação. Ficamos com o seu manuscrito enquanto o nosso estava sendo escrito, mas provavelmente vamos conseguir colocar o nosso à venda primeiro.

– Que incrível! – eu disse. – O que é ética editorial para você? – peguei meu manuscrito e saí dali.

Ao contar ao meu advogado o que tinha acontecido, ele se encheu de satisfação.

– Essa é a melhor coisa que aconteceu em muito tempo. Vou fazê-los pagar os *royalties* por cópia vendida daquele livro, cada cópia.

– Espere um pouco, amigo – retruquei. – Você não vai fazê-los pagar *royalties* nem vai processar ninguém.

– Ah, vou sim – ele afirmou. – E posso ganhar, garanto-lhe. Então vou pegar o caso sem cobrar honorários, apenas uma porcentagem do que eu ganhar.

– Entendi o que você quer – eu disse. – Vou levar esse caso para um tribunal que o editor desconheça, onde não consigam nem apresentar o caso. Vou levar o caso a julgamento nesse tribunal, e muito depois que aquele outro livro tiver sido esquecido, *Quem pensa enriquece* estará se expandindo. É isso que está acontecendo em todo o mundo hoje.

Tenho um jeito peculiar de revidar aos ataques, e sem dúvida não aguento ficar calado. Não sou esse tipo de homem. Ninguém pode abusar de mim sem esperar um revide firme e intenso, por meio de um favor ao sujeito que me atacou, em vez de tentar feri-lo de volta. Acredite, assim você conquista autoestima, a estima do mundo e talvez até do Criador, algo que não conseguiria de nenhuma outra forma.

Revidar às pessoas que nos feriram ou tentaram nos ferir nada mais é do que falta de autodisciplina, pois, agindo assim, conhecemos nossos próprios poderes ou nossas próprias formas de tirar proveito deles; não adianta nos rebaixarmos ao nível de quem nos difamou, vilipendiou, traiu ou tentou fazer alguma coisa do tipo. Nunca faça isso, pois perderá a autoestima e a estima do Criador.

Há uma arma melhor que estou tentando colocar nas suas mãos, com a qual você consegue se defender contra todos que o ferirem: a autodisciplina desta lição; nunca permita que alguém o puxe para baixo. Você define o modo como deseja lidar com as pessoas. Se elas quiserem subir ao seu nível, tudo bem. Se não quiserem, deixe que fiquem lá embaixo no nível delas. Não há pecado nisso. Defina o seu nível lá no alto e mantenha-o, venha o que vier. Espero que essa atitude esteja em seu coração e que se torne a mesma atitude minha.

Antes eu costumava revidar. Costumava andar armado. Bem, na verdade, eu tinha algumas armas e sabia usá-las, e não as carregava como adornos. Pretendia mesmo atirar em qualquer um que entrasse no meu caminho. Já faz tempo que cheguei à conclusão de que um revólver ou arma de fogo de qualquer tipo não me são mais úteis. Defendo-me de uma maneira melhor: a minha mente. Sei o que fazer com ela e nunca fico sem defesas.

Retorno ao meu artigo "Um desafio para a vida". Talvez você queira saber que foi ele um dos grandes responsáveis por fazer o falecido Mahatma Gandhi se interessar pela minha filosofia e publicá-la na Índia. Esse texto já influenciou milhões de pessoas e, em seu devido tempo, beneficiará direta ou indiretamente outros milhões que ainda nem nasceram.

A causa não está no brilhantismo do texto, mas no raciocínio subjacente. Você pode reagir às coisas desagradáveis da vida de forma que ela o domine ou de forma que ninguém possa dominá-lo. Quando você carrega um riso na alma, aproxima-se muito do nível em que age o próprio Criador.

Levanto-me todas as manhãs e olho para a foto que mais aprecio da minha esposa. Tirei mais de cem fotos antes de conseguir aquela expressão exata que eu queria ver no rosto dela, a mesmíssima expressão que vi no dia que a pedi em casamento. Celestial, a expressão mais maravilhosa que já vi. Tentei captá-la inúmeras vezes depois e acabei conseguindo. Agora tenho registrado em uma foto aquele sorriso indescritível. Assim que você entra na sala e olha a foto, percebe a espiritualidade na mente daquela mulher.

Quando a família do Sr. Billingsley veio nos visitar, os dois filhos pequenos dele dormiram no meu apartamento, e um deles disse:

– Aliás, que moça bonita. Quem é?

Eu respondi:

– A minha esposa.

– Ah, que linda ela é – ele afirmou. – Sabe, é tão bonita que poderia ser uma estrela de cinema, não é?

– Sim, acho que sim – concordei.

Riso: se você tiver riso na sua alma, riso no seu rosto, nunca ficará sem amigos e sem oportunidades, e sempre conseguirá se defender contra aqueles que não sabem nada sobre o seu riso.

AUTOSSUGESTÃO

Por meio da autossugestão, nossos pensamentos e ações dominantes são levados ao nosso subconsciente, permitindo que a autodisciplina se torne um hábito.

O ponto de partida para o desenvolvimento da autodisciplina é a definição de propósito. Você perceberá isso em todas estas lições: venha o que vier, lide com o que for a partir da perspectiva que quiser, nunca escapará da *definição de propósito*. Ela constitui o ponto de partida para qualquer conquista. Tenha certeza de que tudo que você faz começa com a definição de propósito, boa ou ruim.

Por que você deveria anotar o seu propósito principal definido, memorizá-lo e repassá-lo todos os dias como um ritual? Para que ele penetre no subconsciente, que, como hábito, acredita no que ouve com frequência. Você pode repetir uma mentira até chegar a um ponto em que nem sabe mais se é mentira ou não. O subconsciente também funciona assim. Conheço muita gente que já recorreu a isso.

O desejo obsessivo é o motor que dá vida e ação à definição de propósito. Já falamos bastante de desejos, esperanças, desejos ardentes e fé.

Como se transforma um desejo em uma obsessão? Vivendo-o mentalmente, trazendo-o para a mente e vendo a manifestação física disso nas circunstâncias da vida.

Digamos que você tenha um desejo obsessivo por dinheiro para comprar um Cadillac novo, mas dirige um Ford. Você quer aquele Cadillac bacana, mas não tem dinheiro para comprá-lo. O que faz?

A primeira coisa é ir até a loja da Cadillac e pegar um daqueles catálogos novos e bonitos com todos os modelos. Depois de folheá-los, escolher o modelo. Sempre que entrar no seu Ford, antes de virar a chave na ignição e dar a partida, feche os olhos por uns instantes e se imagine sentado no seu belo Cadillac. Enquanto seu carro segue roncando rua abaixo, imagine que você já tem o carro novo. Imagine que, naquele momento, já está atrás do volante do Cadillac.

Pode parecer bobo, mas não é. Garanto que não é. Consegui o meu primeiro Rolls-Royce exatamente dessa forma, arriscando-me certa noite no Waldorf Astoria Hotel. Eu disse que conseguiria o carro antes do final da semana, mesmo não tendo dinheiro suficiente no banco para comprá-lo.

Um aluno na plateia naquele dia, o qual tinha um carro igualzinho ao que descrevi, até com as mesmas rodas alaranjadas, ligou para o meu hotel na manhã seguinte e disse: "Desça até aqui. Estou com o seu carro, Sr. Hill". Desci e lá estava ele. O sujeito tinha feito a transferência legal e me entregou as chaves, e ainda queria me mostrar uns truques sobre um Rolls-Royce para aproveitá-lo ao máximo. Ele me levou pela Riverside Drive, dirigimos por um tempo, e, por fim, saiu do carro e apertou a minha mão: "Sr. Hill, estou muito feliz pelo privilégio de lhe permitir ter esse belo carro". Não é maravilhoso? Ele não disse nada sobre o preço, apenas explicou: "O senhor precisa mais do que eu, e quero que ele seja seu".

Você consegue imaginar uma pessoa tratando outra assim? Sim, claro que sim. Meus alunos sabem como me relaciono com eles. Não é preciso ter uma imaginação muito fértil para saber que um dos meus alunos poderia fazer algo do tipo, assim como não é preciso ter uma imaginação fértil para saber que, se você precisasse de um favor meu e viesse me pedir, eu o atenderia com tanta elegância quanto consegui o carro.

CUIDADO COM OS DESEJOS

Tenha cuidado com os desejos do seu coração, pois o subconsciente vai trabalhar para traduzi-los em seu equivalente material.

Aconselho-o a ser cuidadoso com o que deseja porque, se seguir as instruções previstas nesta lição, se decidir firmar o seu coração em algo e se mantiver firme na decisão, conseguirá o que quer. Antes de desejar algo com obsessão, certifique-se de que seja alguma coisa com a qual estaria disposto a viver após a conquista, seja o que for.

Que maravilhoso é mentalizar alguma coisa que você deseja muito, talvez algo difícil de conseguir, e então saber que quer viver o resto da vida com ele. Mas, antes de mais nada, cuidado com o que você manifesta desejar.

Todos os quinhentos homens que colaboraram comigo na elaboração desta filosofia eram imensamente ricos. Eu só queria trabalhar com homens financeiramente poderosos. Não tinha tempo para brincar com garotos. Hoje isso não seria verdade, mas antes era. Apesar de todos serem tão ricos, eles não tinham paz espiritual; abandonaram-na em nome da riqueza, deixaram de exprimir as circunstâncias nas quais não venerariam o dinheiro, nas quais a riqueza não seria um fardo, nas quais teriam paz de espírito nas relações interpessoais. Não aprenderam esta lição. Se aqueles homens participassem desta aula lá no começo, antes de se tornarem tão ricos, teriam aprendido a encontrar um equilíbrio para a riqueza, de forma que ela não os afetasse negativamente.

Para mim, a visão mais lamentável do mundo é a de um homem extremamente rico que só acumulou dinheiro, mais nada. E há tantos deles neste mundo.

Outra coisa mais lamentável é um garoto ou uma garota que acumule riquezas sem as merecer, porque sei que uma pessoa desse tipo está fadada a uma vida de desgosto e infelicidade.

Esse princípio falhou uma única vez: John D. Rockefeller Jr.[19] herdou uma enorme fortuna e administrou de maneira formidável sua herança, mas ele foi o único que conheci.

Conheço outra pessoa que chegou bem perto disso: meu filho mais velho, que lidera a empresa que fundei antes dos meus 21 anos. Hoje ele é multimilionário por direito. No entanto, a forma como cria as minhas netas me perturba. Se elas querem um colar de diamantes, vão ao supermercado e compram um qualquer – e não à Tiffany[20]. Meu filho que as ensinou a gostar disso. Um dia as meninas queriam algo um pouco mais caro do que seus pais achavam que deveriam ter naquela idade. A mãe disse: "Vão a tal lugar e comprem um parecido e, se vocês usarem, com a personalidade que têm, ninguém vai notar a diferença".

Em outras palavras, meu filho está criando as crianças como se não fosse rico. Na verdade, ele herdou a fortuna, mas é uma exceção à regra, porque não deixamos o dinheiro mimá-lo. Orgulho-me dele, e acredito

---

19. John Davison Rockefeller Jr. (1874–1960) foi um empresário e filantropo estadunidense, o único homem entre os cinco filhos do magnata do petróleo John Davison Rockefeller, considerado o empresário mais rico de todos os tempos.
20. Tiffany & Co. é uma empresa norte-americana do ramo de comércio de joias, fundada em Nova York em 1837, por Charles Lewis Tiffany e Teddy Young, e se chamava Tiffany, Young and Ellis.

que, talvez, esta filosofia que lhe transmiti seja um pouco responsável por isso, e assim sempre vai ser.

PENSAMENTO E VONTADE

Você só exerce controle total e irrestrito, pela força de vontade, sobre o poder do pensamento. Ao dar aos seres humanos controle sobre uma única coisa, o Criador deve ter escolhido a mais importante de todas. Esse fato estupendo merece a mais profunda avaliação. Se você refletir a respeito, descobrirá por conta própria as abundantes promessas disponíveis àqueles que se tornam mestres do próprio poder mental por meio da autodisciplina.

Ela nos garante um bom estado de saúde física e paz de espírito ao desenvolvermos nossa harmonia mental. Tenho tudo de que preciso ou posso vir a usar ou desejar. E a responsável por isso é a autodisciplina, por meio da qual conquistei tudo.

Houve um tempo em que eu tinha muito mais dinheiro no banco do que hoje, mas não era tão rico como atualmente. E minha riqueza se deve a uma mente equilibrada. Não guardo rancores. Não tenho preocupações, não tenho medos. Aprendi, por intermédio da autodisciplina, a ter equilíbrio na vida. Posso não estar lá muito feliz com os caras do fisco, mas há alguém maior lá em cima cuidando de mim, com quem vivo em paz o tempo todo, o que aconteceu pelo aprendizado da arte da autodisciplina, da arte de reagir aos desagrados da vida de forma positiva, e não negativa.

Não sei como me comportaria se alguém me desse um tapa na cara sem eu ter provocado. Acho que ainda sou bastante humano, então, cerraria os punhos e, se estivesse perto do sujeito, provavelmente o acertaria bem no plexo solar, e ele cairia no chão. Mas, se dispusesse de alguns segundos para pensar, em vez de esmurrá-lo, eu sentiria pena por ele ser tão tolo.

Muitas das coisas em que errei antes agora faço certo, e aprendi por meio autodisciplina, que ainda me permite viver em paz com as pessoas, com o mundo e, principalmente, comigo mesmo e com o meu Criador. É maravilhoso, independentemente de quaisquer outras riquezas que se tenha. Se você não estiver em paz consigo, com os seus semelhantes e com todos com quem trabalha, então não será rico.

A riqueza decorre da disciplina, de viver em paz com todas as pessoas, de todas as raças, de todos os credos. Aqui na plateia há católicos e protestantes, judeus e gentios, pessoas de diferentes cores e diferentes raças. Mas, para mim, todos são da mesma cor, da mesma religião. Não me importam as diferenças, porque na minha cabeça elas inexistem. Houve um tempo em que coisas mesquinhas como diferenças raciais me irritavam ou, no mínimo, levavam-me a um descompasso com os meus semelhantes. Hoje não deixo isso acontecer.

Uma das maldições deste mundo, sobretudo neste caldeirão cultural chamado América, é não aprendermos a conviver. Judeus e gentios, católicos e protestantes, pessoas de cor e brancas, ninguém aprendeu a conviver. Estamos no processo de aprendizado. Quando estivermos todos doutrinados com esta filosofia, viveremos em um mundo melhor aqui nos Estados Unidos, e espero que também em outros países.

A autodisciplina nos permite focar a mente no que desejamos e desconectá-la daquilo que não queremos. Todo o tempo e o dinheiro que você gastou com este curso terá valido mil vezes mais caso o faça, no mínimo, adotar um hábito ou um plano que mantenha sua mente focada, daqui por diante, nas coisas que deseja e longe das que não deseja. Você passará por um renascimento, uma nova oportunidade, uma nova vida, se aprender, por meio da autodisciplina, a não permitir que a sua mente se nutra das coisas indesejáveis: desgraças, decepções, pessoas que o magoam.

Bom, é muito mais fácil falar do que fazer. Sei que é difícil começar a manter a mente focada no dinheiro se não tem um tostão hoje. Sei disso, pois já tentei. Sei o que é ter fome. Sei o que é não ter uma casa. Sei o que é não ter amigos. Sei o que é ser ignorante e analfabeto. Sei como é difícil você pensar que se tornará um filósofo de destaque e disseminará esta influência mundo afora.

Sei de tudo isso, mas consegui. Se fui capaz de conquistar tudo que tenho, sei que você também poderá fazer um trabalho muito bom, mas terá de assumir o comando da própria mente e mantê-la tão ocupada com as coisas que você deseja, que quer fazer, com as pessoas de quem gosta que nem sequer disporá de tempo livre para pensar nas coisas que não quer ou nas pessoas de quem não gosta.

O vigor desta filosofia está no fato de ela lidar com a mente, o cérebro e o coração de pessoas em todos os estágios da vida, ajudando-as a entenderem melhor a si e aos outros, a reconhecerem que precisam ter autodisciplina, a não revidarem a injúria, calúnia ou difamação contra elas.

Mal dá para contar quantas vezes fui difamado pelos jornais quando estava começando. Meus advogados, em algumas circunstâncias, queriam que eu revidasse. Eu dizia: "Vou revidar. Vou revidar ficando tão famoso, levando meu nome para tantos corações em todo o mundo que, se os donos dos jornais estiverem mortos, eles vão se revirar no túmulo".

Bob Hicks, um velho vendedor especializado, não gostava de mim porque eu havia publicado *A regra de ouro*. Ele queria usar esse nome, mas cheguei antes, assim, não perdia a oportunidade de me caluniar, algumas vezes de modo bem perigoso. O Dr. Harry S. F. Williams, meu advogado em Chicago, sempre queria que eu o processasse. Ele dizia: "Não vou parar enquanto não tomar a casa, as máquinas de impressão e todos os bens dele". Mas eu o contestava e explicava que não queria que o sujeito parasse de publicar, porque estava chamando a atenção de muita gente que nunca ouvira falar sobre mim, as quais, quando analisavam o meu histórico e me comparavam com eles, viam que sempre saía ganhando. Por que eu deveria me preocupar em fazê-lo parar todas aquelas publicações?

Não estou falando sobre isso para mostrar como sou genial, brilhante ou bem-sucedido. Acho que ninguém vai contar-lhe tanto sobre os meus fracassos quanto eu. Falhei muito. Meu objetivo é chamar a sua atenção para algumas coisas muito pessoais pelas quais já passei. Eu estava lá, eu era uma parte naquela transação. Sei o que foi feito e conheço a reação, e isso é muito melhor do que se eu lhe contasse eventos sobre os quais apenas ouvi falar.

Falo tanto sobre mim porque vivenciei experiências, histórias dramáticas que não se comparam à vida de qualquer outro escritor, até onde eu saiba. Nenhum escritor passou por tantas experiências quanto eu, e pelo menos 50% delas foram fracassadas. Não é maravilhoso saber que dá para enfrentar vinte ou 25 anos de derrotas, fracassos, contrariedades e ainda chegar ao topo e fazer as pessoas gostarem de você? Não é uma conquista? Portanto, tudo que eu já disse ou ainda direi usando um pronome pessoal de primeira pessoa é justificado, porque passei por coisas que, em uma situação normal, teriam me destruído, e estou ensinando-lhe a fazer o mesmo.

TRÊS BARREIRAS MENTAIS

Destaco agora as três barreiras mentais de proteção contra forças externas. Pretendo causar uma impressão duradoura e definitiva em você sobre a necessidade de criar uma forma de se imunizar contra influências externas que poderiam afetar a sua capacidade mental, irritá-lo, deixá-lo infeliz ou com medo, ou tirar vantagem de você de alguma forma.

Tenho este método e funciona como mágica.

Quando você ficar tão conhecido em todo o mundo e tiver tantos amigos queridos clamando por um horário com você quanto eu tenho, precisará de um método para selecionar aqueles com quem se encontrará. Talvez não no começo – eu não tinha, mas agora tenho. Meus amigos, meus amigos queridos, as pessoas que eu mais amo consumiriam todo o meu tempo se eu não dispusesse de um método para evitar isso. Tento que se relacionem comigo por meio dos meus livros – assim consigo atingir milhões de pessoas –, mas, quando elas desejam um encontro pessoal, recorro a um método que me indica quantas pessoas consigo encontrar em determinado período de tempo.

O método consiste em uma sequência de três barreiras imaginárias; não tão imaginárias assim, pelo contrário, são bem reais. A primeira é bem extensa, vai de uma ponta a outra. Não é tão alta, apenas o suficiente para evitar que alguém a atravesse e se aproxime de mim, a menos que tenha um excelente motivo para me ver. Todos os meus alunos têm uma escada pela qual sobem a barreira e nem precisam me pedir.

As pessoas de fora, sem os privilégios dos alunos, precisam superar essa barreira e contatar-me de alguma maneira formal. Não podem simplesmente chegar e apertar a campainha ou me ligar, até porque o meu número nem consta na lista telefônica. Portanto, precisam passar por alguma formalidade.

Por que preciso dessa barreira? Por que não a derrubo e deixo todo mundo entrar, encontrar-se comigo e escrever-me? Por que não respondo a todas as cartas que recebo do mundo inteiro?

Saiba que certa vez recebi cinco malotes do correio cheios de cartas. Eu não consegui nem ver o envelope delas, quanto mais abri-las. Não tinha secretárias para essa função, e, assim, milhares das correspondências jamais foram abertas. Hoje em dia não é tão ruim assim, mas, sempre que apareço na mídia, chegam cartas de todos os lugares do país.

Se as pessoas passarem por essa primeira barreira, imediatamente encontrarão uma outra, muito mais alta e que exige uma escada também.

Há uma forma de meus alunos cruzarem essa barreira, e vou dar a dica de como: trazendo algo que eu quero. Conseguirão atravessá-la com muita facilidade se eu estiver convencido de que o tempo dedicado a eles será mutuamente benéfico; no entanto, se for alguma coisa benéfica apenas ao aluno, é bem possível que ele não consiga um pouco do meu tempo.

Existem exceções, mas são pouquíssimas, e avalio bem cada uma por questão de necessidade, nunca por egoísmo.

Ao superar a segunda barreira, você se depara com outra muito estreita e tão alta que chega até o céu. Nenhuma pessoa jamais a ultrapassou, nem mesmo a minha esposa. Por mais que eu a ame e por mais próximo que sejamos, ela nem tenta transpor essa barreira porque sabe que existe um santuário na minha alma que ninguém, além de mim e o meu Criador, pode acessar. É ali que dou o meu melhor. É aonde vou para escrever meus livros: retiro-me para o meu santuário, planejo a obra, comungo com o meu Criador e recebo as instruções. Quando chego a uma encruzilhada na vida e não sei aonde ir, dirijo-me para o meu santuário, peço orientação e sempre a recebo. Sempre.

Você consegue entender a grandiosidade desse método de imunidade? Consegue entender como ele é generoso? O seu primeiro dever é consigo; nas belas e poéticas palavras de Shakespeare: "Acima de tudo sê fiel a ti mesmo,/Disso se segue, como a noite ao dia,/Que não podes ser falso com ninguém".

Fiquei arrepiado até os ossos na primeira vez que li esses versos, e já os reli centenas de vezes. E ainda os repeti milhares mais, em razão da verdade que trazem: o seu primeiro dever é consigo! Seja verdadeiro nesse sentido, proteja a sua mente, a sua consciência, a sua autodisciplina para assumir o controle mental e direcioná-lo às coisas que deseja, afastando aquelas que não quer. Essa é a sua prerrogativa. O Criador a deu a você como o dom mais precioso da humanidade. Mostre seu apreço, respeitando e usando esse dom.

CINCO TRAÇOS PARA O APRIMORAMENTO

Em seguida, liste seus cinco traços de personalidade que precisam de autodisciplina ou aprimoramento. Não quero saber se você é perfeito; não há ninguém no mundo que não possa parar um momento e identificar traços que devem ser aprimorados, se for realmente honesto consigo. Se você não os encontrar, peça ao seu companheiro que os diga. Às vezes você não precisa pedir ao seu cônjuge, pois ele acabará falando sobre isso. Mas encontre os cinco elementos na sua personalidade que precisam ser mudados e anote-os.

Você só lidará com os seus defeitos depois de elaborar um levantamento, descobri-los, colocá-los no papel em um lugar visível, para então começar a fazer algo a respeito.

Depois de identificados esses cinco traços, comece imediatamente a desenvolver o oposto deles. Se você tem o hábito de não compartilhar oportunidades ou bênçãos com outras pessoas, compartilhe-os, por mais que possa doer. Comece de onde está. Se for ganancioso, faça caridade. Se aprecia falar mal da vida alheia, distribua elogios.

O governo dos Estados Unidos queria algumas informações sobre Al Capone[21] depois de ele ter sido mandado para a prisão em Atlanta, na Geórgia, e me escolheram como a única pessoa capaz de consegui-

---

21. Alphonse Gabriel "Al" Capone (1899–1947) foi um homem de negócios e gângster ítalo-americano que liderou um grupo criminoso que gerenciava diversas atividades criminosas, como apostas, agiotagem, prostituição e, principalmente, comércio e contrabando de bebidas durante a era da Lei Seca, que vigorou nos Estados Unidos nas décadas de 1920 e 1930.

-las. O procurador-geral dos Estados Unidos ficou responsável pela minha ida até lá para obter tais informações. Ele sabia, por experiência com esta filosofia e comigo, que eu teria êxito.

Fui até lá e organizei uma série de três encontros para os quais os detentos, inclusive Al, foram convidados. Naquelas conversas, lancei as bases para o que eu queria descobrir dele, condenando quem procura o lado mais negativo nas pessoas e nunca vê o lado positivo. Depois elogiei os detentos, dizendo que, apesar do que talvez os outros dissessem, eles ainda tinham algumas qualidades boas nas quais eu preferia focar a minha atenção. O meu negócio era no ramo editorial, e eu passaria um tempo lá para descobrir algumas das qualidades daqueles homens, e, se alguém quisesse me contar alguma coisa sobre si, eu a levaria a público.

Al Capone foi o primeiro a pedir permissão para entrar na biblioteca e ser entrevistado. Eu tinha planejado como convencê-lo, mas nem precisei recorrer ao meu plano todo: ele caiu direto.

Você sabia que mantenho o juramento que fiz a Al Capone até agora, depois de ele estar morto? Eu já contei as coisas boas que descobri sobre ele, embora não fossem muitas. Descobri que ele pagou os estudos de sete ou oito jovens na Universidade Northwestern, os quais, sem essa generosidade, jamais chegariam lá, e nunca souberam de quem vinha o dinheiro. Eu tinha certeza de que ele estava dizendo a verdade, porque cheguei a situação com o responsável pela administração financeira.

Durante o processo de escuta, fiz algumas perguntas indiretas que renderam ao governo as respostas que queria, algo relacionado com a situação fiscal de Capone e com alguns outros casos não diretamente associados a ele, mas a alguns de seus companheiros. Em dado momento, eu disse uma coisa boa sobre ele. Você vê um homem desabrochar, virar uma pessoa diferente quando lhe faz alguns elogios.

Não dá para pressionar muito, senão ele vai ficar se perguntando o que você está querendo. Seja razoável. Quando alguém vem até mim, aperta a minha mão e diz: "Napoleon, eu sempre quis conhecê-lo. Gosto muito dos seus livros e queria contar que me encontrei. A minha vida profissional agora começou a dar certo. E devo isso ao seu livro *Quem pensa enriquece* ou *A lei do sucesso*", eu sei que a pessoa está sendo sincera pelo tom de sua voz, pelo olhar e pelo jeito de apertar a minha mão, e aprecio isso.

Se a pessoa viesse e agisse de modo forçado, com elogios além do que mereço, eu saberia imediatamente que ela está tramando alguma coisa.

Em seguida, liste todos os traços de personalidade das pessoas de convívio mais próximo, as quais você acredita que precisam ser melhoradas por meio da autodisciplina. Essa lista não dará trabalho algum, será bem fácil se comparada à tarefa de observar os seus próprios traços de caráter.

A autoanálise é muito difícil. Por quê? Porque somos parciais a nosso favor. Achamos que tudo o que fazemos está certo. Se, no final das contas, não estiver certo, será sempre culpa de alguém, não nossa.

Um dia desses ainda vou ver uma pessoa vir até mim e dizer que estava brigada com alguém havia um bom tempo e acabou descobrindo, após conhecer esta filosofia, que o problema não era do outro sujeito, mas sim de si mesma.

Usamos a autodisciplina para melhorar a nós mesmos e eis que, quando a nossa casa fica limpa, ocorre o mesmo com a casa do outro. É impressionante como vemos defeitos nas pessoas quando não olhamos para nós mesmos. Acho que todos, antes de criticarem alguém, devem se olhar no espelho e dizer: "Olhe aqui, antes de começar a criticar alguém, antes de começar a fofocar, olhe-se nos olhos e veja se a sua consciência está limpa".

Lembra-se desta passagem da Bíblia? "Quem dentre vós não tiver pecado, atire a primeira pedra."[22] Ao fazer disso uma prática, você conseguirá perdoar as pessoas por quase tudo. Em vez de odiá-las por aquilo de que você não gosta, sinta pena delas. Sempre que transmutar ódio em compaixão, estará no caminho certo para se tornar melhor, porque as pessoas boas sentem piedade por aqueles que estão cometendo erros.

O Sr. Stone já fez inúmeras coisas das quais me orgulho. Há algum tempo, estávamos assistindo a uma conferência na companhia de alguns cavalheiros que haviam trazido um remédio da Suécia para os Estados Unidos, a cura da artrite. Diante dos excelentes resultados naquele país do Velho Mundo, eles queriam trazer o remédio para cá. O Sr. Stone descobriu, com algumas poucas perguntas, que o homem que trouxera o medicamento o pegara de quem o havia criado, um químico patrocinado por uma empresa que investira milhares de dólares naquilo. Por no mínimo vinte anos, aquele senhor havia recebido um salário fenomenal.

Ele então roubou o remédio e o trouxe ao nosso país para vendê-lo. O Sr. Stone disse: "Já chega, não quero nem encostar nisso; no meu manual de regras, essa transação não passa de roubo descarado, e não faço negócios com ladrões".

Rapaz, que tremendo orgulho senti do Sr. Stone, porque eu estava pensando a mesma coisa e só esperando o momento em que ele reagiria. É esse o tipo de reação de um homem cuja mente funciona como a do Sr. Stone.

---

22. João 8:7.

CONTROLE OS PENSAMENTOS

A forma mais importante de autodisciplina, que deve ser exercida por todos que desejam se destacar, é, obviamente, o controle dos pensamentos, o controle da própria mente. Na verdade, nada existe de mais importante no mundo do que o controle mental. Se você consegue controlar sua mente, controlará todo o restante. De verdade. Você só conseguirá dominar as circunstâncias e o espaço que ocupa no mundo se conquistar primeiro o domínio mental.

Gandhi, nos anos durante os quais esperou pela liberdade da Índia, usou estes cinco princípios:

1. **Definição de propósito**. Ele sabia o que queria.
2. **Fé aplicada**. Começou a agir conversando com os seus companheiros, incutindo neles o mesmo desejo. Não agiu com violência. Não cometeu ato algum de desordem e nenhum assassinato.
3. **Fazer além do necessário.**
4. **Formação de um MasterMind** provavelmente diferente de tudo que o mundo já viu. Pelo menos duzentos milhões de irmãos e irmãs, todos contribuindo com a aliança de MasterMind, cujo principal objetivo era se libertar do domínio britânico sem violência.
5. **Autodisciplina** em uma escala sem paralelos na modernidade.

São esses os elementos que fizeram de Mahatma Gandhi o mestre do grande Império Britânico, sem sombra de dúvida.

Autodisciplina. Em que lugar do mundo você encontraria alguém capaz de suportar todas as coisas a que submeteram Gandhi – insultos, prisões – sempre se mantendo firme e nunca revidando? Ele revidou da mesma forma que eu àquela editora que queria roubar o meu livro: em seus próprios termos, com armas próprias.

Aí está uma forma muito segura de agir. Se você precisa lutar contra alguém, escolha o campo de batalha, as armas e, se não ganhar, será o único culpado.

Em 1942, R.G. LeTourneau me chamou. Ele estava enfrentando problemas com um grupo de comunistas perversos que atuavam em nome de um sindicato que não representava os mais altos padrões do sindicalismo trabalhista.

Eles estavam três meses na minha frente e tinham um caixa dois de US$ 100 mil, com os quais faziam seus esquemas. Iam às empresas, escolhiam alguém importante de cada departamento e pagavam de quatro a cinco vezes o que a empresa pagava ao funcionário para que ele incitasse queixas e reclamações. Quando cheguei lá, havia cerca de 35 a cinquenta queixas, nenhuma legítima.

Eis o que fiz para enfrentar o problema, lembrando que não fui lá para combater o sindicalismo. Antes de mais nada, acredito no sindicalismo, se for honesto. Não acredito em chantagistas, bandidos e ex-detentos que se se apropriam de sindicalistas e votam neles como ovelhas. Repito: acredito no sindicalismo honesto. Então fui lá e transformei os superintendentes e supervisores em professores, e por meio deles levei esta filosofia até as bases. Eu os doutrinei. Contava com professores capazes de comunicar esta filosofia com os jargões deles, de forma que assim a entendessem.

Aqueles chantagistas gastaram os US$ 100 mil, fizeram as malas e voltaram para o Norte, dizendo que ninguém no Sul tinha suficiente bom senso para entrar no sindicato. Eles nunca souberam, e acho que não sabem até hoje, quem acabou com aquela situação. Não souberam que eu estava na fábrica ou, se souberam, isso não lhes significou nada. Eles não tinham a menor ideia, pois escolhi as minhas próprias armas, meu próprio campo de batalha e a minha própria maneira de lutar. Eles ficaram indefesos, sem reação, porque não entendiam a minha língua.

Lembre-se disso porque, de uma forma ou de outra, você enfrentará alguma batalha ao longo da sua vida, e será obrigado a planejar investidas, avançar, tirar os percalços do seu caminho, ser mais esperto do que os seus inimigos. O jeito certo de agir não é revidar no campo de batalha que eles escolherem, com as armas que eles escolherem, mas sim escolher o seu próprio campo de batalha e as suas próprias armas.

Isso faz algum sentido? Um dia fará, quando você tiver um problema para resolver. Alguém estará se opondo a você, que terá de lidar com a situação. Lembre-se: escolha o seu campo de batalha e as suas armas.

Primeiro, prepare-se para a batalha convencendo-se de que em hipótese alguma tentará destruir ou ferir alguém, a não ser para defender os seus próprios direitos.

Ao tomar essa atitude, você já pode partir do pressuposto de que vencerá antes mesmo de começar. Não importa quem seja o seu adversário, se ele é forte ou inteligente, pois, usando essa tática, você estará destinado a vencer.

Como saber que eu estou dizendo a verdade? Vivi praticamente todos os tipos de experiências imagináveis nas quais fui insultado, lesado, traído, enganado, difamado, caluniado e, mesmo assim, estou cada vez mais forte. Em outras palavras, tudo aquilo só contribuiu para aumentar minha fama em todo o mundo. Então por que me afastaria desta filosofia que funciona melhor do que aquela que diz que a pessoa deve revidar na mesma moeda?

Crie um método que lhe permita assumir total controle da sua mente e a mantenha ocupada com todas as coisas, circunstâncias e desejos que você queira, e distante de tudo aquilo que você não deseja.

Talvez seja um pouco difícil focar a mente em todo o dinheiro que você ganhará ensinando esta filosofia se está sem um tostão agora.

Bem sei que você se sentirá assim, mas, empenhando-se, vai olhar para a frente e vislumbrar o momento em que estará ocupando espaço no coração de milhares de pessoas. Verá o momento em que ganhará tanto dinheiro quanto eu já ganhei.

Se o dinheiro não vier tão rápido quanto deveria, esqueça-o por um tempo. Se as contas chegarem e você não conseguir pagá-las, há sempre um jeito provisório de resolver: varra-as para debaixo do tapete. Não olhe para elas, não deixe que o incomodem. De que adianta deixá-las à vista, em cima da mesa? O que ganhará com isso? Esconda as contas, afaste-as de você. É claro que em algum momento acabará se lembrando delas, mas não se preocupe tanto. Atravesse essa ponte quando alcançar esse ponto.

Pense nos momentos em que você terá dinheiro de sobra. Isso é possível, porque eu cheguei a esse nível. Não fui abençoado com nada de que você não disponha e talvez eu não tenha tido nem metade do que você tem. A minha história certamente foi muito mais difícil do que a da maioria de vocês. Portanto, se cheguei a esse nível, sei que você também será capaz, mas lembre-se de assumir o controle. Você é uma instituição e uma empresa e precisa se responsabilizar por elas. Cabe a você tomar as decisões e fazê-las ser cumpridas, e, para isso, precisa de autodisciplina.

Continue mantendo longe da mente as coisas que você não quer que a ocupem e mentalize aquilo que deseja. O controle mental lhe permitirá chegar ao controle físico, a não ser que alguém deseje algo para você ou por acaso caia nas suas mãos enquanto estiver andando. Tudo que você conquista primeiro precisa ser criado e alcançado por meio da sua atitude mental, e sempre tenha plena certeza do que quer. Veja-se possuidor de seu desejo e para isso aja com disciplina.

A recompensa é o domínio do próprio destino, sob orientação da inteligência infinita. Não é uma gratificação maravilhosa, por assumir o controle da própria mente, ficar em contato direto com a inteligência infinita?

Há alguém por trás de mim que me guia. Quando me deparo com obstáculos, basta que me lembre de que ele está lá. Se chego a uma encruzilhada e não sei aonde ir, tudo que preciso fazer é me lembrar daquela força invisível que está por trás de mim, a qual sempre me apontará a direção certa se eu prestar atenção e confiar nela. Repito, faço essa afirmação e sei que é verdadeira porque a coloco em prática.

Por outro lado, a punição que a maioria das pessoas paga por toda a vida por não assumir o controle mental é a seguinte: tornar-se vítima dos ventos errantes das circunstâncias, que ficarão para sempre fora do seu controle.

O que são esses ventos? Você será a vítima de qualquer influência de qualquer pessoa com quem tenha contato, inimigas ou não. As coisas que você não quer o farão balançar como uma folha ao vento. Caso não assuma o controle da própria mente, sofrerá essa punição. Não é estranho pensar assim?

Não é profundo reconhecer que você recebeu os meios que lhe permitirão decretar e determinar o seu destino na Terra? No entanto, eles carregam uma grande punição a que você estará sujeito se não aceitar e usar esse trunfo, e, em contrapartida, uma tremenda recompensa que recebe automaticamente se o aceitar e usar. Se eu não tivesse mais nenhuma evidência de uma causa primeira ou de um Criador, eu saberia que existiria alguma, porque isso é profundo demais para o pensamento de qualquer ser humano.

Oferecer um grande trunfo, acompanhado de uma punição caso não o aceite e de uma recompensa caso o aceite, é a essência do que acontece quando você usa a autodisciplina para assumir o controle da própria mente e direcioná-la às coisas que deseja.

Não importa o que você deseja; esse é um assunto pessoal. E não esqueça: não deixe que ninguém apareça e lhe venda uma ideia do que você deve desejar. Quem vai me dizer o que desejo ou o que deveria desejar? Eu. Nem sempre foi assim, mas hoje é. Ninguém vai me dizer o que desejo; sou eu quem direi. Se permitisse que me dissessem o que devo desejar, acho que seria um insulto ao Criador, que deu a mim a palavra final sobre este cara aqui.

EVITE CAUSAR DANOS

Eu não machuco ninguém. Não faria nada neste mundo, sob hipótese alguma, para machucar qualquer criatura, nem mesmo um inseto. Quando dirijo na estrada, se vejo uma cobra à minha frente, desvio com cuidado. Não quero machucar nada que não me machuque.

Minha esposa e eu estávamos viajando pelas montanhas da Califórnia, em um terreno acidentado, por uma estrada íngreme cheia de curvas, quando vimos uma cascavel enorme toda enrolada à beira da estrada. O réptil estava esperando que um rato, um pássaro ou qualquer outro animal desatento aparecesse para lhe servir de jantar. Eu já esperei muitas vezes o meu jantar sem conseguir nada. Conheço o incômodo de ser interrompido quando se está trabalhando para conseguir comer. Em vez de atropelá-la, virei o volante e fiz questão de passar a quase um metro de distância.

Minha esposa me perguntou por que eu não matara a cobra, e respondi que não haveria qualquer razão, porque ela estava em seu território, sem incomodar ninguém, e éramos nós os intrusos.

Minha esposa insistiu:

– Uma criança pode aparecer aqui.

E expliquei-lhe:

– Isso se alguém deixar uma criança vir sem proteção neste território inóspito, afinal de contas, uma cascavel também tem direitos, como as pessoas. Ela está no seu território, cuidando da própria vida.

Nós dois demos uma boa risada. Annie Lou colocou a cabeça no meu ombro, encostou-se em mim e me beijou, dizendo:

– Aí está uma das coisas que amo em você, pois não quer fazer mal a nada nem a ninguém.

Enquanto eu trabalhava para LeTourneau, passei por uma loja em Toccoa, na Geórgia. Lá vi uma beleza de espingarda – um rifle de repetição calibre 22 – igual à que eu tinha quando jovem e usava para matar coelhos, esquilos e qualquer coisa que aparecesse no meu caminho.

A arma me lembrou da minha juventude, e entrei na loja para dar uma olhada. Custava três vezes mais do que pagara naquela época. Estava prestes a tirar o dinheiro do bolso e levá-la quando disse a mim mesmo: "O que vou fazer com esta arma?".

Fiquei com vergonha de mim mesmo; fiquei com vergonha só de ter entrado e olhado aquilo. Eu não atiraria em um coelho: alguns vêm a minha casa e comem no meu quintal. Eu tinha codornas na Flórida. Elas se aproximavam para ganhar uma refeição por dia e, quando não eram alimentadas na hora certa, começavam a grasnar e me chamar para lhes dar comida. Será que teria coragem de pegar uma espingarda, enganar as codornas, para matar umas duas? Eu não faria isso. Não atiraria em nada. Não mataria nada. Se eu tivesse uma arma, o que ela poderia me trazer de bom? Não há nada para atirar, exceto latinhas, e tenho coisa melhor para fazer, então não comprei a arma.

Ao sair da loja, ouvi um comentário do vendedor para o dono da loja que me fez rir bastante. Na verdade, um comentário bem compreensível, em um tom que ouvi com clareza.

Enquanto eu passava pela porta, o proprietário disse: "Imagino que você tenha perguntado por que ele não comprou a arma?", ao que o garoto respondeu: "Eu, não. Sujeito maluco".

Essa foi a única vez que me orgulhei de ser maluco. Não compraria uma arma para matar qualquer coisa. Não acredito em matar, em machucar. Acredito em cuidar. Divirto-me muito cuidando de animais silvestres. Muitas vezes caminhei pelos campos e os chamei para uma conversa na língua deles. Até ensinei algumas codornas na Flórida a cantar a música delas. Se tiver alguém do interior aqui, saberá que, quando você alinha um bando de codornas, no momento em que querem se reagrupar, elas têm um chamado. Eu as ensinei a cantar a música das codornas.

Um dos meus vizinhos, que estava lá enquanto eu alimentava as aves, disse:

– Nunca vi uma coisa dessas na minha vida. Elas estão se comportando como galinhas. Não têm medo de você.

– Não é só isso; eu as ensinei a cantar a canção.

– Ah, claro. Estou vendo que elas estão aqui comendo do seu milho, mas, rapaz, não force a barra, porque vai chegar uma hora que não vou acreditar nem se eu vir com meus próprios olhos.

– Só para garantir que você não vai me encarar como uma dessas pessoas que, digamos, exageram nos fatos, quando elas acabarem de comer, voltarão para o campo, e não vão juntas. Andarão separadas, e eu vou fazer o chamado para que se reúnam. Veja como irão agir.

Dei um assovio, e a codorna ouviu na mesma hora. Repeti aquilo umas dez vezes mais do que jamais tinha feito, só para mostrar ao sujeito que eu não estava mentindo.

Cuide de criaturas irracionais que não falam a sua língua. Há um jeito de fazer isso para que gostem de você, para que não tenham medo, para que se tornem uma parte sua.

Você se surpreenderia com as conversas que mantenho com os meus cachorros quando vou para casa. Coloco palavras na boca deles que eles não entendem, não conhecem, e mesmo assim respondem. É maravilhoso. Todo mundo que vai à minha casa se encanta com minha relação com os meus cachorros e pelo modo como eles me entendem.

Quando alguém toca a campainha, eles vão até a porta para serem apresentados. E não aceitam um "não" como resposta. Eles cheiram o tornozelo da pessoa, sentem o odor dela e depois vão cheirar as mãos do visitante. Se o cheiro for apropriado, eles a tratam bem; caso contrário, latem e nos deixam avisados. Não temos nada a ver com isso, e os cães nunca erram. Sempre distinguem as pessoas boas das ruins.

Em outras palavras, você precisa saber se disciplinar. Entenda que tudo no mundo existe por um motivo, e não lhe cabe destruir nada que não o esteja incomodando, sobretudo os vizinhos, as pessoas com quem você trabalha e até mesmo aquelas que discordam de você e lhe causam problemas. Não cabe a você destruí-las. No fundo, elas não estão fazendo mal a si mesmas sem você interferir e ajudar?

Quando começaram a me difamar, um dos meus parceiros disse: "Não acha que ele já causou muito estrago sem que você revidasse?". No entanto, qualquer pessoa que aja errado com outra está fazendo a si mesma um mal que não quero fazer a mim mesmo.

Eu estava conversando com um procurador, um homem que foi meu colega durante o ensino secundário. Ele me falava sobre o seu estrondoso sucesso – quantas pessoas conseguira condenar –, e parecia gabar-se do fato. Talvez alguns deles merecessem mesmo ir para a cadeia, mas, quando ele terminou o caso, eu disse:

– Albert, eu não gostaria de estar em seu lugar nem por todo o chá da China.

Ele perguntou:

– Por quê?

– Veja o que você faz com as pessoas – as envia para a cadeia, tira a liberdade delas.

– Elas mereciam.

– Pode ser, garoto estúpido, mas mantenho minhas palavras: que bom que foi você o responsável por isso, não eu.

Então lhe contei a história de um velho Judas que ficava no pátio do gado. Um certo povo tinha um bezerro treinado para descer até o rebanho, que seria conduzido para o interior do pátio. O rebanho, sabendo por instinto que seria abatido, recusava-se a subir a rampa que levava ao local onde um homem iria acertá-los na cabeça com um martelo. Mas o velho Judas foi treinado para descer e se enturmar com o resto, contar uma ou outra mentirinha e começar a subir de novo, para que os outros o seguissem.

Quando ele chegava ao topo da rampa, havia uma porta vaivém pela qual ele passava e os outros o seguiam; nem viam a porta. Os animais entravam direto no local onde o homem os esperava para acertá-los com um martelo.

A cena perdurou por vários anos, e adivinha o que aconteceu com o velho Judas? Ele enlouqueceu e tiveram que levá-lo para uma martelada também.

Existe uma lei eterna: seja lá o que você faz por ou para outra pessoa, faz a si mesmo. Ninguém escapa dela.

É por isso que eu não gostaria de ser procurador. É por isso que me orgulho de não ter seguido a profissão de advogado. Passei um bom período em visita ao meu irmão Vivian, advogado, especializado em processos de divórcio, sobretudo de pessoas muito ricas. Quero lhe contar o preço que ele paga por saber demais sobre o lado negativo das relações conjugais. Meu irmão já viu tanta coisa que chegou à conclusão de que todas as mulheres são más e, por isso, nunca se casou. Nunca teve o prazer de dividir a vida com uma esposa, como eu tive. Ele acha que todas as mulheres são ruins porque as compara àquelas com quem estabelece mais contato, o que é comum a todos nós. Comparamos as pessoas com aquelas que mais conhecemos, não é? Nem sempre é justo agir assim; nesse caso certamente não é.

Compartilho muitas das minhas experiências pessoais com você para destacar algumas coisas vitais com as quais terá que lidar. Você precisa se entender, entender as pessoas e também como se adaptar àquelas de difícil convivência. Entenda isso, porque há muita gente de difícil convivência neste mundo, e haverá muitas outras enquanto eu e você vivermos, e por muito tempo ainda. Não devemos nos afastar das pessoas difíceis; seremos capazes de lidar com elas se fizermos algo a respeito de nós mesmos.

Autodisciplina significa total controle do corpo e da mente, o que não quer dizer mudá-los. O prazer sexual causa mais problemas para muita gente do que todos os outros combinados, e ainda assim é o deleite mais criativo, mais profundo e mais divino que existe. O problema não está no prazer, mas na falta de controle, de orientação e de transmutação, o que seria muito mais fácil se as pessoas tivessem autodisciplina. Portanto, fica a cargo das outras faculdades do corpo e da mente.

Você não tem que mudar completamente. Basta que seja o mestre, que esteja no controle. Reconheça as coisas que precisa fazer para conquistar uma boa saúde e paz espiritual.

MANTENHA UM BOM MÉTODO DE DESCARTE

Eu tenho um método de descarte, aliás, como todos nós. Não é bom pensar nessas coisas, mas é importante, porque, afinal de contas, está aí. Se você não prestar atenção nisso e não se ajustar corretamente, sofrerá um envenenamento tóxico e, nesse caso, ficará de mau humor ao acordar de manhã e passará o dia todo irritado.

Quando fui até LeTourneau, encontrei mais pessoas indispostas do que jamais tinha visto na vida. Descobri a causa: os funcionários não recebiam o tipo de alimentação apropriada. Então, resolvi ir até Atlanta, onde contratei um nutricionista para organizar um refeitório maravilhoso que lhes oferecesse refeições equilibradas. Instalei uma série de máquinas de desintoxicação, sob supervisão de um médico com quem fizera um acordo de colaboração, as quais possibilitavam a passagem de mais de três litros de água por minuto pelo trato intestinal – mais de duzentos litros por hora –, uma mistura de água com oxigênio e outras substâncias que purificam o interior das pessoas. Alguns homens lá sofriam de enxaquecas, e eu os mandei para a desintoxicação. Em uma hora, eles voltavam para o trabalho cheios de disposição e entusiasmo.

Este não é um assunto para se falar com os amigos na sala de estar, mas aqui somos todos profissionais. Agora você já sabe que, se quer ter um corpo saudável e exercer controle sobre ele, precisa manter o seu trato intestinal em boas condições.

AUTOCONTROLE NA FALA E NO PENSAMENTO

Autodisciplina também significa desenvolver hábitos diários que mantenham a mente ocupada e conectada às coisas e às circunstâncias que desejamos, afastada daquilo que não queremos. Significa que você não aceitará nem se submeterá nunca à influência de qualquer coisa que não queira. Não se subjugue. Talvez você precise tolerar e reconhecer a circunstância, mas não se subjugar a ela, ou aceitar que é mais forte que você. Em vez disso, afirme que você é mais forte. Crie mentalmente um vasto conjunto de operações para lidar com essas situações, mas nunca se subjugue a elas.

Além disso, a autodisciplina implica a construção de três barreiras em torno de si mesmo, para que não saibam nada sobre você ou sobre seus pensamentos. Você gostaria que qualquer pessoa do mundo conhecesse tudo sobre você? Se estiver bem da cabeça, a resposta será não. Gostaria que qualquer pessoa soubesse o que você pensa sobre ela? Tenho certeza de que não.

As pessoas comuns falam demais de si mesmas, muitas vezes incorrendo no erro de permitirem que os outros saibam o que passa na cabeça delas. Basta deixá-las começar a falar. Sabe essas pessoas que disparam a falar e não param mais? Mal começam e você já sabe tudo sobre elas, coisas boas e ruins.

J. Edgar Hoover, com quem trabalhei em diversas ocasiões e trabalho até hoje, às vezes, contou-me que o sujeito investigado é quem mais o ajuda, porque acaba fornecendo mais informações sobre si mesmo do que de todas as outras fontes juntas.

– Por quê? – perguntei.

– Porque as pessoas falam demais – essa foi a resposta exata que ele deu.

Assim que você descobre o que uma pessoa mais teme, descobre exatamente como controlá-la, se for estúpido a ponto de querer controlar alguém assim. Eu não quero controlar ninguém na base do medo. Se controlar alguém, quero que seja na base do amor.

Uma cartomante na Geórgia, altamente psíquica e também uma observadora inteligente, percebia os problemas de alguém pelo tom de voz. Ela era um arraso. As pessoas faziam filas em limusines, Packards e Cadillacs para um encontro com ela ao custo de US$ 5, e a mulher vivia com a agenda lotada.

A cartomante havia organizado um bom esquema; não se pode chamar de esquema porque ela fazia muito bem para aquelas pessoas: não tinha papas na língua. Se descobrisse algo errado com o cliente, falava na hora.

Levaram-me para vê-la porque eu era um incrédulo que dizia que ninguém no mundo entraria na minha mente se eu não quisesse. Um homem falou: "Bom, venha ver por si mesmo".

E fui. Logo que entramos, ela começou a me fazer perguntas, às quais eu respondia, na medida do possível, sempre com um sim ou com um não. Às vezes eu dizia "sem comentários". Eu não lhe daria o prazer. Seria impossível responder a algumas perguntas sem dar mais pistas.

Ela insistiu e começou a suar gotas do tamanho da ponta do meu dedinho, que lhe escorriam do rosto. Eu nunca tinha visto nada assim. A mulher transpirava na tentativa de obter uma pista para entrar na minha mente e, assim que ela conseguisse, sem dúvida me falaria muitas coisas.

Por fim, ela se virou para o rapaz que me acompanhou até lá e disse: "Lee, leve esse homem embora daqui. Não sei nada sobre ele e não vou conseguir descobrir".

E fomos embora. Não sei o que ela achou da situação, mas sei por que não conseguiu dizer nada a meu respeito: não deixei. Você também é capaz de alcançar esse tipo de disciplina. Sei que sim porque eu consegui.

Certa vez, Henry Ford chamou um dos seus funcionários em quem mais confiava, com quem trabalhava havia 35 anos, desde o início da Ford Motor Company. Ford pagou a ele algo equivalente a dois salários adiantados e o demitiu.

O homem queria saber o motivo. Ford disse: "Para ser sincero, não quero por perto ninguém que saiba tudo sobre mim, e você é o único dos meus funcionários nessa situação".

Pode parecer um pouco cruel se você não entender o que Ford tinha em mente: ele não queria por perto ninguém que conhecesse as antigas fraquezas que talvez já nem existissem mais.

Sou um pouco diferente do Sr. Ford. Muitas pessoas que entram em contato comigo me conhecem da época em que eu tinha meus pontos fracos e enfrentava muitas derrotas. Longe de querer que saibam tudo sobre mim, eu me alegro por reencontrá-las, pois acabam descobrindo como melhorei.

10

Cultivo do entusiasmo

Vamos estudar como cultivar o entusiasmo. O primeiro passo para criar entusiasmo se baseia em um desejo ardente. Na verdade, quando você aprende a se elevar a um estado de desejo ardente, nem precisa das instruções sobre entusiasmo, porque já tem a palavra final sobre ele.

Ao querer algo com ardor, você toma a decisão de conquistá-lo. O desejo ardente eleva o seu processo de pensamento e coloca a sua imaginação para pensar em como consegui-lo.

Esse entusiasmo lhe proporciona mais clareza mental. Deixa você mais alerta às oportunidades, permitindo-lhe vê-las como nunca conseguiu antes à medida que sua mente alcança esse estado de entusiasmo, um desejo ardente por algo definido.

ENTUSIASMO ATIVO E PASSIVO

Há dois tipos de entusiasmo: o ativo e o passivo. O que quero dizer com *ativo* e *passivo*? Vou dar um exemplo de entusiasmo passivo. Henry Ford era o sujeito mais desprovido de entusiasmo ativo que já vi na vida. Só o vi rindo uma vez. Quando ele cumprimentava alguém, era como segurar um pedaço de presunto frio. Cabia a você lhe apertar as mãos. Ele só a esticava e, se você deixasse solta, logo a retraía. Nas conversas, a voz dele não ecoava magnetismo algum. Não havia qualquer evidência de qualquer tipo, forma ou modo de entusiasmo ativo.

Então, que tipo de entusiasmo Ford tinha? Com certeza, algum que lhe possibilitou ter um propósito principal tão extraordinário e realizá-lo de forma bem-sucedida. Era um entusiasmo interno, que se transmutava em imaginação, fé e iniciativa pessoal. Ele seguia adiante por iniciativa própria, e acreditava ser capaz de efetivar tudo que quisesse. Mantinha-se alerta e entusiasmado com a fé aplicada por meio do entusiasmo – do tipo passivo –, reservando para si tudo o que ele faria e todas as alegrias que sentia em suas conquistas.

Certa vez, eu lhe perguntei:

– Como você sabe que você vai conseguir fazer tudo o que deseja mesmo antes de começar?

– Por muito tempo – ele me disse –, mantive o hábito de focar a parte do problema que podia resolver. Se tenho um problema, sempre existe algo que posso fazer a respeito. Sou incapaz de fazer muitas coisas, mas, se percebo que consigo, começo por aí. Ao se esgotarem os elementos que posso resolver, aqueles inviáveis simplesmente desaparecem. Quando cheguei a um rio onde eu esperava que houvesse uma ponte, já nem precisava dela, porque o rio, no final das contas, estava seco.

Não é um discurso fantástico? Ele começava com aquilo que podia resolver. Dizia que, se queria lançar um novo modelo de carro ou aumentar a produção, imediatamente colocava a cabeça para funcionar, elaborando planos que o ajudariam. Ele nunca prestava atenção aos obstáculos, porque sabia que, se o plano fosse forte e específico o suficiente, e também amparado em uma fé apropriada, nenhuma contrariedade atravessaria seu caminho quando chegasse lá. Ele disse: "Se você deixar de focar a parte do problema que pode resolver, a parte inviável vai dominar e assumir o controle". Estou citando as palavras dele.

Concordo com tudo que ele falou, porque vivi a mesma situação: se você quer alguma coisa, coloque-se em um estado de entusiasmo incandescente. Comece a trabalhar a partir da situação em que você se encontra. Se conseguir apenas criar uma imagem mental daquilo que você quer, continue tornando-a cada vez mais nítida. Quando tiver usado todas as ferramentas que tem à sua disposição, surgirão outras melhores nas suas mãos. Essa é uma das coisas estranhas da vida, mas é assim que funciona.

CONTROLE DA VOZ

Palestrantes e professores podem expressar entusiasmo recorrendo à própria voz. Uma das minhas alunas, certa noite, durante a aula, fez-me um belo elogio. Ela queria saber se eu tinha participado de algum treinamento, conservação vocal, algo do tipo.

– Não, nada disso – falei. – Fiz um curso para aprender a falar em público há algum tempo, mas segui na direção contrária à ensinada pelo professor. Em outras palavras, tenho o meu próprio método.

– Bom – ela disse –, o senhor tem uma voz incrível, e eu sempre me perguntei se não teria sido treinado rigorosamente para transmitir esse entusiasmo.

– Não, o segredo da minha voz é o seguinte: não importa quem está ouvindo, se é inexperiente ou cínico, ele vai saber que, quando digo algo, acredito nas minhas palavras, sou sincero.

Aí está o melhor controle vocal que conheço: expressar entusiasmo por acreditar que está dizendo exatamente o que deveria dizer e que fará bem a quem ouvir e talvez a você também.

Já vi palestrantes ficarem andando pelo palco, passando as mãos na cabeça e enfiando-as no bolso, cheios de rituais gestuais. Isso só serve para desviar a atenção.

Eu me treinei para ficar em uma única posição, nunca andando pelo palco. Às vezes gesticulo, mas não é sempre. O efeito que pretendo causar, em primeiro lugar e com sinceridade, é que no meu tom de voz transpareça todo o entusiasmo. Se você aprender a fazer isso, terá um trunfo magnífico.

Devemos sentir o entusiasmo antes de conseguir expressá-lo. Não imagino como alguém expressará entusiasmo se estiver de coração partido, angustiado ou em dificuldades.

A DISCIPLINA DO ATOR

Fui a um espetáculo em Nova York em que a protagonista atuou maravilhosamente. Uns três minutos antes de entrar em cena, ela descobriu que seu pai falecera. Não dava de forma alguma para perceber. Ela atuou como achei que seria, sem o menor indício do que acabara de acontecer. Em síntese, aprendeu a ser atriz o tempo todo, dissociada das circunstâncias. Se não fosse assim, nunca seria uma boa atriz.

Um ator de fato é capaz de assumir a forma do personagem e sentir-se como o personagem deve se sentir. Caso se limite a repetir as falas e as palavras que foram escritas para ele, nunca causará uma boa impressão no público; ele precisa viver aquilo que está tentando expressar.

Há atores maravilhosos em todas as áreas, e nem todos estão nos palcos. Existem alguns na vida privada, pessoas que conseguem entrar no papel que estão tentando representar. Elas vivenciam, acreditam, sentem-se confiantes e não têm dificuldades em transmitir entusiasmo aos outros.

O sentimento desempenha um papel importante quando demonstramos entusiasmo. Eleve-se a um estado de ardor, de desejo ardente por meio da autossugestão ou da auto-hipnose.

Você tem medo de hipnose? Pois não deveria, porque a usa todos os dias, conscientemente ou não, o tempo todo, inclusive, às vezes, de forma negativa. Você se hipnotiza para acreditar que é um azarado, que os amigos estão se voltando contra você, que o seu emprego não é tão bom quanto deveria, que você é um sujeito atormentado, que talvez tenha algo de errado com o seu corpo. Em outras palavras, você está se hipnotizando para acreditar em algo que não lhe fará nada bem.

Eu acredito em auto-hipnose de todo o meu coração; acredito em me hipnotizar para conseguir as coisas que quero, e não aquelas que não quero.

Nunca conheci ninguém bem-sucedido, em nenhuma vocação na vida, que não tenha aprendido a arte da auto-hipnose, a arte de se colocar na posição desejada a partir da hipnose. Em outras palavras, acreditar tanto nas coisas que elas não poderiam sair de nenhum outro jeito.

Isso está muito distante da forma como uma pessoa comum recorre à hipnose ou permite que ela a use. A pessoa comum permite que as circunstâncias da vida apareçam e, por meio da autossugestão, hipnotizam-se para acreditar em coisas prejudiciais.

O entusiasmo é um tônico poderoso para todas as influências negativas que o atingem. Se você deseja neutralizá-las, acenda o entusiasmo. Os dois não conseguem ocupar o mesmo espaço ao mesmo tempo. Comece entusiasmando-se com alguma coisa, e eu o desafio a deixar que a cultura de dúvida e os pensamentos de medo se entranhem na sua mente.

ENTUSIASMO NAS CONVERSAS

Quando você começar a desenvolver o entusiasmo nas suas conversas diárias e aprender a ativá-lo ou desativá-lo no momento que quiser, use qualquer pessoa como cobaia. Você não precisa lhe dizer isso, porque ninguém gosta de ser cobaia, mas pode começar imediatamente a testar o tom da voz, colocar um sorriso nas palavras até alcançar um timbre agradável, que desperte no outro a mesma sensação. Às vezes isso só se torna possível quando sua voz estiver baixa; outras vezes, é possível erguer o tom para que as pessoas o ouçam bem e percebam o que você está fazendo.

Em outras palavras, aprenda a injetar entusiasmo nas conversas diárias habituais. Pratique sempre que alguém fizer contato com você. Quando não houver ninguém por perto, procure uma pessoa na rua e comece a conversar com ela. Por que não? Basta ter cuidado com o que você diz. Consigo abordar qualquer pessoa na rua e engatar de imediato uma conversa, mas escolheria bem o assunto, minha forma de aproximação e o tom da minha voz, para não levantar suspeitas de que eu estaria fazendo algo errado.

É maravilhosa essa tarefa de praticar com todas as pessoas com quem você conversa diariamente. Veja o que acontece quando começa a praticar; note que naturalmente você muda o tom de voz. Agirá com a intenção deliberada de provocar um sorriso na outra pessoa ou de fazê-la gostar de você.

Não é bom demonstrar entusiasmo ao falar a uma pessoa o que você acha dela, sobretudo se o que estiver dizendo não for agradável, porque, quanto mais entusiasmado estiver, menos ela vai gostar de você. Ao dizer a alguém o que acha dele, para o seu próprio bem, o melhor é sorrir. Ninguém quer ser repreendido, examinado ou ouvir alguma coisa para o próprio bem, porque as pessoas sabem que há um motivo egoísta nas entrelinhas, ou ao menos pensam que é assim.

Falar no mesmo tom é sempre monótono. Se não conseguir colocar variação, cor e subidas e descidas na inflexão da voz, o discurso soará monótono, e pouco importam a pessoa e o assunto da conversa. Eu posso evitar que você durma lhe fazendo uma pergunta que não estava esperando e deixando que responda a ela, ainda mais se eu colocar entusiasmo no meu tom de voz, variando o tom e mantendo sua curiosidade sobre o que direi em seguida. Esta é uma ótima forma de prender a atenção do público: deixá-lo imaginando o que você dirá em seguida. Se você falar sempre no mesmo tom e sem entusiasmo, o ouvinte vai sair na sua frente, saberá o que você dirá muito antes de fazê-lo. Seja o que for, ele nem vai querer ouvir.

EXPRESSÕES FACIAIS

A expressão facial deve expressar o entusiasmo com um sorriso bem direcionado. Detesto conversar de perto com alguém cuja expressão é sisuda e imutável. Por mais sério que seja o assunto, eu gosto de ver um sorriso suavizando a expressão facial.

Nas suas palestras, o Sr. Stone interrompe muitas vezes a fala para sorrir. Ele tem um sorriso vencedor, que desarma qualquer pessoa, mesmo quando fala algo que ela não quer ouvir. Para isso, ele simplesmente muda a própria expressão facial. É um mestre nisso. Eu não sou um mestre, mas consigo a mesma coisa quando quero.

Há um aspecto de autodisciplina também em conseguir olhar para uma pessoa e fazer com que ela saiba, pelo seu modo de falar e olhar, que você está sendo sincero e dizendo aquilo para o bem dela.

Comece agora a observar as pessoas que expressam entusiasmo nas conversas e também aquelas que não o fazem. Você terá uma bela aula sobre a atratividade na personalidade. Se você encontrar uma pessoa de quem gosta muito, observe-a, descubra o que faz você gostar dela. É provável que seja o entusiasmo, pouco importando o que ela diga ou o tipo de diálogo. Você nunca ficará entediado, pois tudo será tão cativante que você jamais se cansará.

PRÁTICA DIANTE DE UM ESPELHO

Crie hábitos definitivos que o ensinarão a expressar entusiasmo nas conversas cotidianas. Pratique diante de um espelho, converse consigo mesmo caso não encontre ninguém disposto a ouvi-lo. Você ficará surpreso ao descobrir como é interessante conversar consigo e dizer as coisas que quer ouvir. Não diga aquelas que não quer ouvir quando estiver conversando diante de um espelho.

Por anos, eu parava em frente a um espelho e dizia a mim mesmo: "Olha aqui, Napoleon Hill, você admira o estilo de escrita de Arthur Brisbane[23] – toda a clareza, toda a simplicidade da linguagem. Napoleon, você não só chegará ao nível de Arthur, como também irá ultrapassá-lo".

Senhoras e senhores, foi exatamente o que eu fiz quando conversei com aquele sujeito no espelho e o convenci de que era possível.

Não é tolice conversar consigo diante do espelho, mas não se esqueça de fechar a porta do banheiro. Também não fale alto se houver gente por perto, porque provavelmente irão querer chamar o hospício.

Use discernimento em todas essas situações, mas você tem um trabalho de análise aqui e é melhor fazê-lo em particular, em seus pró-

---

23. Arthur Brisbane (1864–1936) foi um dos mais conhecidos editores de jornais americanos do século 20. Também foi investidor imobiliário, redator de discursos, orador e profissional de relações públicas que treinou muitos empresários famosos de sua época.

prios termos e ao seu próprio modo, para não provocar hostilidades dos familiares e de pessoas que o julgam alguém meio estranho.

Se me acharem estranho por eu ter começado a reconstruir a minha personalidade e o meu caráter, então sou mesmo, porque já fiz muito isso, ainda faço e nunca vou parar. Estou melhorando o tempo todo. Ao pensar, ao falar, ao ensinar e ao escrever, e em tudo que faço, quero atingir um alto nível de excelência. A minha formação nunca acaba; está acontecendo o tempo todo.

Enquanto você não estiver maduro, continuará a crescer, mas, quando tiver amadurecido, virá a deterioração. Nunca esgotarei o conhecimento, nunca terei a palavra final sobre qualquer coisa. Sempre aprendo com as pessoas. E aprendo muito mais com meus alunos do que eles comigo, pois existem centenas deles com quem posso aprender, e eles só têm um de mim. Mas não aprenderia nada se não tivesse a mente aberta, se não tentasse aprender com eles o tempo todo.

REDAÇÃO DE UMA PALESTRA

Para ensinar a ciência do sucesso, escreva uma palestra inteira sobre cada um dos dezessete princípios do sucesso e pratique por meio da leitura entusiástica. Escreva exatamente como você falará para as outras pessoas. Não vai demandar muito tempo. Mesmo que leve uma hora, ou muitas horas por dia, ou quem sabe dois ou três dias, chegará o momento em que essas palestras valerão muito dinheiro. Chegará um momento em que você poderá reunir essas leituras em um livro que virará *best-seller*.

Escreva boas palestras sobre os dezessete princípios para ter ideias e exemplos próprios. Você se surpreenderá com os resultados mais tarde, pois o auxiliarão não apenas nas aulas, mas também de muitas outras maneiras.

Quando começar a escrever as próprias palestras, será de fato doutrinado nesta filosofia. Você só sentirá o pleno benefício dela ao ensiná-la, escrever e falar sobre ela.

Há muito tempo, logo que iniciei minhas palestras, simplesmente falava às pessoas o que fazer, mas que eu mesmo não praticava. Até que um dia a auto-hipnose me conquistou e comecei a acreditar no que falava. Por quê? Porque vi que funcionava para os outros. Descobri que a minha filosofia era boa, aliás, muito boa, e, portanto, eu também deveria usá-la. A partir daí a vida começou a dar os frutos que eu tanto queria.

Ao expressar entusiasmo nas conversas do dia a dia, observe como os outros são contagiados pelo seu entusiasmo e passam a refleti-lo como se fosse deles. Você consegue mudar a atitude de qualquer pessoa com quem tenha algum tipo de relação mental apenas se colocando em um estado de entusiasmo. Ele é contagiante: as pessoas o sentem e o refletem como se viesse delas. Todos os grandes vendedores entendem isso e, se não entendem, não são nem vendedores medianos, na medida em que não sabem encantar o cliente com entusiasmo, seja lá o que estiverem vendendo. O princípio funciona da mesma forma se você estiver vendendo a si mesmo ou algum serviço, produto ou mercadoria.

Vá a uma loja e escolha um vendedor que conheça bem o negócio. Você verá que ele não só mostra uma mercadoria, mas também dá informações em um tom de voz que o impressiona.

No entanto, a maioria dos vendedores nas lojas não são de fato vendedores, mas meros anotadores de pedidos. Já os ouvi muitas vezes dizerem: "Eu vendi muito hoje". Ouvi um homem contar quantos exemplares de jornais ele vendera em um dia: nenhum. Apenas tinha exposto a mercadoria, as pessoas passavam, entregavam-lhe o dinheiro e levavam o jornal embora. Isso não é venda; resume-se à exposição de uma mercadoria que as pessoas podiam pegar e comprar. E ele se achava um vendedor, e dos bons.

É certo que esse é um caso extremo, mas vemos muita gente que só embala o produto, pega o dinheiro e acha que fez uma venda. Não fizeram, porque a compra coube ao cliente, coisa que um bom vendedor não faz. Você vai comprar uma camisa e, antes de sair da loja, ele lhe terá vendido algumas cuecas, meias, uma gravata e um cinto novo bacana. Isso aconteceu comigo uns dois dias atrás. Eu não precisava de um cinto, mas o vendedor me mostrou um muito bom, e acabei comprando-o mais por conta da personalidade do homem que falava sobre o produto. Também não estou imune a isso.

TRANSMUTAÇÃO DE CIRCUNSTÂNCIAS DESAGRADÁVEIS

Ao deparar-se com circunstâncias desagradáveis, aprenda a transmutá-las em um sentimento agradável, repetindo o seu propósito principal com muito entusiasmo. Em outras palavras, quando qualquer tipo de circunstância desagradável cruzar o seu caminho, em vez de ficar se preocupando ou permitindo que o fato ocupe o seu tempo com arrependimentos, frustrações ou medos, pense nas coisas que ainda vai realizar. Comece pensando naquilo que mais desperta o seu entusiasmo, e use-o para as coisas que você deseja, e não para aquelas que acabou de perder em alguma derrota.

Muitas pessoas permitem que a morte de um familiar ou ente querido as torne negligentes; algumas perdem o rumo. Meu pai faleceu em 1939, e eu sabia que ele iria falecer. Estávamos cientes do estado de saúde dele e sabíamos que era apenas uma questão de tempo. Então, treinei a minha mente para que a morte não me perturbasse ou causasse qualquer reação emocional em mim.

Recebi uma ligação do meu irmão em uma noite na minha propriedade na Flórida. Pessoas muito distintas me visitavam, com as quais dialogava sobre o mercado editorial. A governanta entrou e disse que meu irmão queria falar comigo ao telefone. Fui até o quarto e conversamos por três ou quatro minutos.

Ele me contou que nosso pai havia falecido e que o velório aconteceria na sexta-feira seguinte. Conversamos brevemente sobre outras coisas. Agradeci a ele por ter ligado e voltei para as visitas. As pessoas, até mesmo muitos dos membros da minha família, só ficaram sabendo do fato na manhã seguinte. Não emiti nenhuma manifestação de sofrimento ou algo assim. De que adiantaria? Eu não poderia salvá-lo. Ele estava morto. Por que me acabar em sofrimento por uma situação pela qual eu não poderia fazer nada?

Talvez você diga que fui insensível. Não, não fui. Sabendo que aquilo aconteceria, eu me preparei para que não destruísse a minha autoconfiança ou me causasse a sensação de medo. Em assuntos tão sérios, aprenda a se imunizar para não ficar perturbado emocionalmente.

A perturbação emocional o leva a deixar de ser você mesmo. Então, não digere bem o seu alimento, não se alegra, nada dá certo. As coisas conspiram contra você quando se encontra nesse estado de espírito, e não quero que as coisas venham contra mim. Não quero perder a minha saúde. Quero ser bem-sucedido, saudável, e quero que as coisas venham até mim; a única forma de isso acontecer é impedindo que algo perturbe as minhas emoções.

Acho que ninguém é capaz de amar com tanta intensidade e frequência quanto eu, mas, se eu estivesse diante de um amor não correspondido (e isso me aconteceu uma vez), poderia ficar perturbado de verdade, mas não foi o que aconteceu. Por quê? Porque tenho autocontrole, porque não deixo nada comprometer o meu equilíbrio.

Eu não queria que meu pai morresse, mas, como ele já estava morto, não havia nada que pudesse fazer. Não adiantaria de nada eu morrer também. Já vi pessoas morrerem com outra pessoa que havia morrido.

Meu exemplo, ainda que extremo, evidencia que precisamos aprender a nos preparar para as circunstâncias desagradáveis da vida sem nos deixar abater. O jeito é desviar nosso foco das coisas desagradáveis, direcionando-o para algo agradável e que nos possibilite retomar todo o nosso entusiasmo.

Quando as pessoas disserem que você é estranho, deixe que falem, pois, afinal de contas, a sua vida não deve ficar em mãos alheias. Talvez uma parte fique, mas não deveria. Você tem direito a ter pleno controle dela.

Lembre-se daqui por diante de que o seu dever consigo exige que faça todos os dias alguma coisa para aprimorar a manifestação do seu entusiasmo, em qualquer situação. Já mencionei algumas, mas não todas. Talvez a partir da sua situação e da sua relação com outras pessoas descubra algo que eleve o seu entusiasmo de forma que beneficie cada vez mais pessoas.

11

Pensamento aguçado

Esta lição é sobre pensamento aguçado. É maravilhoso ser capaz de analisar fatos, pensar minuciosamente e tomar decisões baseadas em um pensamento aguçado, e não em impressões emocionais. A maioria das decisões tomadas – por você, por mim e por todo mundo – se baseia nas coisas que desejamos ou que sentimos, e não necessariamente em fatos. Quando se trata de confrontar as suas impressões emocionais – as coisas que você quer fazer – com aquelas que a sua cabeça lhe diz para fazer, qual acha que sai ganhando?

A emoção. Você talvez diga que a cabeça nunca tem uma chance. Por que ela não é ouvida com mais frequência? A maioria das pessoas não pensa; só acha que pensa.

Há certas regras simples que podem ser aplicadas. Esta lição aborda cada uma delas, visando ajudá-lo a não cometer o erro comum de pensar sem clareza, fazer julgamentos precipitados e se deixar levar pelas emoções.

Na verdade, emoções não são nada confiáveis. Veja, por exemplo, o sentimento amoroso: é a mais significativa das emoções e, ao mesmo tempo, a mais perigosa. Talvez a maior dificuldade nas relações humanas nasça, mais do que de todas as outras coisas juntas, de uma incompreensão do amor.

RACIOCÍNIO E LÓGICA

Vejamos o que significa pensamento aguçado. Em primeiro lugar, há três grandes princípios básicos: o primeiro é o *raciocínio indutivo*, baseado em suposições de hipóteses ou em fatos desconhecidos. O segundo, o *raciocínio dedutivo*, baseia-se em fatos conhecidos ou naquilo que se acredita serem fatos. O terceiro, a *lógica*, envolve a orientação de experiências passadas similares às que estão sendo consideradas.

O raciocínio indutivo se baseia em suposições de hipóteses ou em fatos desconhecidos. Você não conhece os fatos, mas presume a existência deles e aí respalda a sua opinião. Assim, precisa ficar de dedos cruzados e pronto para mudar de decisão a qualquer momento, afinal, o seu raciocínio corre o risco de não se provar correto, uma vez que está se baseando em fatos presumidos.

O raciocínio dedutivo se baseia em fatos conhecidos ou naquilo que se acredita serem fatos conhecidos. Você dispõe de todos os fatos e, a partir deles, pode deduzir fazer certas coisas para o seu próprio bem ou para a realização dos seus desejos. Esse é o tipo de pensamento que deveria nortear a maioria das pessoas, mas elas não são muito boas nisso.

FATO X FICÇÃO

O pensamento aguçado demanda que se deem dois passos. Primeiro de tudo, distinguir fato de ficção ou de boatos. Antes de começar a pensar em qualquer coisa, descubra se está lidando com fatos ou com ficção, indícios reais ou aqueles que não passam de rumores. Se você estiver lidando com boatos, seja extremamente cuidadoso e mantenha a mente aberta para não chegar a uma decisão final antes de analisar os fatos com muita prudência.

Em segundo lugar, separe os fatos em duas categorias: relevantes e irrelevantes. Você se surpreenderá ao ouvir que a vasta maioria dos fatos com que lidamos no dia a dia – estou falando de fatos, não de boatos nem de hipóteses – é relativamente irrelevante.

Vejamos o significado de um fato relevante. É possível pressupô-lo a partir de qualquer fato com potencial para ser usado como vantagem para a realização do nosso propósito principal ou qualquer desejo secundário que leve à conquista dele. Isso é um fato relevante.

Acredito que eu não estaria muito errado se dissesse que a maioria das pessoas gasta mais tempo com fatos irrelevantes, que não se relacionam com o progresso delas, do que com fatos que as beneficiariam. Os curiosos, fofoqueiros e indivíduos que se metem na vida dos outros passam muito tempo pensando na vida alheia e falando sobre isso, em meio a conversas fiadas e fatos mesquinhos. Se você os observar sob o prisma adequado, verá que eles não lhe trarão qualquer benefício, independentemente de como possam ser usados.

Se duvidar das minhas palavras, vá anotando os fatos com os quais lida durante um dia inteiro, some-os e veja quantos deles eram realmente importantes. Talvez seja melhor fazer isso em um domingo ou um dia de folga, quando não estiver ocupado ou trabalhando, porque é aí que uma mente ociosa começa a se ocupar de fatos irrelevantes.

OPINIÕES SEM VALOR

Opiniões quase sempre são desprovidas de qualquer valor, na medida em que se baseiam em vieses, preconceitos, intolerância, conjecturas ou boatos. Praticamente todos têm um monte de opiniões sobre quase tudo no mundo, por exemplo, sobre a bomba atômica, sobre o futuro e por aí vai, embora não saibam nada do assunto. Tenho certeza de que eu não sei. Você e eu temos uma opinião a respeito. Para mim, essa bomba nunca deveria ter sido inventada; é odiosa. Fora isso, não tenho nenhuma opinião porque não há nada em que me basear.

É surpreendente descobrir quantas pessoas formam opiniões sem qualquer tipo de respaldo, a não ser sentimentos, palavras que lhes disseram, notícias no jornal ou mesmo influências alheias. A maioria das nossas opiniões resulta de influências sobre as quais não temos nenhum controle.

Conselhos oferecidos gratuitamente por amigos e conhecidos em geral não são dignos de consideração, porque não se baseiam em fatos ou então se misturam à conversa fiada. O tipo de aconselhamento mais pertinente vem de um especialista no assunto em questão, pago para prestar esse serviço.

Não busque aconselhamento gratuito. Falando nisso, quero contar o que aconteceu com um aluno meu – antes meu amigo e depois aluno – lá da Califórnia. Por três anos, ele costumava ir à minha casa aos finais de semana e ficar por umas três ou quatro horas, que geralmente me renderiam US$ 50, embora eu não cobrasse dele por ser meu amigo. Ele recebia de mim três ou quatro horas de aconselhamento gratuito, ainda que ele não ouvisse uma palavra minha.

Essa situação se prolongou por três anos. Por fim, ele chegou certa tarde e eu disse: "Olhe aqui, Elmer. Estou lhe dando aconselhamento gratuito há três anos e você não ouviu uma maldita palavra que eu disse. Portanto, só vai valorizar meus conselhos se começar a pagar por eles. Vamos lançar agora a nossa Masterclass. Por que não se inscreve, como o restante das pessoas, para que assim se comprometa a receber algum benefício?".

Ele tirou o talão de cheques, pagou-me pela Masterclass e completou-a. E mais, os seus negócios começaram a prosperar a partir daquele momento. Eu nunca tinha visto alguém se desenvolver e crescer tão rápido. Depois de pagar uma generosa quantia para receber aconselhamento, ele começou a ouvir os conselhos e colocá-los em prática.

Assim é a natureza humana. Conselhos grátis valem exatamente o que custam; tudo no mundo vale exatamente o que custa. Amor e amizade, terão eles algum preço? Tente conquistar amor e amizade sem pagar e veja aonde você vai chegar, pois são as duas coisas que você só pode receber se der, ou seja, só receberá amor de verdade se der amor de verdade. Se tentar se aproveitar para obter amor e amizade sem dar nada em troca, a sua fonte logo secará.

O RECURSO MAIS VALIOSO

Os pensadores mais astutos não permitem que ninguém pense por eles. Como tantas e tantas pessoas deixam que as circunstâncias, as influências, o rádio, a televisão, os jornais, os parentes e outras pessoas pensem por elas? Esse percentual é bem alto.

Se eu tenho um recurso de que mais me orgulho, e tenho, ele não tem nada a ver com dinheiro, contas no banco, títulos, ações ou qualquer coisa do gênero. É muito mais precioso: aprendi a observar todas as evidências, reunir todos os fatos, de todas as fontes, e então agregá-los ao meu próprio modo e ter a palavra final para formar a minha opinião.

Isso não significa que sou um sabe-tudo, que sou um incrédulo ou que não aceito conselhos. Certamente, eu os busco, mas, depois de ouvi-los, decido o que vou aceitar e o que vou rejeitar. Quando tomo uma decisão, ninguém pode dizer que não é uma decisão tomada por Napoleon Hill. Ainda que esteja errada, é a minha decisão, eu a tomei e ninguém me influenciou.

Isso não significa que sou insensível ou que não sofro influências dos meus amigos. Mas eu decido o nível de influência que eles exercem sobre mim e minha reação diante delas. Com certeza, eu jamais permitiria que um amigo me influenciasse de forma a prejudicar outra pessoa só porque ele quer. Já tentaram isso muitas vezes. Nunca permiti.

E ainda lhe digo que, segundo minha visão, os anjos no céu choram de emoção quando descobrem que alguém pensa por conta própria e não deixa que parentes, amigos, inimigos e outras pessoas o façam mudar de ideia.

Destaco isso tendo em vista que a maioria das pessoas nunca assume controle sob a própria mente. Apesar de ser o recurso humano mais precioso e a única coisa que o Criador nos deu sob a qual temos pleno controle, é também a única coisa que as pessoas quase nunca descobrem nem usam. Em vez disso, elas preferem permitir que outros as joguem de um lado para o outro como se fossem uma bola de futebol.

Não sei por que o nosso sistema educacional não conta às pessoas que elas têm o melhor recurso do mundo, o qual satisfaz todas as suas necessidades: o privilégio de usar a própria mente, pensar por conta própria e dirigir tais pensamentos a quaisquer objetivos escolhidos.

As pessoas não sabem que têm isso nas mãos. O sistema educacional não é adequado. Saiba que esta filosofia, aonde quer que chegue, fomenta o desabrochar das pessoas. Ela faz diferença, pois entra sem se deixar notar, e as pessoas se descobrem possuidoras de uma mente que podem usar para o que quiserem. Não direi que todos imediatamente assumem o controle da própria mente. Não, isso acontece aos poucos. Mas as circunstâncias da vida começam a mudar porque as pessoas descobrem seu grande poder mental e começam a usá-lo.

"EU LI NO JORNAL"

Não é seguro formar opiniões com base em reportagens de jornal. "Eu li no jornal" é uma observação introdutória que geralmente estigmatiza o emissor como alguém que faz julgamentos precipitados. "Eu li no jornal", "eu ouvi dizer", "dizem por aí", com que frequência você ouve essas expressões? "Dizem isso e aquilo": quando ouço alguém falando assim, quase sempre coloco um tampão e não escuto mais nada, porque sei que não vale a pena. Se alguém começa a me informar e cita a fonte dizendo "eu li no jornal" ou "dizem que" ou "ouvi dizer", não presto a mínima atenção. Não porque o que estão dizendo não possa ser verdadeiro, mas porque sei que a fonte não é verossímil e, portanto, talvez a afirmação também não o seja. Futriqueiros e fofoqueiros, além de não serem fontes confiáveis, também se caracterizam pela parcialidade. Quando ouvimos uma pessoa falar de outra em tom depreciativo – conheçamos ou não a outra pessoa –, já nos colocamos em alerta. Cabe a nós a responsabilidade de estudar e analisar muito bem tudo que é dito, pois sabemos que vem de uma pessoa parcial.

O cérebro humano é maravilhoso. Encanta-me a inteligência do Criador por dar ao ser humano todo o equipamento e o maquinário para que ele identifique mentiras e distinga a mentira da verdade.

Há um quê sempre presente na mentira: está bem ali, dá para perceber, dá para sentir. O mesmo vale para a verdade. Nem mesmo o melhor ator mais do mundo conseguirá enganá-lo se você usar a sua inteligência inata para julgar quaisquer afirmações.

De igual modo, analise as observações elogiosas tão atentamente quanto analisa qualquer outra. Por exemplo, se eu recomendar alguém para uma vaga de emprego e enviar uma carta de recomendação cheia de elogios, ou fizer uma ligação para argumentar sobre as excepcionais qualidades da pessoa, se você estiver com o pensamento aguçado, notará que estou forçando a barra e tomará muito cuidado. Sugiro uma pequena investigação por conta própria.

Não quero que você vire um cínico ou incrédulo, mas estou tentando chamar a sua atenção para a necessidade de usar o cérebro que Deus lhe deu, pensar com clareza e buscar os fatos, ainda que não sejam exatamente os que você quer encontrar.

GOLPES

Muitas pessoas se enganam, e não há nada pior neste mundo do que se enganar. Como diz o provérbio chinês: "Se uma pessoa me engana uma vez, a culpa é dela, já se ela me engana a segunda, a culpa é minha".

Conheço pessoas que já foram enganadas diversas vezes, sempre pelo mesmo truque, tão velho que chega a ter rugas. Golpes como este, por exemplo: alguém vai até uma mulher em uma loja de departamentos e diz: "Olha aqui, acabei de achar US$ 500. Agora me mostre a mesma quantia; se você a tiver, eu lhe dou metade do valor". Em algum tipo de truque de mágica, a mulher pega o dinheiro e coloca no pacote, achando que vai ficar com a soma dos valores. No entanto, quando ela chega em casa, descobre que nos dois pacotes só existem papéis. A outra pessoa, o charlatão, já se foi com o dinheiro. Isso vem acontecendo há anos.

É de se imaginar que banqueiros, por exemplo, são tão astutos que nenhum golpista conseguiria aproximar-se deles. Conversei com um dos maiores charlatães do mundo, Barney Birch – não sei o que aconteceu com ele, mas costumava atuar em Chicago. Eu o conheci e o entrevistei em diversas ocasiões, perguntando-lhe certa vez quem eram as vítimas mais fáceis. Ele disse: "Banqueiros, porque se acham muito espertos".

Os desejos geralmente estão muito distantes da realidade dos fatos, e a maioria das pessoas tem o péssimo hábito de presumir que os fatos se alinham aos desejos. Portanto, olhe-se no espelho quando estiver procurando alguém com capacidade de pensar de forma aguçada.

Coloque-se sob suspeita. Porque, se você deseja que algo seja verdadeiro, muitas vezes vai presumir que é e agir como se fosse.

Nós todos gostamos de conhecer e de nos relacionar com pessoas que concordam conosco. É da natureza humana. Entretanto, muitas vezes aqueles com quem você se relaciona, sempre concordantes e agradáveis, acabam chegando a um ponto em que se aproveitam de você.

Se você ama alguém, faz vista grossa aos defeitos. Precisamos nos policiar com relação àqueles que mais admiramos até que eles provem o que são, porque já admirei muitas pessoas que acabaram se revelando muito perigosas.

Na verdade, acredito que grande parte dos meus problemas no passado ocorreu pelo fato de eu confiar demais nas pessoas e deixá-las usar o meu nome, às vezes de forma imprudente. Umas cinco ou seis vezes na minha vida, confiei nelas porque as conhecia, eram legais e diziam e faziam coisas de que eu gostava. Cuidado com esse tipo de sujeito, porque você tenderá a menosprezar os defeitos dele.

Não seja tão severo com aqueles que pisam no seu calo e provocam sua autoanálise. Talvez sejam eles os seus amigos mais importantes, alguém que talvez o irrite, mas faz você se analisar com atenção.

Há muita informação por aí. Grande parte é grátis, mas os fatos costumam ser impalpáveis e quase sempre há um preço mínimo a pagar por eles: um trabalho meticuloso para verificar se são confiáveis.

"COMO É QUE VOCÊ SABE?"

A pergunta "Como você sabe?" é a preferida de quem pensa. Quando alguém de fato pensante ouve uma afirmação inaceitável, imediatamente pergunta: "Como é que você sabe? Qual a sua fonte de informação?".

Se você tem uma dúvida, por mínima que seja, e pede a alguém que identifique a fonte da informação, colocará a pessoa em apuros, pois ela não conseguirá responder. Se você lhe perguntar como ela sabe daquilo, a resposta em geral será: "Bom, eu acho que é assim". Que direito você tem de achar algo sem embasamento, sem contextualização?

Eu acredito em Deus. Muitos acreditam, ainda que não consigam citar qualquer prova da Sua existência. Tenho provas. Quando afirmo que acredito em Deus e você diz "Como é que você sabe?", posso provar. Não tenho tantas provas sobre qualquer outra coisa do mundo quanto sobre a existência de um Criador, porque a ordem do universo não se perpetuaria até o fim dos tempos sem uma causa primeira, um plano subjacente. Sabemos que isso é absolutamente verdadeiro. Ainda assim, a maioria das pessoas se compromete a provar a presença de Deus de maneiras desonestas que, para mim, não constituem prova alguma. Qualquer coisa que existe, inclusive Deus, pode ser provada, e, se não há nada que a comprove, é seguro presumir que não existe.

A lógica é maravilhosa. Quando não houver fatos disponíveis para fundamentar uma opinião, um julgamento ou um plano, recorra à lógica. Ninguém nunca viu Deus, mas a lógica diz que Ele existe; é necessário que exista, caso contrário, não estaríamos aqui. Se estamos, a razão se assenta em uma causa primeira, uma inteligência mais elevada do que a nossa.

Há momentos em que você tem a sensação de que algumas coisas são verdadeiras e outras não. Honre esse palpite, pois provavelmente é a inteligência infinita tentando aflorar.

Se algum de vocês se levantasse e dissesse "O meu objetivo principal é ganhar US$ 1 milhão neste ano", o que eu diria se você conseguisse? Qual seria a primeira pergunta que eu faria?

Como você vai conquistar esse dinheiro todo? Vou querer ouvir o seu plano e saber o que pretende fazer. Em primeiro lugar, levarei em conta a sua capacidade de ganhar US$ 1 milhão e descobrirei o que vai dar em troca para alcançar seu propósito. Então, regido por minha lógica, direi se o seu plano é provável, viável e prático. Esse processo não exige um raciocínio excepcional, mas é muito importante cumpri-lo.

Acredito nos meus alunos, eu os amo e os respeito. Se algum deles se levantasse e me dissesse que vai ganhar US$ 1 milhão no ano que vem, eu diria: "Muito bem. Agora, sim. Agora você vai conseguir"? Você saberia imediatamente que eu estaria mentindo. Se eu dissesse tal coisa, você concluiria que não tenho nem ideia do que estou falando, ou então que não estou falando a verdade.

Digamos que eu tenha dito: "Ótimo, espero que você esteja certo. Agora vejamos como vai conseguir. Sente-se aqui e me conte o seu plano". Eu analisaria você, o seu plano, as suas competências, as suas experiências passadas, as suas realizações. Analisaria as pessoas que vão ajudá-lo a ganhar US$ 1 milhão. Com tudo pronto, eu poderia dizer "Certo, provavelmente você vai conseguir", ou poderia destacar que demoraria mais do que um ano, como você falou que levaria, talvez dois ou três.

E, de novo, talvez eu diga que você não conseguirá de jeito nenhum. Se o meu raciocínio me dissesse que essa é a resposta, eu a diria de imediato. Alguns dos meus alunos já me fizeram propostas que recusei, dizendo-lhes que abandonassem a ideia porque seria perda de tempo. Outros alunos me trouxeram ideias maravilhosas. Um deles, sentado nesta plateia hoje, eu recomendei a um dos maiores engenheiros consultores do país, que lhe deu respostas. Não emiti apenas uma opinião aleatória sobre as ideias dele, mas o encaminhei a uma consulta com um especialista, a fim de obter informações detalhadas e, provavelmente, ajuda para colocar suas ideias em prática.

É assim que se pensa com rigor, não permitindo o domínio das emoções. Se eu permitisse às minhas emoções pensarem por mim, diria aos meus alunos que eles vão conseguir fazer qualquer coisa a que se proponham.

Agora vamos abordar esta famosa máxima ou epigrama que você já ouviu muitas vezes na minha aula: "Tudo que a mente pode conceber e acreditar, ela pode conquistar".

Não interprete mal a minha afirmação entendendo que tudo que a mente pode conceber e acreditar, ela *vai* conseguir. Eu disse *pode* conseguir. Entende a diferença entre essas duas afirmações? *Pode* não quer dizer que você *vai*. É responsabilidade sua, como bem sabe. Na medida em que você é dono da própria mente, na medida em que intensifica a sua fé, a sensatez das suas opiniões e dos seus planos, todos esses fatores, tudo se traduz em como você coloca a máxima em prática: "Tudo que a mente pode conceber e acreditar, ela pode conseguir".

DISTINÇÃO ENTRE FATOS E FICÇÃO

Vejamos agora como funciona a minha prova de fogo para diferenciar fatos de informações. Em primeiro lugar, avalie com muito cuidado tudo o que lê nos jornais ou ouve no rádio, e crie o hábito de nunca assumir uma verdade apenas porque leu ou ouviu alguém falar em algum lugar. Declarações com meias-verdades geralmente são, por negligência ou por intenção, ornamentadas para transmitir um significado equivocado. Uma meia-verdade é mais perigosa do que uma mentira escancarada, porque é capaz de enganar alguém que acredita estar lidando com toda a verdade.

Avalie com cuidado tudo o que você lê nos livros, seja lá quem os escreveu, e nunca aceite como verdadeiro o trabalho de qualquer escritor sem fazer as seguintes perguntas e se convencer das respostas. Essas regras se aplicam a palestras, afirmações, discursos, conversas e tudo mais.

Em primeiro lugar, o autor, palestrante, professor ou qualquer pessoa que esteja fazendo a declaração é uma autoridade reconhecida no assunto?

Imagine que vá direcionar a pergunta a mim. Você está fazendo o curso, pagou um valor significativo por ele e está dedicando um bom tempo para assistir às aulas, que valem dinheiro. Não seria péssimo se, concluído o curso, você descobrisse que não sou uma autoridade no assunto? Seria péssimo se você descobrisse que esta filosofia não é plausível e não funciona. Seria uma enorme decepção, não é? Eu também me decepcionaria caso você descobrisse isso.

Vamos me colocar sob o microscópio e ver como eu me sairia no teste sobre a minha ciência do sucesso, se ela é consistente e confiável. Quais as provas sobre a sua eficácia?

Em primeiro lugar, é muito fácil determinar se esta filosofia já se disseminou pelo mundo. Ela foi publicada e tem ampla distribuição em praticamente todos os países civilizados da Terra, foi aceita e transmitida pelas cabeças mais brilhantes que este mundo já criou – não só uma centena, mas milhares delas. Ninguém, em momento algum, em lugar algum, encontrou qualquer falha nela.

Você sabe muito bem que, em razão da natureza das pessoas, se houvesse qualquer falha nesta filosofia, já a teriam encontrado. Descobriram muitas falhas em Napoleon Hill e ninguém hesitou em apontá-las, mas nenhuma nesta filosofia. Portanto, Napoleon Hill é uma autoridade, pois há quarenta anos ele dedica seu tempo transmitindo os conhecimentos adquiridos por quinhentos dos homens mais notáveis do mundo. É daí que vem a informação. De homens que a praticaram por meio do método de tentativa e erro.

O fato de a filosofia ter sido aceita e ainda ter tornado milhares de pessoas bem-sucedidas – não só em termos financeiros, mas também de muitas outras formas – em todo o mundo é uma prova de que Napoleon Hill, enquanto autor de *A ciência do sucesso*, é uma autoridade.

É assim que se constata, e não de acordo com o que você acha de mim, se me estima ou não, porque uma coisa não se relaciona com a outra. Constata-se que alguém é uma autoridade pelos trabalhos da pessoa e pelos efeitos deles sobre os outros.

MOTIVOS OCULTOS

Seguindo o raciocínio, o escritor ou palestrante tem algum motivo oculto ou de interesse particular além de compartilhar informações precisas? O motivo que leva alguém a escrever um livro, dar uma palestra ou fazer uma declaração, em público ou em particular, é muito importante. Se você apreende a motivação implícita na fala de alguém, é possível dizer se a pessoa está sendo verdadeira.

Por exemplo, na semana passada deixei que um homem falasse comigo por duas horas, a maior parte do tempo sobre si mesmo, fazendo-se excelentes recomendações. Acho que ele não pensou que estava se vendendo para a nossa empresa, mas era exatamente o que tentava fazer, com uma isca muito bem preparada. Começou me contando que tinha todos os livros que eu escrevi, que sabia alguns de cabeça e que era um dos meus maiores admiradores, o que não o colocou em maus lençóis logo de início. Com o passar do tempo, ele forçou a barra e se encaminhou para uma direção que eu já antevira, pois começou a se gabar sobre seu brilhantismo na aplicação desta filosofia e sobre como seria brilhante também ensinando-a.

Nesse ponto, acionei o freio. Fiz a ele algumas perguntas, por exemplo, se já tinha ensinado esta filosofia. Não, nunca, mas tinha certeza de que era capaz de fazê-lo, por conhecê-la muito bem. Ele tinha um motivo oculto, então desconsiderei muitas das coisas que falou sobre si.

Na melhor das hipóteses, eu as deixei em suspenso. Não engoli o que ele disse, pois era uma testemunha parcial, já que estava se vendendo.

PROPAGANDA

Prosseguindo, o escritor é um divulgador pago cuja profissão é a de influenciar a opinião pública? Atualmente, é de nossa responsabilidade ficar sempre atentos ao que é propaganda. Com essas organizações, sobretudo aquelas com nomes pomposos, como "a empresa de alguém e para alguma coisa dos Estados Unidos", devemos ficar de olho nelas, na medida em que muitas se mostraram boas de propaganda, mas não apoiam de fato o estilo de vida americano; na verdade, são subversoras dele. Os russos soltaram no mundo um grupo de inteligentes colunistas e propagandistas diferentes de tudo que já se viu. Foi assim que eles dominaram um país após o outro, chegando ao controle de provavelmente dois terços do mundo sem nenhuma arma de fogo, enquanto o resto parece paralisado e incapaz de agir.

Somos capazes de ver os resultados da difusão descontrolada da propaganda. O escritor tem algum interesse, ou lucra de alguma forma, com o assunto sobre o qual escreve? Quando você descobre a motivação de uma pessoa, não importa o que ela esteja fazendo, será impossível ser enganado, tendo em vista que conseguirá farejar. O escritor é uma pessoa de bom senso e não um fanático no assunto sobre o qual escreve? Já vi muitas pessoas cujo interesse beira o fanatismo, como Karl Marx, Lenin ou Trotsky ou qualquer um desse grupo que apoia o comunismo. O interesse deles é exacerbado. Não tenho dúvidas de que nos acham errados e eles certos. Não tenho dúvidas de que acreditam piamente no que estão fazendo, e precisam de fato acreditar para levar as coisas adiante. Antes de acreditar na doutrina deles, vou me ater à minha própria opinião e analisá-los, não pelo que dizem, mas pelo que fazem às pessoas sujeitas a eles.

Você não deve me julgar pelo tipo de gravata que uso, pelo tipo de terno que visto, pelo jeito como corto meu cabelo ou pela minha bela oratória. Julgue-me pela influência que exerço nas pessoas, analisando se ela é boa ou má. Julgue a mim e a qualquer um desse modo.

Talvez você não goste do posicionamento político ou religioso de uma pessoa, mas, se ela está fazendo um bom trabalho, ajudando pessoas e não causando mal algum, não ligue para os seus posicionamentos. Não a condene caso esteja fazendo o bem.

Antes de aceitar declarações alheias como fatos, avalie a motivação que as impeliu. Avalie também a reputação do autor quanto à verdade e autenticidade e observe com todo o cuidado todas as declarações de pessoas com fortes motivações ou objetivos que desejam atingir por meio do que dizem. Seja igualmente cuidadoso ao aceitar como fatos declarações de pessoas exageradas, com o hábito de deixar a imaginação correr solta. Aprenda a ser zeloso e use o bom senso, não importa quem estiver tentando influenciá-lo. Use o seu bom senso na análise final.

ACONSELHAMENTO ESPECIALIZADO

O que fazer quando não se pode confiar no próprio bom senso? Há uma resposta para isso nesta filosofia?

Certamente. Muitas vezes um indivíduo não pode confiar no próprio bom senso porque não conhece bem as circunstâncias com as quais está lidando. Nesse caso, precisa consultar alguém mais experiente, com outro tipo de formação e uma cabeça mais aguçada para analisar a situação.

Por exemplo, você acha possível o progresso de uma empresa que conta apenas com bons vendedores? Imagina algo assim? Já conheceu alguma empresa nessa condição? Você precisa de pessoas confiáveis, que controlem o patrimônio da empresa e evitem que ele se esgote no momento errado, da forma errada. Precisa também de alguém que execute tarefas desagradáveis, alguém que abra caminhos, elimine deles os empecilhos e dedique-se de fato à conquista dos objetivos. Eu não gostaria de ser essa pessoa. Não gostaria de ser um faz-tudo, mas certamente gostaria de contar com pessoas assim na minha empresa se ela fosse muito grande.

Ao procurar conhecer fatos por meio de outras pessoas, não lhes diga o que pretende descobrir. Se eu dissesse: "A propósito, você tinha um funcionário chamado John Brown que se candidatou a uma vaga comigo. Acho que é uma pessoa incrível. O que você acha?". Se o John Brown tiver algum defeito, certamente não é com esse tipo de pergunta que vou descobrir, certo?

Se eu quisesse mesmo descobrir alguma coisa sobre algum ex-funcionário de sua empresa, não obteria essa informação de você, mas de uma companhia de crédito que me apresentaria um relatório impessoal sobre o ex-funcionário. Provavelmente ela tem acesso a mais fatos a respeito da pessoa do que você. É surpreendente o volume de informações que se obtém caso se vá às agências corretas. Quando você busca informações sobre um indivíduo, com frequência não obterá a verdade sobre ele, mas sim um conjunto de fatos enfeitados ou suavizados.

A maioria das pessoas é preguiçosa: não quer se dar ao trabalho de explicar. Se você questiona alguém e lhe dá qualquer indício da resposta que deseja ouvir, a pessoa lhe fornecerá exatamente a resposta que você espera. Você é instigado, vai em frente e a pergunta acaba dando em nada.

As pessoas espertas têm maneiras de obter informações de modo inteligente sem que explicitem exatamente o que querem.

Ciência é a arte de organizar e classificar fatos. Quando você quer certificar-se de que está lidando com fatos, busque fontes científicas sempre que possível. Um homem da ciência não tem motivo ou inclinação para modificar os fatos com o objetivo de dissimular, afinal, se assim fosse, não seriam cientistas, certo? Não passariam de pseudocientistas ou charlatães, e existem muitos neste mundo que presumem saber coisas que não sabem.

EQUILÍBRIO DA MENTE E DO CORAÇÃO

As emoções nem sempre são confiáveis. Na verdade, na maior parte do tempo, não são. Antes de se influenciar demais pelos seus sentimentos, dê à sua cabeça uma chance de analisar o problema em questão. A mente é mais confiável do que o coração, mas a melhor combinação envolve um equilíbrio entre ambos, para que cada um tenha o mesmo peso. Se você fizer isso, acabará chegando à resposta certa; caso contrário, talvez se arrependa do descuido.

Dos maiores inimigos da sensatez, o sentimento do amor fica no topo da lista. E como ele interfere em um pensamento? Caso você pense isso, eu saberia de imediato que nunca teve muitas experiências amorosas. Se já as teve, sabe que são tão perigosas quanto brincar com TNT com um fósforo na mão: não avisa antes de explodir.

Ódio, raiva, ciúme, medo, vingança, ganância, vaidade, egoísmo, desejo sem razão de ser e procrastinação – todos são inimigos da mente. Vigie-se constantemente para se livrar deles, desde que o raciocínio em questão seja importante para você. Talvez o destino do seu futuro dependa de um raciocínio aguçado, e de fato é assim que acontece. Se não fosse verdade, de que adiantaria ter o pleno controle mental?

Ocorre que a mente sozinha é capaz de suprir as necessidades de alguém, ao menos enquanto durar esta vida. Desconheço o que aconteceu no plano anterior, de onde viemos, para onde vamos. Não sei nada sobre esses planos porque não me lembro de onde vim e não sei para onde vou – bem que eu gostaria de saber –, mas conheço bastante onde estou hoje. Já entendi bem como influenciar o meu destino aqui. E também me alegra muito proporcionar contentamento, ser útil e justificar minha passagem pela Terra.

Descobri como manipular a minha mente e mantê-la sob controle, fazer as coisas que quero, livrar-me das circunstâncias indesejáveis e aceitar as desejáveis. No entanto, caso não encontre as circunstâncias desejáveis, o que faço? Eu as crio, é claro. É para isso que serve a definição de propósito e a imaginação.

OS PERIGOS DO FANATISMO

Também convivemos com o fanatismo religioso e o político. Minha nossa! Como se desperdiçam tempo e energia nessas duas formas de fanatismo; como se briga por causa do que vai acontecer na vida após a morte, embora nenhum de nós tenha a resposta. Podemos achar que a sabemos, mas não. (Talvez seja bom que alguns de nós não saibam o que vem na vida após a morte, pois pode ser que não exista nada muito bom.)

Brigar por política... Você sabe a diferença entre os Republicanos e os Democratas? Ela depende de quem está por dentro e de quem está por fora. Só isso. É sério, não estou brincando. Se eu lhe pedisse que apontasse a diferença entre os Democratas e os Republicanos, você teria dificuldades para indicá-la de modo real, prático e inteligente. A única diferença que encontrei se refere ao fato de às vezes os Democratas estarem no poder e fazerem mau uso dele, e às vezes os Republicanos estarem no poder e também o usarem mal. E, ainda assim, olha quanto furor e ódio ambos despertam.

Mal dá para acreditar nas coisas que vêm de Washington, porque não se sabe se é algum truque político para derrubar alguém ou colocar alguém no poder. É complicado chegar à verdade, pois a política pode ser perigosa, intrincada e desonesta. Costumava ser honroso chamar alguém de deputado ou senador. Hoje talvez você seja processado por danos morais se fizer isso. Caso queira chamar alguém de político, prepare-se para a briga. Em alguns círculos sociais, ninguém quer ser chamado de político, porque essas pessoas imergiram no nível mais baixo de desgraça e desonestidade de todos os tempos.

Compreenda que não estou falando de política, mas apenas dando algumas informações sobre raciocínio apurado, embora saibamos que minhas observações são verdadeiras. Por isso estamos neste caos nos Estados Unidos: não existe honestidade na base do nosso governo. Não quero dizer que não haja indivíduos honestos, mas na raiz do poder prepondera a desonestidade, e assim é desde... bom, não vou nem falar desde quando.

O ETERNO PONTO DE INTERROGAÇÃO

A mente deve ser um eterno ponto de interrogação. Questione tudo e todos até se convencer de que está lidando com fatos. Aja sem alarde, no silêncio da sua mente, e evite que o vejam como um cético. Não questione as pessoas em voz alta – isso não vai levá-lo a lugar algum –, questione-as em silêncio.

Se você questionar de modo muito explícito, as pessoas ficarão alertas, disfarçarão, e não obterá as informações que deseja. Busque-as em silêncio e analise-as com cuidado, assim as respostas provavelmente virão.

Seja não só um bom ouvinte, mas também um bom analista. O que é mais rentável, falar bem ou ouvir bem? Não conheço nenhuma outra competência que ajude alguém a se dar bem no mundo melhor do que a de falar com eficácia e entusiasmo. E, mesmo assim, eu diria ainda que é muito mais lucrativo ser um ouvinte atento e analítico, porque, quando ouvimos, assimilamos informações, mas, quando falamos, apenas expressamos o que já está na nossa mente. Não se ganha nada além de autoconfiança ou algo parecido.

Permita que a sua mente seja um eterno ponto de interrogação. Não me refiro a se tornar cínico ou cético, mas a lidar com as pessoas, em todas as suas relações, por meio de um raciocínio aguçado. Isso lhe trará muita satisfação e sucesso.

Se você for respeitoso e diplomático, conquistará amigos muito mais verdadeiros do que se empregar o método do julgamento precipitado. Se for meticuloso no seu raciocínio, a maioria dos seus amigos será de grande valor.

Os hábitos de pensamento resultam de uma herança social e física. Preste atenção nessas fontes, sobretudo na social. Da herança física, vem toda a sua estrutura corporal: a estatura do corpo, a textura da pele, a cor dos olhos e do cabelo. Você é a soma de todos os seus ancestrais mais remotos e herdou deles algumas características positivas e outras negativas. Nada muda isso. É inato.

Sem dúvida, o aspecto mais importante de quem você é resulta da sua herança social – as influências do ambiente, as coisas que você deixou que entrassem na sua cabeça e que aceitou como parte do seu caráter.

Certa vez, vivi uma experiência que me deixou muito nervoso, mas aprendi uma grande lição com ela. Quem me contratou para escrever histórias de homens bem-sucedidos, o responsável por eu conhecer o Sr. Carnegie, foi Robert Love Taylor, ex-governador e senador pelo estado do Tennessee.

Quando conversávamos, na sala de jantar do Senado, Taylor era senador em Washington. Falávamos sobre política. Como ele era do

Tennessee e eu do estado vizinho da Virgínia, engrandecíamo-nos por ser Democratas, por defender a democracia. Por fim, ele disse:

– A propósito, Hill, como você virou Democrata?

– Porque meu avô era Democrata, meu pai era Democrata, meus tios são Democratas e meu bisavô era Democrata.

Ele perguntou:

– Mas que coisa extraordinária. Não seria triste se os seus ancestrais tivessem sido ladrões de cavalos?

Fiquei bravo. Não entendi o porquê do comentário. Eu ainda era jovem e inexperiente, mas aquilo me fez pensar. A perguntava sugeria que eu não tinha o direito de ser qualquer coisa só me respaldando no meu pai, no meu tio ou alguém mais.

Aprendi uma grande lição a partir dali. Mais adiante, deixei de ser Democrata. E também não sou Republicano. Sou alguém de pensamento aguçado. Pego um pouco das boas ideias dos dois lados. Nas eleições, nunca dei todos os meus votos a um só partido em toda a minha vida. Acho que seria um insulto à minha inteligência votar em um só partido. Analiso as pessoas que estão em cada chapa eleitoral e tento escolher quem eu acho que fará um bom trabalho, e pouco me importa a que partido pertence. Sempre votei naqueles que, segundo minha análise, farão um bom trabalho para o povo, e acredito que qualquer pessoa com o pensamento aguçado fará a mesma coisa.

A CONSCIÊNCIA COMO GUIA

A consciência serve de guia quando todas as outras fontes de conhecimento e fatos tiverem se esgotado. Cuidado para usá-la como guia, e não como aliciadora, como muitos fazem, dizendo à própria consciência que agem de modo certo. A consciência acaba comprando a ideia e se torna aliciadora.

Na primeira vez que entrevistei Al Capone, fiquei perplexo ao saber do péssimo acordo que ele tinha conseguido com o governo dos Estados Unidos por meio da Procuradoria e do homem mesquinho e maldoso que o havia perseguido – sim, perseguido, e não processado – por conta do negócio perfeitamente legítimo que ele administrava: oferecer às pessoas algo que elas queriam e pelo qual pagavam. Por que o Tio Sam tinha que se meter em um negócio legítimo?

Bom, essa era a versão de Al, que acreditava nela, pois havia muito ele já havia estrangulado a própria consciência ou então a aliciado para que ela virasse sua cúmplice. Isso pode acontecer caso não se ouça a consciência desde o princípio. Ela se tornará uma aliciadora, e tudo que você fizer voltará para você.

O PREÇO

Se você deseja mesmo ter um pensamento aguçado, há um preço a pagar, que quase sempre não se mensura em dinheiro. Em primeiro lugar, aprenda a analisar com cuidado todos os seus sentimentos, colocando-os à prova da razão. Em outras palavras, as coisas que você mais aprecia fazer devem ser aquelas que você analisa com mais cautela para garantir que irão levá-lo à conquista de seu propósito.

Conheci um sujeito que queria muito se casar com uma garota, e isso virou uma obsessão, seu propósito principal definido. Ela recusava cada pedido, até que, diante de tanta insistência, para se livrar dele, acabou aceitando e casando. Ambos se arrependeram mais tarde, sobretudo o homem, porque a esposa nunca parou de jogar a verdade na cara dele. Não entenda errado: não era eu aquele homem; apenas testemunhei o caso.

Cuidado com as coisas que você deseja, pois, quando as conquista, às vezes percebe que não eram bem o que queria. Já contei aqui sobre

Bing Crosby, que decidiu juntar seus primeiros US$ 50 mil. Quando ele e o irmão, que era o seu empresário, conseguiram o valor, descobriram que queriam o dobro. Quando chegaram aos US$ 100 mil, disseram: "Puxa, está fácil demais. Vamos juntar um milhão e aí a gente para". Ele chegou ao milhão e o milhão chegou a ele. Uma figura adorável, mas que se deixou ludibriar pelos próprios desejos e já não sabia mais a hora de parar.

Existem milhares de exemplos de quem pagou muito para ter algo, de quem queria demais, de quem tentou demais e conseguiu, mas não encontrou paz de espírito e equilíbrio para levar a vida.

Acho que a história mais triste que conheci em minhas pesquisas para criar esta filosofia envolveu os homens ricos que colaboraram comigo. Eles não alcançaram o sucesso com o dinheiro em razão de ficarem obcecados demais com a importância do dinheiro e com o poder que ele lhes proporcionaria. Não sei por que alguém desejaria US$ 1 milhão – portanto, ajude-me, eu não sei mesmo – se não for alguém como eu, que quer dinheiro para propagar esta filosofia por todo o mundo para que muitos tenham acesso a ela. Quero milhões de dólares e vou conseguir rápido. Não para mim, pois não preciso desse dinheiro, mas para investi-lo neste projeto de ajudar pessoas de todo o mundo. Acho que isso não fará mal a ninguém, nem a mim mesmo. Não vejo como alguém pode se machucar assim.

EVITE EXPRESSAR OPINIÕES

Elimine o hábito de expressar opiniões que não se baseiem em fatos ou no que você acredita serem fatos. Não lhe cabe esse direito, sabia? Aposto que você não vai aceitar não ter direito a emitir qualquer opinião, sobre qualquer coisa, a qualquer momento, se ela não for baseada naquilo que acredita que sejam fatos ou eventos provavelmente reais.

Por que não tem esse direito? Você o tem, é claro, com a responsabilidade de arcar com aquilo que talvez lhe aconteça se expressar uma opinião que não se baseie em fatos ou no que acredita que sejam fatos.

Caso contrário, você corre o risco de se enganar. Muitas pessoas passam pela vida se enganando com opiniões infundadas. Elimine o hábito de ser influenciado de qualquer forma apenas por gostar das pessoas ou por manter alguma relação com elas, ou ainda por lhe terem feito algum favor.

Ao fazer além do necessário, muitas pessoas ficarão em débito com você, e quero que faça isso, mas tome cuidado para não se deixar influenciar por pessoas só em razão de lhe terem feito um favor. Refiro-me àquelas por quem você fez além do necessário. E às vezes você pode ficar em débito com alguém de uma forma indesejável.

Meu amigo Ed Barnes foi o único sócio de Thomas Edison. Saio para almoçar com Ed há quarenta anos e vamos a lugares de todos os tipos, desde o Waldorf Astoria até restaurantes em que nos sentamos para tomar um café e comer um sanduíche.

Em todo esse tempo, só consegui pagar a conta uma vez. Na última ocasião que ele esteve aqui, ele, o Mike Ritt e eu fomos assistir a um jogo. Pedi ao Mike que fosse na frente comprar os ingressos, e, como já estavam pagos, não havia nada que ele pudesse fazer.

Certo dia eu lhe perguntei:

– Por que você não me deixa pagar a conta?

– Olha – ele disse –, vou falar a verdade. Eu quero que você sempre esteja me devendo alguma coisa, porque eu lhe devo muito há tempos e quero ir pagando aos poucos, para que não fique jogando na minha cara que me ajudou a conquistar o meu primeiro milhão.

Havia muita lógica no que ele dizia: não queria me dever nada, então, para mostrar que era independente, insistia em pagar a conta. É claro, eu teria dado um jeito de pagar se quisesse. Certa vez, saímos para jantar e, se eu tivesse tentado pagar a conta, ficaria quebrado, porque o valor foi bem mais alto do que o que eu tinha no bolso.

Crie o hábito de analisar a motivação das pessoas que buscam algum tipo de benefício ao influenciá-lo. Saiba controlar o seu sentimento de amor e o de ódio ao tomar decisões a respeito de qualquer coisa, porque qualquer um deles tem potencial de desequilibrar o seu raciocínio.

NÃO TOME DECISÕES DE CABEÇA QUENTE

Ninguém deve tomar decisões importantes de cabeça quente. Por exemplo, é errado tentar reprimir seus filhos quando você está nervoso, porque em nove a cada dez vezes dirá e fará alguma coisa errada, causando mais mal do que bem. Isso se aplica também a muitos adultos. Se você estiver muito nervoso, não tome decisões. Não faça afirmações categóricas a pessoas com quem está aborrecido, porque podem voltar e acabar causando-lhe muita dor.

Dá para entender a razão de termos estudado autodisciplina, pois ela anda ao lado desta aula aqui. Muitas vezes, se você desenvolver um pensamento aguçado, terá muita autodisciplina e evitará dizer e fazer certas coisas. Dê tempo ao tempo. Há sempre a hora certa de dizer e fazer as coisas do jeito correto.

Quem pensa direito não perde o controle nem fala sem parar, diferentemente de algumas pessoas. Quem pensa direito analisa com cuidado todos os efeitos de cada palavra sobre o ouvinte.

Há pouco tempo, durante uma mediação no Club Success Unlimited, contei um incidente na nossa empresa, quando Sr. Stone e eu tivemos que advertir alguém que, segundo nossa análise, estava sendo desleal. Não falei abertamente a respeito porque não estava mal-intencionado naquela noite. Eu só queria deixar aquela turma avisada sobre uma atividade de espionagem ali, e quero também avisá-lo para que, caso isso aconteça, você consiga se defender. Foi o que eu fiz, e só por isso. Agora me alegro em dizer que o problema foi solucionado e que não acontece mais atividade alguma desse tipo.

Lidamos com a situação do jeito correto. Não houve má-fé, não mencionamos nomes, e a única pessoa que ouviu e que podia ter sido prejudicada era o próprio culpado. Os inocentes, que não sabiam de nada, com certeza não foram atingidos.

Esse foi o meu jeito de lidar com uma situação capaz de acabar com esta empresa incrível. O problema precisava ser resolvido, e resolvi de uma maneira em que tudo acabou dando certo. Todo mundo ficou contente, e os inconvenientes acabaram.

Eu poderia ter partido para a ofensa, levado para o lado pessoal. Poderia ter feito o que qualquer um que não pensa direito faria, mas não fiz.

Quando você entender e começar a aplicar adequadamente esta filosofia, não fará diferença se as circunstâncias forem desagradáveis, pois sempre saberá lidar com elas do jeito certo. Ao dizer do jeito certo, refiro-me a ser justo consigo e com todos que possam ser afetados pelas suas ações ou decisões. De maneira alguma eu apreciaria me envolver em alguma situação em que ofendesse ou machucasse alguém. Eu só seria capaz de machucar uma pessoa por autodefesa ou defesa do meu trabalho, que beneficia milhões de indivíduos.

Se ameaçassem a minha empresa, esta filosofia ou minha capacidade de levá-la até as pessoas, eu partiria para a briga feito um demônio. Esta filosofia com a qual nos comprometemos é maior do que eu, do que você, do que todos nós juntos.

EM SÍNTESE

Ao se apropriar dos hábitos e das características alheias, aprenda a assumir apenas aqueles adequados ao padrão do seu propósito principal de vida. Não incorpore o padrão de outra pessoa só porque você a admira; privilegie apenas aquilo que se insere no seu propósito de vida. Aprenda a tomar decisões com rapidez, mas só o faça depois de pesar todos os possíveis efeitos nos seus planos futuros e nas outras pessoas.

Penso muito em muitas coisas que eu poderia fazer que seriam boas para mim, mas não para você, pois talvez até o machucassem. Consigo pensar em muitas coisas que posso fazer com alguém, mas não faria porque teria que pagar o preço, pois tudo o que fazemos a uma pessoa também fazemos a nós mesmos. Nossa ação volta multiplicada muitas vezes.

Esse é o outro elemento que se integra na categoria de pensamento aguçado. Depois que você for doutrinado com esta filosofia, aprenderá a não fazer nada cujo retorno futuro não deseje.

Antes de aceitar como fatos as declarações dos outros, talvez seja bom lhes perguntar como ficaram sabendo daquilo. Quando as pessoas expressarem opiniões, indague como sabem que é fundamentada. Quando alguém vem e diz "essa é a minha opinião", as palavras não me influenciam de forma alguma, porque não quero saber de opiniões. Quero fatos para então formar minha própria opinião. "Você me dá os fatos e vou reuni-los ao meu próprio modo", diz a pessoa de pensamento aguçado.

Analise com todo o cuidado todas as declarações de natureza pejorativa feitas por uma pessoa sobre outras, porque talvez não estejam sendo imparciais (e isso para dizer de maneira educada).

Elimine o hábito de tentar justificar uma decisão que acabou se mostrando insensata. Pessoas de pensamento aguçado não fazem isso. Se percebem que estão erradas, corrigem-se tão rápido quanto tomam as decisões.

Desculpas e álibis nunca se dão bem com pensamentos aguçados. A maioria das pessoas tende a criar álibis para os próprios defeitos e omissões, os quais de nada servem se não houver por trás algo que seja sensato e confiável.

Se você tiver pensamento aguçado, nunca usará as expressões "dizem por aí" ou "ouvi dizer". Quem pensa direito identifica as fontes antes de repetir as coisas que ouve e tenta demonstrar que são confiáveis. Se eu lhe dissesse que sei que Deus existe e o porquê, falaria também sobre a fonte das minhas informações em uma linguagem que você conseguisse entender. Se eu dissesse que sou Republicano ou Democrata, e você fizesse questão de saber o porquê, eu lhe daria bons motivos. (Eu não sou nenhum deles, porque não tenho bons motivos para sê-lo.)

Você já chegou à conclusão de que não é fácil ter pensamento aguçado? Há um pequeno preço a pagar se quiser pensar assim, mas vale a pena. Caso não tenha pensamento aguçado, as pessoas tirarão vantagem de você. Além disso, acabará não aproveitando tanto a vida quanto gostaria. Não se sentirá realizado. Nunca será uma pessoa bem equilibrada.

Para pensar com precisão, é fundamental que exista um conjunto de regras, que aprenderá aqui. Repasse esta aula, estude o conteúdo com atenção, acrescente algumas anotações pessoais e comece a pensar. Comece a colocar em prática alguns dos princípios referentes à distinção entre fatos e informações e separe os fatos em categorias distintas: os relevantes e os irrelevantes.

Caso aprenda essas coisas simples, esta lição terá mais do que se justificado e poderá valer muito mais do que você investiu em todo o curso. Comece a distinguir fatos de informações. Certifique-se de estar lidando com fatos. Em seguida, reúna todos e os separe em categorias, descartando os irrelevantes com os quais desperdiça tanto tempo.

12

Concentração

Esta lição é dedicada à atenção ou concentração controlada dos esforços. Nunca conheci ninguém de sucesso, em nenhuma área, que não tenha adquirido o grande poder de se concentrar em uma coisa de cada vez.

Você já ouviu pessoas falando sobre outras de forma pejorativa, dizendo que elas só têm uma coisa na cabeça. Já ouviu isso? Sempre que alguém me diz que só tenho uma coisa na cabeça, eu agradeço, porque muitas pessoas têm a cabeça cheia de coisas, tentam fazer e pensar em tudo ao mesmo tempo e não realizam nada direito. Já notei que os mais bem-sucedidos desenvolveram uma excepcional capacidade de manter a mente fixa em uma coisa de cada vez.

Talvez você queira saber que tenho a hora do silêncio. Uma hora por dia, eu me retiro naquela muralha mental altíssima e dedico todo o meu tempo a desenvolver uma consciência que me permita entrar em contato e comunhão com a inteligência infinita. Além disso, expresso gratidão pelo serviço que meus oito príncipes da orientação me fizeram durante o dia, pelo serviço no dia anterior, pelo serviço no presente e pelo serviço amanhã.

Talvez você ache que essa hora de silêncio não é lucrativa, mas para mim é a mais lucrativa do dia, não importa o que eu faça. É meu tempo de meditação silenciosa, quando me conecto com as maiores realizações da vida, com as coisas que eu quero fazer para crescer e melhorar.

É maravilhoso ter esse tempo para si mesmo. Se você entrar nesse estado com a atitude mental correta, encontrará uma companhia incrível – mas com a atitude mental correta. Você precisa dedicar-se a ele com propósito e intenção.

Vamos passar pelos princípios desta filosofia que se misturam e se tornam parte desta lição sobre concentração de esforços. Assim como os filamentos, embora muito pequenos, somam-se para fazer uma corda, esses princípios também se unem e se integram ao princípio de concentração de esforços.

AUTOSSUGESTÃO OU AUTO-HIPNOSE

Em primeiro lugar, autossugestão ou auto-hipnose é a base da concentração. A auto-hipnose é incrível se ocorrer por causa de um objetivo correto, mas não é tão incrível se você permitir que as circunstâncias da vida o hipnotizem em nome das circunstâncias e dos objetivos errados. Muitas pessoas se auto-hipnotizam em conexão com o medo, limitações autoimpostas, desejos, descrença e ausência de fé. Quando você aprende a se concentrar em uma coisa de cada vez, acaba se vendo já possuidor do que deseja.

Não tenha medo da autossugestão ou da auto-hipnose. Tenha medo apenas se não as adotar por vontade própria e não as usar para desenvolver as coisas que você quer que representem a sua vida e o seu sucesso.

As nove motivações básicas são o ponto de partida da concentração. Em outras palavras, você não conseguirá se concentrar se não tiver motivação para isso.

Digamos que você queira ganhar dinheiro para comprar uma propriedade ou uma fazenda. Caso se concentre nisso, vai se surpreender com uma provável mudança dos seus hábitos e atrair para si oportunidades de ganhar o dinheiro, de formas que nem imaginava. Bem sei que é assim que funciona porque, há alguns anos, eu queria comprar uma propriedade de quatrocentos hectares. Naquela época, apesar de mal saber o que essa terra toda representava, concentrei-me no meu desejo. A propriedade que eu estava procurando custaria cerca de US$ 250 mil, uma quantia bem superior à que eu tinha na época. Mas, a partir do dia em que coloquei o tamanho da fazenda na cabeça, começaram a surgir oportunidades para eu me desenvolver e ganhar muito mais dinheiro do que eu jamais tinha ganhado antes. Os *royalties* dos meus livros, a demanda pelas minhas palestras, pela minha consultoria comercial, tudo começou a aumentar, de acordo com o padrão que eu tinha estabelecido por meio da auto-hipnose. Vendera a mim mesmo a ideia de que precisava do dinheiro, que iria consegui-lo e que eu prestaria serviços para ganhá-lo.

Quando comprei a fazenda, não consegui os almejados quatrocentos hectares, mas sim trezentos. Falei para o homem de quem comprei a terra que eu queria quatrocentos. Ele me perguntou se eu tinha noção do tamanho de trezentos hectares. Respondi que apenas uma vaga noção, e então ele me convidou para dar uma volta pela propriedade.

Iniciamos a caminhada pela manhã com um par de tacos de golfe para acertar a cabeça das cascavéis que talvez aparecessem. Começamos pelo limite exterior e andamos até meio-dia. Subimos e descemos pelas montanhas Catskill, quando ele disse que estávamos quase na metade.

– Bom – retruquei –, em vez de contornar toda a fazenda, vamos dar meia-volta e retornar. Já vi o bastante.

Trezentos hectares é um planeta.

Comprei a propriedade, e aí veio a Grande Depressão – 1929, 1930 e 1931. As coisas ficaram difíceis, mas eu tinha juntado dinheiro suficiente para comprar a fazenda. E só consegui porque me concentrei na ideia.

CONCENTRAÇÃO E PROPÓSITO DEFINIDO

Definição de propósito com um desejo obsessivo é a força motriz subjacente à motivação. Não adianta ter uma motivação quando não se coloca o desejo obsessivo ou um propósito obsessivo por trás dela.

Qual a diferença entre um propósito ou desejo comum e um desejo obsessivo? Em outras palavras, o mero desejo ou a esperança não fazem nada acontecer; no entanto, quando você coloca um desejo obsessivo ou ardente por trás de alguma coisa, inicia-se a ação, atraindo você e as outras coisas de que precisa à realização do desejo.

Como se desenvolve um desejo obsessivo? Pensando em muitas coisas, mudando de ideia o tempo todo? Não. Escolha uma única coisa: algo com que você come, dorme, bebe, respira e fala até encontrar alguém que o escute. Se não achar ninguém, fale sozinho. Repetição. Continue dizendo ao subconsciente exatamente o que você quer. Deixe claro, simples e evidente, mas, acima de tudo, faça-o saber que você espera resultados e não está brincando.

Um esforço organizado de iniciativa pessoal inicia uma ação concentrada, e a fé aplicada é a força de sustentação que a faz continuar.

Em outras palavras, sem a fé aplicada, sempre que o caminho ficar difícil – e ficará, independentemente do que se fizer –, você ou desacelera ou desiste. É óbvia a necessidade da fé aplicada para dar continuidade à ação em um nível elevado, mesmo quando o caminho estiver difícil e os resultados não aparecerem do jeito que você gostaria.

Aliás, já ouviu falar de alguém que conseguiu um sucesso notável e permanente desde o início, sem qualquer oposição?

Não. E provavelmente ninguém jamais conseguirá. O caminho, não importa qual for, é difícil para todos. Mas não será tão difícil para você, quando começar a ensinar esta filosofia, do que foi para mim, porque precisei criá-la. Depois, aprender a ensiná-la. Aí, empenhar-me nesse processo por cerca de dez anos antes de atingir bons resultados.

Você não trabalhará tanto quanto eu porque tem uma tremenda quantidade de informações por trás de cada uma destas lições. O trabalho já foi feito, como se eu já tivesse mastigado a sua comida para você. (Não sei se essa é uma boa comparação, mas, em outras palavras, digamos que já está pré-digerido.)

A informação está aí. A estrutura de cada um dos princípios já está traçada. Basta que você acrescente suas observações pessoais àquelas que fiz e terá uma palestra maravilhosa sobre cada um dos princípios. Concentre-se em cada uma dessas lições quando chegar a hora, mas concentre-se só em uma por vez e considere as suas anotações. Você precisará retomar cada lição muitas vezes. Precisará continuar pensando em cada uma delas, mas, quando estiver focado em algum ponto, não deixe a sua mente vagar por todas as outras lições. Fique firme em apenas uma.

O MASTERMIND E A CONCENTRAÇÃO

O MasterMind é a fonte do poder conjunto necessário para garantir o sucesso. Você consegue imaginar alguém se concentrando na realização de qualquer coisa notável sem usar o MasterMind e o cérebro, a influência e a formação de outras pessoas? Já ouviu falar de alguém que conquistou resultados notáveis sem a cooperação de outras pessoas?

Eu nunca ouvi. Atuo há bastante tempo nesta área do sucesso e nunca encontrei ninguém nas escalas mais altas de realização, em nenhuma linha de atuação, que não devesse o próprio sucesso em grande parte à cooperação harmoniosa e amigável de outras pessoas, ao uso do cérebro delas e às vezes também do dinheiro.

Se o seu projeto for colossal e você não dispuser de dinheiro para executá-lo, talvez precise compartilhar a sua ideia com outra pessoa, que em contrapartida vai investir o dinheiro necessário para você seguir em frente. As grandes empresas funcionam assim. Não conheço uma única empresa, talvez só a Ford Motor Company, que pertença a um único grupo de pessoas. A maioria delas, como a American Telephone & Telegraph Company e todas as empresas ferroviárias, pertence a dezenas de milhares de pessoas, que investem dinheiro para que funcionem. Sem esse tipo de cooperação financeira, o MasterMind, essas grandes empresas não conseguiriam progredir.

Você precisa de uma aliança de MasterMind na sua concentração caso aspire a qualquer coisa acima da mediocridade. É claro que poderá se concentrar sozinho no fracasso. Para isso, não precisará de ajuda, não precisará de MasterMind e, na verdade, terá até muita ajuda voluntária.

Se quiser ter sucesso, siga minhas orientações. Não fuja delas. Não as ignore.

A autodisciplina atua como o vigia que o mantém se movendo na direção certa, mesmo nos momentos em que o caminho estiver difícil. Você precisa de autodisciplina em relação aos desejos e quando se deparar com dificuldades ou vivenciar alguma situação ou circunstância complicadas.

Você precisa de autodisciplina para se manter com fé e determinado a não desistir só porque o caminho está difícil. Ninguém se concentra sem autodisciplina. É claro, se tudo caísse do céu e você não enfrentasse nenhuma situação difícil, não haveria problema algum – você seria capaz de se concentrar em qualquer coisa.

A VISÃO CRIATIVA

A visão criativa ou imaginação é o arquiteto que modela os planos práticos para a ação que está por trás da concentração. Antes de se concentrar de maneira inteligente, você precisa ter planos, precisa de um arquiteto. E ele é a sua imaginação e a dos seus aliados de Master-Mind, se os tiver.

Você já ouviu falar de alguém com um objetivo excepcional que acabou fracassando porque não tinha um bom plano para executá-lo? Na verdade, esse é um padrão comum. As pessoas têm ideias, mas os planos para executá-las não são adequados.

Fazer além do necessário é o princípio que garante a cooperação harmoniosa de outras pessoas. Fazer além do necessário – você precisará disso para se concentrar. Se deseja a ajuda de outras pessoas, precisa agir de modo que elas fiquem devendo alguma coisa para você; precisa fazer com que elas tenham uma motivação. Nem mesmo os seus aliados de MasterMind se unirão a você se não tiverem uma motivação.

Claro que o motivo mais significativo é desejar ganhos financeiros, a motivação mais significativa de todos os negócios e empreendimentos profissionais. Se você entrar em uma transação cujo objetivo principal seja ganhar dinheiro e não permitir aos seus aliados ou aos principais interessados retornos suficientes, eles não ficarão com você por muito tempo. Acabarão fazendo negócios sozinhos, tornando-se seus concorrentes ou algo do gênero.

Fiquei perplexo quando o Sr. Andrew Carnegie me contou que pagava a Charles Schwab um salário de US$ 75 mil por ano e, em alguns anos, ainda lhe dava um bônus de US$ 1 milhão. Querendo saber por que aquele homem tão inteligente pagava a uma só pessoa um bônus dez vezes superior ao salário, eu disse:

– Sr. Carnegie, precisava fazer isso?

– Não, com certeza, não. Eu poderia deixá-lo ir embora para ser meu concorrente.

Há muito significado implícito nessa declaração. Ele tinha alguém muito bom, que lhe era muito valioso. Queria mantê-lo por perto e sabia que, para isso, precisava passar-lhe a mensagem de que ganharia mais dinheiro com o Sr. Carnegie do que de outra forma.

Agora é o momento certo de dizer a você, que passará a ensinar esta filosofia e ganhará muito mais dinheiro na nossa empresa do que em qualquer outra, que poderá se dar bem aqui conosco. Depois de passar pelo teste final, poderá trabalhar como *freelancer*. Eu ficaria muito feliz com isso, mas não seria uma boa ideia para você. Caso tenha bom senso e pense direito, você vai imediatamente querer fazer parte da Napoleon Hill Associates, porque temos o equipamento, as instalações, o mecanismo, a influência e o conhecimento que evitarão que cometa os erros que cometeria, inevitavelmente, de outra forma. Você fará um pouco de MasterMind e irá se concentrar, se for esperto, e espero que fique ainda mais esperto depois de concluir este curso. Então, a Regra de Ouro aplicada oferece uma diretriz moral direcionada para o resultado em que você está se concentrando.

O pensamento aguçado evita que sonhemos acordados ao criar planos. A maioria dos pensamentos não passa de sonhos, esperanças ou desejos. Muitas pessoas sonham acordadas a maior parte do dia, esperando, desejando, pensando nas coisas, mas nunca partindo para uma ação concreta que lhes permita colocar os planos em prática.

Muito tempo atrás, quando eu falava sobre esta filosofia em Des Moines, no estado de Iowa, depois da palestra, um senhor idoso, decrépito e fraco veio cambaleando até o palco. Ele vasculhou os bolsos e puxou um grande maço de papéis cheios de orelhas. Vasculhou-os de novo e tirou um papel amarelo. Ele disse: "Não há nenhuma novidade no que o senhor acabou de dizer. Tive essas mesmas ideias há vinte anos. Aí estão, nesses papéis". Claro, ele teve essa ideia, assim como milhões de outras pessoas. Mas fez algo com elas?

Não há nenhuma novidade nesta filosofia, nada de diferente, exceto pela lei da força cósmica do hábito. E, a rigor, nem isso é novidade. Resume-se a uma interpretação adequada do ensaio de Emerson sobre a compensação, mas dito de forma que as pessoas entendam assim que lerem pela primeira vez.

Sim, lá estava aquele velho. Ele carregava as ideias no bolso e poderia estar no meu lugar, se tivesse entrado no negócio antes de mim.

Um dia desses ainda surgirá um sujeito esperto que retomará o meu trabalho de onde parei. Ele criará uma filosofia baseada no que eu fiz, a qual talvez seja muito superior a esta. É possível que essa pessoa esteja sentada nesta sala agora.

UM BOM PROFESSOR

Sabe o que faz um professor ser bom? A atitude mental perante os alunos. Ele quer que todos não só cheguem ao nível dele, mas também o superem. Eu oro e espero, de todo o meu coração, que todos os alunos aqui cheguem a um ponto em que terão me superado de todas as formas no que diz respeito a ensinar esta filosofia. Digo isso de todo o coração. E você pode conseguir, caso se decida, porque tem muito mais oportunidades hoje do que eu quando comecei. Todas as respostas estão aí, escritas, soletradas, destacadas, esquematizadas, como um alicerce para você. Eu sei que poderá me superar se quiser.

Mas como fará um trabalho superior ao meu? Pelo desejo obsessivo. Não faz nenhuma diferença sua aparência, idade, gênero. A atitude mental será o fator determinante, pois tudo o mais está à sua disposição. Você tem ferramentas para me superar, e não levará muito tempo para isso.

O PODER DA ADVERSIDADE

Aprender com a derrota assegura que você não desista quando o caminho ficar difícil. Não é maravilhoso saber que, com esta filosofia, você aprende que o fracasso, a derrota e a adversidade não precisarão detê-lo, que há um benefício em cada experiência desse tipo?

Você entende o benefício de um homem que atravessa a Depressão e perde todo o dinheiro, até o último centavo, e precisa começar tudo de novo?

Se você não entende, olhe bem, porque está diante de um homem que passou exatamente por essa situação. Foi uma das maiores bênçãos que recebi, pois eu estava ficando muito espertalhão, ganhando muito dinheiro fácil. Portanto, precisava recuar.

Fui à luta e desde então faço um trabalho ainda melhor do que antes. Sem passar por aquela experiência, eu provavelmente estaria na minha fazenda nas montanhas Catskill, e não aqui ensinando.

Às vezes a adversidade é uma bênção disfarçada. Quase sempre, nem tão disfarçada assim se você tomar a atitude correta diante dela. Você só será dominado e derrotado se aceitar essa conjuntura na sua mente. Lembre-se de que, não importa a natureza da adversidade, sempre há uma semente de um benefício equivalente se você se concentrar nas circunstâncias e procurar o aspecto positivo que surgirá. Não gaste tempo remoendo coisas que já foram perdidas ou erros cometidos, a não ser para analisá-los, aprender com eles e não os repetir duas vezes.

A atenção controlada, irmã gêmea da definição de propósito, passa pela combinação e aplicação dos outros princípios da filosofia. A persistência tem de ser a palavra-chave subjacente a todos eles.

Pense no que você seria capaz de fazer com estes dois princípios: a definição de propósito – saber exatamente o que quer – e a concentração para concretizar esse propósito. Você sabe o que aconteceria com a sua mente, com o seu cérebro e com toda a sua personalidade caso se concentrasse em uma única coisa?

Por se concentrar me refiro a dedicar todo o tempo que puder imaginando-se possuidor daquilo que representa a sua definição de propósito. Ver-se criando planos, pensando no primeiro passo a dar e depois no segundo, no terceiro e assim por diante, concentrar-se noite e dia. Em pouco tempo, não importa aonde você for, encontrará uma oportunidade que o colocará mais perto do que representa a sua definição de propósito. Quando você definir o que quer, encontrará muitas coisas relacionadas exatamente ao seu desejo.

Há alguns anos, na época morando na Flórida, eu sabia que estava para receber uma carta muito importante pelos correios. Sabia que ela viria, porque tinha feito uma ligação de longa distância para o National City Bank de Nova York. Sabia que a carta estava no correio e ainda não havia sido entregue, e precisava dela antes do meio-dia. Eu morava no campo, a dezesseis quilômetros de distância do correio.

Liguei para o agente do correio, que era meu amigo, e disse-lhe que a correspondência estava em algum lugar entre Temple Terrace e o destino final, na Rota 1. "Não vejo jeito de você conseguir receber a carta antes do meio-dia, a não ser correndo atrás do carteiro", ele disse. "Posso dizer em qual estação ele está e onde começar a procurá-lo, porque ele já passou pela estação nove. Você o encontrará lá. Dou as instruções sobre como seguir a rota dele."

A Rota 1 passava pela mesma estrada que eu costumava pegar para ir de Tampa até minha casa em Temple Terrace. Eu a percorria diariamente, mas não sabia que havia muitas caixas de correio por lá, e naquele momento era importante que as observasse. Nunca tinha visto tantas caixas de correio na minha vida; pareciam ter trinta metros, todas numeradas, e eu estava procurando o número indicado pelo agente do correio.

Acabei alcançando o carteiro, e a carta estava com ele. Era segunda-feira, e o homem levava um carregamento gigante de correspondências.

– Não há nada que eu possa fazer – ele disse –, não sei onde está a sua carta, e só vou saber depois que me livrar disto tudo aqui.

Eu expliquei:

– Escute, amigo, preciso da carta, e ela está aí. O agente do correio me disse para vir atrás de você e não aceitar um não como resposta; disse que era para você sair do meu caminho, separar a correspondência e me deixar pegar a carta. Foi o que ele me disse, e, se você não acredita, vamos entrar nessa fazenda para que você ligue para ele.

– É proibido, não posso fazer isso.

– Proibido ou não, preciso da carta – naquela hora ele viu que eu estava falando sério. Continuei: – Olhe, amigo, colabore comigo. Você tem o seu trabalho, e eu tenho o meu. O seu é importante, e o meu também. Não custa nada procurar a carta. Vai ser rápido.

– Ah, inferno. Que assim seja – ele afirmou.

Então o sujeito começou a trabalhar, e a terceira carta era a minha. É uma dessas coisas que acontecem. Quando você sabe o que quer e de alguma forma se decide a conseguir, as coisas ficam mais fáceis do que você achava que seriam.

Sempre pensei que isso diz muito sobre as experiências das pessoas que sabem o que querem e conseguem. Elas não deixam que nada as impeça. Nem prestam atenção às adversidades.

Já vi muitas vezes o Sr. Stone, meu grande parceiro nos negócios, conversar com seus vendedores. Emociono-me sempre que o escuto falar, porque acho que ele desconhece o significado da palavra *não*. Acho que, por muito tempo, ele acreditou que *não* significava *sim*, e os resultados que alcança evidenciam que acredita mesmo nisso. O Sr. Stone é a pessoa mais decidida que já conheci em relação às coisas que quer, e a mais decidida a se negar a aceitar uma negativa. Em outras palavras, quando alguma coisa entra em seu caminho, ele passa por cima ou contorna o problema, ou então a tira do caminho, mas nunca deixa nada interrompê-lo. Isso, sim, é concentração. Isso é definição de propósito em ação.

PESSOAS ILUSTRES

Vamos analisar algumas pessoas que exemplificam a conquista por meio da concentração. Veja Henry Ford, por exemplo, cuja obsessão ou propósito definido todos conhecem. A maioria das pessoas dirige uma parte do propósito principal dele todos os dias na vida, um automóvel seguro e de baixo custo. O Sr. Ford não deixou que ninguém o convencesse do contrário. Já vi pessoas lhe oferecerem oportunidades que me pareciam imperdíveis, porém, a resposta sempre era que estava comprometido com algo que consumia todo o seu tempo e esforço. Ele não se interessava por nada além do seu propósito principal definido: produzir e distribuir automóveis seguros e de baixo custo para todo o mundo.

Persistir no trabalho o enriqueceu imensamente. Vi centenas de pessoas entrarem nesse ramo e investirem muito dinheiro, muitas vezes mais do que o Sr. Ford tinha para começar, e acabarem se afundando na vala do fracasso. Não encontro nem uma dúzia de pessoas hoje que se lembrem do nome delas.

Esses homens tinham formação e personalidade melhores do que Henry Ford, tinham tudo que ele tinha e muito mais, exceto por uma coisa: não persistiram naquele único propósito definido como ele persistiu quando o caminho ficou difícil.

No ramo da invenção, o Sr. Edison exemplifica muito bem o poder da concentração. Se ele era de alguma forma um gênio, significa que, quando as coisas ficaram difíceis, investiu toda a sua energia, em vez de desistir.

Pense em um homem determinado enfrentando dezenas de milhares de diferentes fracassos, como aconteceu com Edison enquanto trabalhava na lâmpada elétrica incandescente. Você consegue se imaginar passando por dezenas de milhares de fracassos na mesma área sem se perguntar se está enlouquecendo? Fiquei perplexo quando soube disso. Vi as duas pilhas de livros de registros, cada um com cerca de 250 páginas, e em cada uma havia um plano diferente que ele tentara – e que havia fracassado.

– Sr. Edison – eu disse –, e se não tivesse encontrado a resposta, o que estaria fazendo agora?

– Estaria no meu laboratório trabalhando, e não aqui perdendo meu tempo com você – respondeu sorrindo, mas, acredite, ele quis dizer exatamente isso.

Outro exemplo é o de William Wrigley Jr., que, aliás, foi o primeiro homem que me pagou para lhe ensinar esta filosofia. Os primeiros US$ 100 que ganhei vieram dele. Nunca passo pelo Michigan Boulevard e olho para aquele prédio branco à margem do rio, iluminado à noite, sem pensar no que a concentração é capaz de fazer, inclusive quando aplicada a um chiclete de cinco centavos[24].

---

24. William Mills Wrigley Jr. (1861–1932) foi um industrial americano de goma de mascar, fundador do Wm. Wrigley Jr. Company em 1891.

AJUDA DA INTELIGÊNCIA INFINITA

A inteligência infinita vai se colocar ao seu lado quando descobrir que você não vai desistir enquanto não concretizar o que deseja. Se for para anotar alguma coisa no caderno, que seja isso. Caso não desista diante das dificuldades do caminho, a inteligência infinita se colocará ao seu lado. Lembre-se disso.

Você precisa ter a sua fé, a sua iniciativa, o seu entusiasmo e a sua resistência testados. Quando a natureza descobrir que você resistiu ao teste e que não aceita uma negativa como resposta, ela vai dizer: "Tudo bem. Você passou. Pode entrar. É com você". A inteligência infinita se coloca ao seu lado se não desistir quando o caminho estiver difícil.

Sei disso por meio da única forma que alguém poderia saber: já aconteceu comigo. Houve momentos em que eu não tinha nada, exceto o fato de não desistir só porque ainda não havia encontrado a resposta.

Imagine dedicar vinte anos de pesquisa nesta mesma área sem qualquer retorno financeiro. Todo o dinheiro que eu ganhava de outras fontes foi, por vinte anos, investido na pesquisa. Pense nisso. Quantas pessoas no mundo você acha que seriam tão desajuizadas?

Uma. Não conheço alguém tão dedicado a qualquer área de atuação sem qualquer retorno financeiro. Mas veja o que aconteceu – o benefício se estendeu a milhões de pessoas que ainda nem nasceram, em razão do potencial desta filosofia. O que acontecerá neste mundo complicado ninguém sabe. Mas, julgando de acordo com o que já aconteceu até agora para pessoas doutrinadas com esta filosofia, imagino que talvez aqui esteja o antídoto para o comunismo e para todos os outros "ismos" inimigos do interesse da humanidade. Porque, em última análise, acho que a natureza – ou a inteligência infinita, ou Deus, ou como você quiser chamar – gosta de levar informações às pessoas em palavras simples e por meio de coisas que elas entendam. Com certeza esta filosofia se insere nessa categoria. Eu não ofereceria um dicionário ou uma enciclopédia a estudantes ainda adolescentes. Você pode ler ou ouvir a respeito de algo, e talvez até entenda. A sua própria inteligência diz, assim que você se depara com um desses princípios, que ele é sólido. Você simplesmente sabe, não precisa de provas. Esta filosofia não persistiria até hoje se eu não tivesse me concentrado ao longo de vinte anos de adversidades e derrotas.

Veja, vale a pena se concentrar, e a minha experiência comprova: se você persistir quando o caminho ficar difícil, a inteligência infinita se colocará ao seu lado.

Acho que isso não seria verdade em um caso como o de Hitler. Sem dúvidas ele tinha definição de propósito e um desejo obsessivo, mas que contrariavam os planos da inteligência infinita, as leis da natureza e as leis do certo e errado. Se o que você estiver fazendo infligir dor ou injustiça a uma pessoa que seja, tenha certeza de que não dará certo, e virão o fracasso e o sofrimento.

Se você espera que a inteligência infinita o acompanhe, seja justo, e só conseguirá ser justo quando suas ações beneficiarem todos os afetados, inclusive você mesmo.

Jesus Cristo dedicou toda a sua vida ao desenvolvimento de um método de vida para a irmandade de homens. Embora não tenha chegado muito longe enquanto viveu, deve ter feito a coisa certa, pois, mesmo depois de morrer, contava com doze pessoas ao seu lado.

Hoje tenho muito mais do que isso, mas há muitas pessoas que me criticam de tempos em tempos. Quando penso no que aconteceu com Jesus Cristo, em como ele foi maltratado, em quantos seguidores ele tinha, sinto-me muito mais abençoado do que jamais pude imaginar. Porque não há nenhuma força neste mundo tão poderosa e abrangente quanto a que Jesus Cristo desencadeou quando estava na Terra com seus doze discípulos.

Por esse motivo, acredito que as pregações e as ações de Jesus Cristo eram corretas, caso contrário, já teria desaparecido há muito tempo, porque há algo na natureza, na inteligência infinita, que planta em todo mal a semente da própria destruição. Sem exceções. Todo o mal, tudo que não se conecta ao plano da natureza, às leis do universo, traz consigo o vírus da destruição.

O OBJETIVO DA LIBERDADE

O objeto de concentração de George Washington, Thomas Jefferson, Abraham Lincoln e dos signatários da Declaração de Independência dos Estados Unidos[25] era dar liberdades individuais a todo o povo americano e, por fim, a todos do mundo. É possível que aí esteja o berço para o nascimento da liberdade para toda a humanidade, pois não conheço nenhuma outra nação na face da Terra que se concentre nas liberdades individuais como nós aqui nos Estados Unidos. E não conheço outras pessoas cujo objetivo seja promover a autonomia de tantas outras além daquelas que estão estudando esta filosofia.

O seu objetivo, em primeiro lugar, é conquistar a própria liberdade e, em seguida, ajudar as pessoas que você influencia a conquistarem a delas, doutrinando-as com esta filosofia.

---

25. A declaração da independência dos EUA foi aprovada em 4 de julho de 1776.

13

Aprendizado com a adversidade

Se há uma coisa neste mundo da qual as pessoas não gostam é a adversidade, as circunstâncias desagradáveis e a derrota. Mas, se analisássemos devidamente as leis da natureza, veríamos que de fato pretendiam que passássemos por adversidades, derrotas, fracassos e oposição – e há um motivo para isso.

Se não tivesse enfrentado tantas adversidades durante minha juventude, eu não estaria aqui falando com você esta noite, não teria concluído esta filosofia e não estaria alcançando milhões de pessoas em todo o mundo. As adversidades me tornaram mais forte, mais sábio e mais capaz de concluir este trabalho e levá-lo às pessoas. E, mesmo assim, se eu voltasse ao passado e precisasse fazer uma escolha, sem dúvida tentaria facilitar as coisas, como qualquer um faria.

Todos temos a tendência de buscar o caminho do menor esforço. Seguir a linha de menor resistência é o que torna todos os rios e alguns homens tortos, mas é muito comum fazermos isso.. Nunca queremos pagar o preço dos grandes esforços; gostamos que as coisas venham até nós do jeito fácil.

A mente funciona exatamente como qualquer outra parte do corpo: enfraquece e se atrofia quando não usada. Deparar-se com problemas e incidentes que o incentivam a pensar talvez seja a melhor coisa que lhe aconteça, pois, sem uma motivação, você não vai ativar o funcionamento da mente.

Há dezessete princípios de sucesso, mas pelo menos 35 principais causas de fracasso; reitero, principais, não todas.

A autoanálise é um dos deleites mais lucrativos. Às vezes você não vai querer fazê-la, mas é fundamental que nos conheçamos exatamente como somos, sobretudo as nossas fraquezas.

Ao explicar uma filosofia do sucesso, cabe dizer o que se deve fazer para alcançá-lo e também o que *não* se deve fazer.

A esta altura, estamos lidando com as coisas que não devem ser feitas e com as fraquezas que precisa eliminar ou domar se o seu objetivo for o sucesso. Escreva as 35 maiores causas de fracasso e atribua uma nota de 0 a 100 a si mesmo na coluna da direita enquanto as exponho. Lembre-se: 100 significa que você está totalmente livre da situação. Se estiver livre de apenas 50% dela, atribua-se a nota 50. Se você não estiver livre de forma alguma, atribua-se a nota 0.

Ao finalizar, some o total, divida por 35 e terá uma média geral sobre o controle das coisas que levam ao fracasso.

1. Desvio

A primeira de todas é o hábito de se *desviar* dos próprios planos ou objetivos definidos por causa das circunstâncias. Se você não o tem, se traça planos e os segue, se sabe exatamente aonde está indo e já está no caminho, atribua-se nota 100 neste quesito.

Cuidado, porque é raro alguém tirar 100 aqui. É preciso ser muito organizado e estar muito preparado para fugir dessa situação.

2. Condições físicas desfavoráveis

O segundo item se refere a uma *condição física desfavorável* inata, que pode ser uma causa de fracasso, mas também de sucesso. Algumas das pessoas mais bem-sucedidas que conheci passaram por terríveis provações físicas logo ao nascer. O falecido Dr. Charles P. Steinmetz[26] era aleijado, corcunda, nasceu deformado. E, ainda assim, foi um dos homens que mais contribuíram com o seu tempo. Tinha um cérebro incrível que sabia usar e não permitiu que aquela provação lhe rendesse um complexo de inferioridade.

Sempre me orgulhei do trabalho que fiz com meu filho Blair, que nasceu sem orelhas. A princípio, nós o deixávamos ir à escola com o cabelo cobrindo o defeito, mas as crianças começaram a importuná-lo, chamando-o de maricas. Então, ele resolveu lidar com o problema do jeito típico de Napoleon Hill: passou pela barbearia no caminho de casa e pediu ao barbeiro que lhe cortasse todo o cabelo. Quando chegou em casa, a mãe dele ficou muito chateada, ao que ele retrucou: "Daqui para a frente, ninguém precisa me incomodar por eu ter cabelo comprido. Eles vão saber por que eu usava o cabelo daquele jeito".

Daquele dia até hoje, ele não tem um pingo de insegurança. Ao caminhar pelas ruas, as pessoas se viram, encaram-no e ficam boquiabertas, mas ele não se importa, porque lhe falei para não se importar. Disse-lhe que seu problema era uma bênção, pois incentivava as pessoas a tratá-lo com gentileza. Pense, diante de um problema assim, em transformá-lo em um trunfo se mantiver uma atitude correta frente a ele.

---

26. Charles Proteus Steinmetz, pseudônimo de Karl August Rudolf Steinmetz (1865–1923), foi inventor, matemático, engenheiro eletricista e professor no Union College.

3. Curiosidade intrometida

A terceira é a *curiosidade intrometida* no que se refere a assuntos e negócios alheios. A curiosidade é maravilhosa. Se não fôssemos curiosos, nunca aprenderíamos, nunca investigaríamos. Observe a formulação da frase: "curiosidade intrometida no que se refere aos assuntos alheios", ou seja, algo que não lhe diz respeito.

Lembre-se, ao atribuir-se uma nota, de retomar experiências passadas e procurar determinar em que medida você controla essas fraquezas.

4. Falta de um propósito principal definido

O número quatro envolve a falta de um propósito principal definido como objetivo de vida. Temos falando bastante sobre propósito. Agora falaremos sobre a ausência dele. Se lhe falta propósito, aqui está um bom item para se dar nota zero.

5. Escolaridade inadequada

Há pouquíssima relação entre os graus de *escolaridade* e o sucesso. Algumas das pessoas mais bem-sucedidas que já conheci foram também aquelas com menos educação formal. Muitos vivem uma vida de fracassos e arranjam todas as desculpas para isso, convencidos de que fracassaram porque não têm um diploma universitário. Em muitos casos, uma graduação universitária concluída coloca as pessoas em situações em que precisam desaprender muita coisa e se reeducar.

Se você sai de um curso superior sentindo que deveria ser pago pelo que sabe, e não pelo que faz, o diploma universitário não lhe fez nada bem. Quando você se defronta com o destino segurando um porrete bem à sua frente (e não será de brinquedo), descobrirá que não será pago pelo que sabe. A remuneração resulta de alguém saber o que realizar com o que sabe, ou do que consegue fazer outras pessoas produzirem.

6. Falta de autodisciplina

A *falta de autodisciplina* quase sempre se manifesta em excessos de comida e bebida e na indiferença diante de oportunidades de desenvolvimento e progresso pessoais. Espero que você se atribua uma nota alta neste quesito.

7. Falta de ambição

Falta de ambição para ir além da mediocridade – aonde vão as pessoas extraordinárias. Você é ambicioso? Aonde quer chegar? O que quer da vida? Com o que vai se contentar?

Um jovem soldado veio me ver logo depois da Primeira Guerra Mundial, em busca apenas de um sanduíche e um lugar para passar a noite. Eu não aceitei, e ainda o convenci a querer mais do que aquilo; como resultado, ele se tornou multimilionário em menos de quatro anos. Espero que eu tenha o mesmo êxito com você, elevando tanto a sua ambição que não se contentará com poucos trocados.

Sonhe alto. Não custa nada. Talvez não chegue tão longe quanto os seus sonhos, mas certamente chegará mais longe do que se não sonhar. Maximize as suas visões, seja ambicioso, determinado a se tornar no futuro aquilo que você não conseguiu no passado.

8. Saúde precária

O item número oito se refere a uma *saúde precária*, em geral resultado de pensamentos deturpados e uma dieta alimentar inadequada. Garanto-lhe que existem muitos álibis para justificar uma saúde debilitada, assim como há também muitas doenças imaginárias, uma patologia chamada de hipocondria. Não sei se você tem se mimado e se infantilizado com doenças imaginárias, mas, se faz isso, atribua-se uma nota baixa neste quesito.

9. Influências desfavoráveis na infância

Muito de vez em quando, você verá que as influências da infância em algumas pessoas são tão negativas que lhe comprometem toda a vida.

Tenho certeza de que, se eu me permitisse continuar como eu era na infância, antes de a minha madrasta entrar em cena, teria me tornado um segundo Jesse James (só que conseguiria atirar mais rápido e mais certeiro do que ele). Tudo no meu ambiente me levava a buscar inspiração em um herói nos moldes do Jesse James.

Até que aquela mãe maravilhosa entrou na minha vida. Ela pegou o garoto rebelde e transformou todas as qualidades negativas dele em positivas, e viu o dia em que o garoto passou a influenciar milhões de pessoas. É muito triste que ela não esteja viva até hoje.

10. Falta de persistência

Destaco um tipo especial: *falta de persistência* em cumprir as nossas obrigações. Por que as pessoas não seguem adiante depois de começarem algo? Qual o motivo principal da desistência de uma ação certa?

Falta de motivação. Elas não querem tanto assim fazer as coisas. Acredite, levo adiante tudo que quero, mas, se não quiser, sou capaz de encontrar muitos álibis para desistir.

Para você, será lucrativo adotar o hábito de levar adiante tudo o que se compromete a fazer ou será lucrativo se desviar do caminho?

Você se distrai facilmente? Você se deixa dissuadir de fazer as coisas quando alguém o critica?

Se eu temesse críticas, nunca teria chegado a lugar algum na vida. Em dado momento, as críticas me incentivavam a ir à luta. E quando eu descobri que, ao ir à luta, dedicava-me mais, passei a levar as coisas mais adiante.

Muitas pessoas fracassam porque não têm a força motivadora para seguir adiante, sobretudo quando o caminho fica difícil, e sempre ficará. Se for um novo negócio, você provavelmente precisará de um dinheiro de que não dispõe no começo. Se for uma profissão, precisará de clientes e de reconhecimento do chefe, coisa que também não tem. Mereça esse reconhecimento. O caminho sempre é difícil no começo; persista.

11. Atitude mental negativa

Qual destes é você: pessimista ou otimista a maior parte do tempo? Ao ver uma rosquinha doce, você vê primeiro a própria rosquinha ou o buraco? Quando você a come, não come o buraco, não é? Come a rosquinha.

Diante de um problema, muitas pessoas agem como o sujeito que vê o buraco da rosquinha e reclamam porque perderam um pedaço gostoso da massa, mas não veem a rosquinha em si.

O que acontece com uma pessoa cujo hábito é deixar a mente mergulhada na negatividade? Uma mente negativa afasta as pessoas; uma mente positiva atrai pessoas que se alinham à sua atitude mental, ao seu caráter. Você conhece o ditado "Diga-me com quem andas e te direi quem tu és"? Assim, quem anda com gente de mente negativa será negativo, e quem anda com gente de mente positiva será positivo.

Quem controla a sua mente? Quem determina se ela é positiva ou negativa? Você. Dê uma nota a si mesmo conforme a sua vivência dessa prerrogativa. A mente positiva constitui a coisa mais preciosa que você tem ou terá na face da Terra, a única sobre a qual você tem total e absoluto controle. Cabe a você o direito de colocar a mente em um estado positivo e mantê-la assim, ou deixar que as circunstâncias da vida a tornem negativa.

Você terá trabalho se quiser manter a mente positiva, porque há muitas influências negativas ao seu redor. Tantas pessoas, tantas circunstâncias negativas que, se você se tornar parte delas, em vez de criar seu próprio cenário mental, ficará em um estado negativo a maior parte do tempo.

Você entende bem a diferença entre uma mente negativa e uma positiva? Consegue visualizar o que acontece na química cerebral de uma mente positiva e outra negativa? Você já observou ou vivenciou as diferenças entre os seus feitos em situações de medo e quando não está com medo?

Da primeira vez que escrevi *Quem pensa enriquece*, trabalhava para o presidente Roosevelt durante a grande Depressão, em seu primeiro mandato. Escrevi o livro com a mesma atitude mental negativa de todos naquele momento, sem que eu nem percebesse. Muitos anos mais tarde, quando o livro foi publicado e eu o li, reconheci que não era vendável, porque tinha um perceptível ritmo negativo. O leitor vai incorporar a mesma atitude mental do escritor, não importa a língua ou a terminologia que ele use.

Não mudei as lições do livro, mas sentei-me à minha máquina de escrever com um novo estado de espírito – elevado, 100% positivo – e o reescrevi. Aí deu certo. Quando somos negativos, não podemos esperar fazer qualquer coisa que beneficie ou influencie outras pessoas. Se você quer colaboração, se quer vender algo para as pessoas, ou se quer causar uma boa impressão nelas, só se aproxime com um estado de espírito positivo.

Enfatizei bastante este aspecto porque quero lhe dar a chance de se dar uma nota precisa neste quesito. Atribua uma nota para o estado de espírito em que se mantém na média, não apenas para o seu estado de espírito em determinado momento, por um curto período de tempo.

Vou compartilhar uma boa regra para determinar se você está num estado mental mais positivo ou mais negativo: observe como se sente ao acordar e sair da cama pela manhã. Se você não estiver em um bom estado de espírito nesse momento, significa que muitos dos seus hábitos mentais precedentes, talvez do dia anterior, foram negativos. Você pode até adoecer se permanecer em um estado de negatividade, e isso se refletirá sobretudo pelas manhãs, pois, ao despertar, você acaba de sair da influência do próprio subconsciente. A mente consciente estava de folga. Quando ela volta ao trabalho, vê a bagunça que o subconsciente deixou depois de toda a noite, e precisa arrumar tudo.

Se você acorda alegre, quer sair da cama e realizar toda a rotina diária, é provável que tenha ficado em um estado mental positivo no dia anterior, talvez até vários dias antes.

12. Falta de controle emocional

Você já pensou na necessidade de controlar as suas emoções positivas e também as negativas? Por que devemos controlar o sentimento de amor, por exemplo? Porque o amor pode queimar se aquecer demais.

Vamos falar de outro sentimento: desejo de ganhar dinheiro. Você precisa controlá-lo? Sim, porque talvez você tenha maximizado tanto esse desejo que pode estar querendo demais. Conheci muitas pessoas que tinham dinheiro demais para si próprias, sobretudo aquelas que o ganharam sem merecer, como acontece com quem herda fortunas. Sabe por que meu nome é Napoleon? Meu pai me deu esse nome em homenagem ao meu tio-avô, Napoleon Hill, de Memphis, no Tennessee, um comerciante de algodão multimilionário. Meu pai esperava que, quando o tio Napoleon morresse, eu herdasse um pouco do dinheiro dele.

Ele morreu e não ganhei nem um tostão. Quando descobri que não ganharia nada, eu me senti péssimo. Mais tarde, ao trocar um pouco da minha juventude por sabedoria e ver o que aconteceu com quem herdou aquela fortuna, fiquei eternamente grato por não ter recebido nada, porque aprendi uma forma melhor de ganhar dinheiro sozinho, sem precisar obtê-lo de ninguém.

13. Desejo de conquistar algo sem dar nada em troca

Você já se incomodou com o *desejo de conquistar algo sem dar nada em troca* ou por menos do que aquilo vale? Já se incomodou com o desejo de ter algo sem oferecer uma compensação adequada em troca? Quem de nós nunca se sentiu assim vez ou outra?

Você pode ter muitos defeitos, portanto, descubra-os e livre-se deles. É por isso que estamos fazendo esta análise, dando-lhe a oportunidade de ser um juiz, um réu e um acusador, tudo ao mesmo tempo, para tomar a decisão final. Seria muito melhor se você encontrasse os seus defeitos em vez de eu encontrá-los, porque, se os encontrar, não vai tentar arranjar álibis, mas sim livrar-se deles.

14. Decisões apressadas

Você toma decisões convictas e imediatas, ou leva tempo para chegar a uma decisão e, depois de a tomar, permite que a primeira pessoa que apareça o faça mudar de ideia? Você permite que as circunstâncias revertam as suas decisões sem um bom motivo? Em que medida você se mantém determinado em relação às suas decisões depois de tomá-las? Em que circunstâncias você reverte uma decisão já tomada?

Mantenha a mente aberta em relação a esse assunto o tempo todo. Nunca tome uma decisão e diga "Pronto, e assim será para sempre", pois pode acontecer algo que o fará mudar de ideia.

Algumas pessoas conhecidas pela teimosia, ao tomarem uma decisão, seja certa ou errada, morrem com ela. Já vi muitas que preferiam morrer a mudar de ideia ou deixar alguém convencê-las do contrário.

Claro que você não é assim, caso esteja de fato doutrinado nesta filosofia. Talvez tenha sido desse jeito no passado, mas não é assim agora, ou então não gostará dos resultados desta análise.

15. Os sete medos básicos

O item número quinze se refere a ter um ou mais dos *sete medos básicos*:
1. da pobreza
2. de críticas
3. de problemas de saúde
4. de perda do amor
5. de perda da liberdade
6. da velhice
7. da morte

Em algum momento da vida, todo mundo sofre de praticamente todos esses medos. Lembro-me de quando senti cada um eles. Hoje não os sinto mais.

Não enfrento nenhum tipo de medo, nem mesmo o de morrer, que é o mais insignificante de todos, pois para mim a morte é apenas um interlúdio maravilhoso pelo qual terei que passar, e, quando chegar a hora, eu a enfrentarei, e provavelmente será incrível.

Vivemos em um mundo extraordinário. Sinto-me feliz por estar aqui, feliz por fazer o que faço. Se alguma circunstância desagradável surge no meu caminho, também fico feliz, pois conseguirei descobrir se sou mais forte do que ela. Se eu a domino, por que me preocupar? Coisas que se opõem a mim, pessoas que não me estimam, pessoas que dizem coisas ruins sobre mim. Por que me preocuparia com isso?

Se as pessoas dizem coisas ruins sobre mim, vou me analisar e descobrir se estão dizendo a verdade. Se não estiverem, vou ficar firme e rir delas, de como são loucas e de como estão prejudicando a si mesmas.

16. Escolha errada do companheiro

Não se apresse para se atribuir uma nota neste aspecto. Se você errou 100% neste quesito, olhe ao seu redor antes de se dar uma nota e veja se há algo que pode fazer para corrigir esse erro.

Eu me pergunto quantos casamentos ajudei a colocar nos eixos. Alguns, que desfiz, já deveriam ter sido desfeitos antes mesmo de acontecerem, mas o casal não tinha coragem de admitir que havia errado. Mas ajudei muito mais a salvar casamentos do que ajudei a desfazê-los, pois acredito que pessoas que não foram feitas para viver juntas, que não encontram harmonia, que não se completam, devem, no mínimo, morar em casas separadas.

Algumas pessoas acreditam que todos os casamentos são o paraíso. Que maravilha se fossem, mas já vi alguns que não são. Nem sei exatamente o que são, mas certamente não o paraíso.

Também já vi relações de negócios que não são nenhum paraíso. Já ajudei a restaurar muitas delas também, sócios que não trabalhavam juntos com um espírito de harmonia. Nada no mundo dos negócios dará certo se as pessoas, pelo menos as de comando, não trabalharem em harmonia.

Não há lar alegre, que seja um lugar aonde se queira ir, se não houver harmonia acima de tudo, e ela começa com a lealdade e a confiança, e depois a capacidade. Como destaquei, é assim que avalio as pessoas. Se quero escolher alguém para um cargo superior, primeiro tento saber se a pessoa é leal a quem deve lealdade. Se não for, não a quero perto de mim de forma alguma.

Depois, procuro a confiança: se é possível contar com a pessoa, se ela estará no lugar certo e na hora certa. E, por fim, vem a capacidade. Já vi muitas pessoas que, apesar de tantas capacidades, não eram confiáveis, não eram leais e, portanto, eram muito perigosas.

17. Excesso de precaução

O item número dezessete diz respeito ao *excesso de preocupação* nos negócios e nas relações profissionais. Você conhece pessoas tão cautelosas que não confiam nem na própria sogra?

Conheci um homem tão precavido que mantinha um pequeno cadeado na carteira, cuja chave escondia em um lugar diferente toda noite, para que a esposa não mexesse nos bolsos dele e pegasse dinheiro da carteira. Não era adorável? Aposto que a esposa ficava muito feliz.

A esposa de um outro conhecido, um fazendeiro, precisava roubar uns poucos trocados de cada vez para comprar algumas fitas para enfeitar os cabelos de vez em quando; só assim conseguia algum dinheiro. Ele era responsável pelo orçamento familiar, mas guardava o dinheiro para si e gastava tudo. Aí também deve ter havido uma péssima escolha de cônjuges.

18. Falta de cuidado

Destaco também a falta de qualquer forma de cuidado nas relações humanas. Você já conheceu pessoas assim, absolutamente descuidadas?

Pessoas que abrem a boca e não param mais de falar, sem a mínima preocupação quanto a afetarem os outros.

Você já conheceu pessoas desse tipo, não é? Nenhum cuidado, nenhum discernimento, nenhuma diplomacia, nenhuma consideração pelo que as próprias palavras vão causar nos outros. Já conheci gente cuja língua era mais afiada do que uma lâmina nunca usada. Elas simplesmente disparam qualquer coisa e se afastam. Sem qualquer cuidado.

Também já conheci pessoas que compram qualquer coisa apresentada por um vendedor, sem nem ler a respeito. Não leem sequer o que está em letras grandes, quanto mais os pormenores. Já conheceu gente desse tipo?

Você pode agir com excesso de cuidado ou com falta de cuidado. Qual é o meio-termo ideal? Ele está na lição sobre o pensamento aguçado: examinar com cuidado as coisas antes de realizá-las, e não depois, e analisar as palavras antes de pronunciá-las, e não depois.

Vai ser um pouco difícil atribuir-se uma nota neste quesito. Para ser honesto, também seria difícil para mim me dar uma nota nos itens dezessete e dezoito, levando em conta que, em muitos momentos na minha vida, não fui nada cuidadoso. Acho que a causa de muitos dos meus problemas na juventude foi excesso de confiança nas pessoas. Eu lhes permitia se aproximarem e me bajularem usando o nome Napoleon Hill, para depois saírem por aí utilizando o meu nome. Isso aconteceu muitas vezes antes de eu segurar as rédeas e me tornar mais cuidadoso.

Por outro lado, não quero ser tão cuidadoso a ponto de não confiar em ninguém. Não se pode ser feliz vivendo assim.

A propósito, esta é uma das lições mais valiosas de todo este curso, porque se refere à autoanálise. Você está no lugar certo, e é você que está julgando. Vai descobrir coisas, se não hoje, vai descobri-las quando repassar esta lição, quando conferir a nota que deu a si mesmo.

Aposto com você qualquer quantia de dinheiro – bom, até uns dez centavos – que, quando analisar sua anotação, fará pelo menos uma dezena de alterações ao se sentar e pensar bem nisso tudo.

19. Escolha inadequada dos parceiros de negócios

A próxima se refere à *escolha inadequada dos parceiros de negócios*. Quantas vezes você já ouviu falar de pessoas com problemas porque se associaram às pessoas erradas?

Nunca conheci nenhum jovem cuja trajetória tenha saído dos trilhos sem que a razão se relacionasse à influência de alguém. Nunca vi nenhum jovem escolher um caminho inadequado sem a influência negativa de alguém.

20. Escolha incorreta da vocação

O número vinte diz respeito à *escolha incorreta de uma vocação*, ou ao descaso total no momento da escolha. Cerca de 98 pessoas a cada 100 receberiam nota 0 neste aspecto. É claro, você, aluno desta filosofia, que teve a oportunidade de ser doutrinado com a primeira lição sobre definição de propósito, tiraria uma nota muito mais alta.

Aqui, a nota só pode ser 0 ou 100. Não há meio-termo. Ou você tem ou não um propósito principal definido. Não dá para tirar 50 ou 60, ou qualquer outra nota aqui ou no quesito de definição de propósito. Ou você tem ou não tem.

21. Falta de concentração de esforços

Esse aspecto significa distribuir interesses por muitas coisas distintas. Uma pessoa não é forte o suficiente e a vida é curta demais para garantir o seu sucesso caso não aprenda a arte de se concentrar em uma coisa de cada vez e levá-la adiante para realizar um trabalho bem-feito.

22. Falta de planejamento financeiro

Talvez seja difícil atribuir-se uma nota neste aspecto: *falta de planejamento financeiro*, falta de uma forma sistemática de cuidar da sua renda e das suas despesas.

Você sabe como as pessoas costumam se planejar financeiramente? As despesas delas em geral são controladas pelo crédito que conseguem obter. Isso é tudo. Quando o crédito termina, elas acabam se controlando um pouco, mas, até que isso aconteça, gastam sem pensar.

Uma empresa iria à falência em pouco tempo se não tivesse um método de controle de suas entradas e saídas. É esta a função dos controles e da organização: ser desmancha-prazeres. Toda empresa de sucesso, de qualquer porte, precisa ter um desmancha-prazeres, alguém que controle os ativos e evite que eles escapem no momento errado ou da forma errada.

23. Falta de planejamento de tempo

O próximo item é a *falta de planejamento de tempo*. O tempo é o bem mais precioso do homem. Você tem 24 horas todos os dias, e precisa dedicar cerca de oito horas ao sono, se quiser ter saúde. Ainda lhe sobrarão oito horas para ganhar a vida e mais oito de tempo livre. Nos Estados Unidos, você é um cidadão livre, então pode fazer o que quiser com essas oito horas: pecar, gastar dinheiro, criar bons hábitos, criar maus hábitos, aprender.

O que você está fazendo com essas oito horas? Esse é um fator determinante para se atribuir uma nota nesta pergunta. Está planejando o seu tempo da melhor forma possível? Tem um método para controlá-lo?

Claro, dezesseis horas do seu dia já estão automaticamente ocupadas, mas as restantes, não: você pode fazer praticamente tudo o que quiser com elas. Há uma lição inteira neste curso sobre planejamento de tempo e dinheiro, com sugestões definitivas para usar seu tempo livre.

24. Falta de entusiasmo controlado

Aqui está outra belezinha. O entusiasmo é, sem dúvida, um dos sentimentos mais valiosos, contanto que o ative e desative como faria com uma torneira ou uma lâmpada elétrica. Se você consegue isso, atribua-se nota 100 neste aspecto. Caso contrário, sua nota talvez seja 0.

Você já pensou na sua força de vontade? Para que ela serve? Você a tem, e com que objetivo?

É a disciplina, que serve para disciplinar a sua mente, para que a coloque aonde quiser que ela vá. Você é capaz de desenvolver qualquer tipo de hábito.

Nunca consegui determinar o sentimento pior: nenhum entusiasmo, frieza absoluta, ou um entusiasmo exacerbado fora de controle. Se você quiser ser um professor competente, aprenda a ativar o seu entusiasmo nas aulas, caso contrário, as suas palavras soarão monótonas, sem qualquer magnetismo. Você não conquistará a atenção dos ouvintes se não falar com entusiasmo, o que só acontecerá se ele partir de dentro de você.

Se alguém me deixasse irritado agora mesmo, eu desativaria meu entusiasmo em um instante, e ativaria alguma outra coisa, o que talvez fosse muito mais apropriado (contanto que eu não usasse um linguajar inadequado). Houve um tempo em que eu ativava a raiva com muito mais rapidez do que o entusiasmo, e não conseguia desativá-la com a mesma facilidade. Cabe a você superar esse problema. Conquiste a capacidade de ativar e desativar as próprias emoções.

25. Intolerância

Intolerância significa uma mente fechada por conta de ignorância ou preconceito relacionado a ideias religiosas, raciais, políticas ou econômicas. Que nota você se dá neste quesito?

Seria maravilhoso caso você se atribuísse uma nota 100 aqui, afirmando que tem uma mente aberta diante de todas as pessoas, o tempo todo. Se fizesse isso, provavelmente você não seria humano, mas sim um santo.

Acredito existirem momentos, aqueles em que você decide manter a mente aberta sobre todas essas coisas, em que você conseguiria se manter assim por um tempo. Eu consigo por algum tempo.

Imagine que você não se atribua um 100 neste aspecto. Imagine que não consiga manter a mente aberta com todas as pessoas, o tempo todo, sobre todos os assuntos. Como resolver isso?

Por meio da tolerância. Quanto mais você tentar, mais descobrirá *progresso* no exercício da tolerância, até que, finalmente, ela se torne um hábito, substituindo a intolerância.

Há muita gente neste mundo – e lamento dizer que é a vasta maioria – que, ao conhecer outras pessoas, começa imediatamente a procurar coisas de que não gosta, as quais sempre acaba encontrando.

E existe outro tipo de pessoa, sempre mais bem-sucedida, mais feliz e mais bem-vinda ao chegar nos lugares. Quando se encontra com alguém, seja um conhecido, seja um estranho, a pessoa começa imediatamente não apenas a procurar coisas de que gosta no outro, mas também a elogiá-lo e mostrar que reconhece as qualidades positivas dele, e não as negativas.

Sinto-me muito bem quando alguém se aproxima de mim e diz: "O senhor não é o Napoleon Hill?". Confirmo, e a pessoa continua: "Bom, preciso dizer-lhe que o seu livro me fez muito bem".

Essa situação me faz crescer. E adoro. Sempre me proporciona bem-estar, exceto se for forçada (o que também é possível).

Nunca vi ninguém que não reagisse gentilmente a um elogio. Se você afagar as costas de um gato arredio, ele vai se erguer e começar a ronronar. Os gatos não são muito amigáveis, mas você pode torná-los amigáveis se fizer coisas de que eles gostam.

26. Incapacidade de cooperar

A número 26 envolve a *incapacidade de cooperar* com os outros em um espírito harmonioso. Imagino que em algumas circunstâncias da vida até se justifique a incapacidade de cooperar. Muitas vezes encontro pessoas que querem que eu faça coisas por elas que jamais poderia. Elas querem a minha influência. Querem que eu escreva cartas de recomendações. Querem que eu faça ligações – bom, não posso. Só vou cooperar se me convencerem do porquê.

27. Poder ou riqueza imerecidos

Em seguida vem o poder que não é merecido ou conquistado. Espero que você não tenha problemas ao se atribuir uma nota neste aspecto.

28. Falta de lealdade

O próximo é a *falta de lealdade* a quem na verdade a merece. Se existe o espírito de lealdade no seu coração, atribua-se a nota 100 aqui. Se você não praticar a lealdade o tempo todo, não se dê nota 100, mas uma mais baixa.

Se, por acaso, você se atribuir uma nota abaixo de 50 a qualquer um destes aspectos, assinale a questão e volte a estudá-la. Você precisa ter em todas estas causas de fracasso uma nota superior a 50. Se ficar abaixo, está em uma zona de perigo.

29. Formação de opiniões não embasadas em fatos

O item número 29 se assenta no hábito de *formar opiniões não embasadas em fatos*. Se você se atribuir uma nota inferior a 50 neste aspecto, comece a trabalhar nele imediatamente. Pare de formar opiniões que não se baseiam em fatos ou no que você acredita que sejam fatos.

Quando ouço alguém opinando sobre um assunto que desconhece, sempre me lembro da história dos dois homens que estavam discutindo a teoria da relatividade de Einstein. Quando a discussão ficou acalorada, um deles disse: "Mas que inferno! O que o Einstein sabe de política?".

Há pessoas que têm opiniões sobre tudo no mundo e se acham aptas a comandar o país melhor do que o presidente. Elas opinam sobre o trabalho de qualquer pessoa e sempre conseguem ultrapassar os amigos e fazê-los melhorar. Quase sempre, se você as examinar com cuidado, verá que não estão se saindo tão bem assim.

30. Egoísmo e vaidade

A número trinta se refere a egoísmo e vaidade descontrolados. O egoísmo é incrível, assim como a vaidade. Se você não fosse um pouco vaidoso pelo menos, não lavaria o rosto, não se pentearia ou seja lá o que fazem as mulheres.

Tenha um pouco de vaidade, um pouco de orgulho, mas não exagere. Na minha opinião, batons são lindos se não forem parar na minha camisa. Um pouco de pó compacto no rosto é bonito, mas a natureza tem um talento de longa data para dar a cor certa a cada rosto. Quando vejo mulheres de sessenta ou setenta anos com o rosto pintado como adolescentes de dezesseis, sei que estão apenas se autoenganando, porque a mim não enganam.

Muitas pessoas precisam inflar os próprios egos. Elas permitiram que as circunstâncias da vida as derrotassem até se exaurirem as forças para lutar, até ficarem sem iniciativa, sem imaginação, sem fé. O ego é fantástico se você consegue controlá-lo e não o deixa ofender os outros.

Nunca conheci ninguém bem-sucedido que não confiasse plenamente na própria capacidade de fazer qualquer coisa a que se propôs. Um dos propósitos desta filosofia é permitir-lhe que eleve o seu ego até onde precisa para realizar as coisas que quer, pouco importa quais sejam. O ego de algumas pessoas precisa ser ligeiramente aparado, mas eu diria que o de muitas mais precisa ser maximizado.

31. Falta de visão e imaginação

Nunca entendi exatamente se a grande capacidade de visão e imaginação é uma qualidade inata ou adquirida. No meu caso, acho que seja inata, pois, pelo que eu me lembre, sempre fui um sujeito muito imaginativo, o que me causou algumas dificuldades na juventude, na medida em que não a direcionava bem.

32. Indisposição para andar um quilômetro a mais

Se você tem o hábito de fazer além do necessário e aprendeu a se alegrar com isso, é provável que deixe muita gente em dívida com você, ou seja, em uma obrigação voluntária. Existem pessoas que não se importam de estar lhe devendo favores. Se for esse seu caso, aproveite-se delas de maneira legítima, usando influência, formação, capacidades e o que mais for necessário para ajudá-lo a prosperar.

Você sabe como agir para que alguém realize alguma coisa que você quer? Tome a iniciativa de fazer alguma coisa pela pessoa primeiro, e note como é fácil fazer alguma coisa agradável pelo outro. Você nem precisa pedir, não é?

Você se atribui que nota neste aspecto? Quantas vezes você quer ter uma longa lista de pessoas dispostas e preparadas para ajudá-lo quando precisar de ajuda? O que está fazendo para preparar esse exército bem-intencionado antes mesmo de precisar dele? Mas não faça além do necessário neste instante e espere que no minuto seguinte a pessoa a quem prestou o serviço lhe devolva em dobro. Não funciona assim. Crie a boa vontade com antecedência.

Aja no momento certo. Por exemplo, quando eu trabalhava para o Sr. LeTourneau, dei uma palestra certa vez sobre fazer além do necessário. Um funcionário entendeu mal. Ele era um ferramenteiro, um tipo de mão de obra muito escassa durante a guerra, e entendeu que fazer além do necessário significava voltar todas as noites ao trabalho e fazer hora extra. O sujeito contou a ideia ao Sr. LeTourneau, mas não disse que esperava receber em dobro pelas horas extras. Durante a semana, ao apresentar as contas das horas trabalhadas a mais, o homem acabou irritando o Sr. LeTourneau. Em vez de se beneficiar, perdeu a oportunidade de conquistar a confiança do patrão.

Muitas pessoas fazem além do necessário apenas movidas pelo oportunismo, desejando que as pessoas lhes devam favores e nunca agindo no momento certo. Elas não as deixam esquecer a dívida. Concluído um favor, logo pedem mais dois ou três. Você já passou por algo assim? Já viu outras pessoas cometerem esse erro? Já cometeu esse erro?

Se eu tivesse de escolher o princípio com potencial para lhe render mais, diria que é o de fazer além do necessário, em razão de ser o único passível de controle. Você não precisa pedir a ninguém o privilégio de se desviar do caminho e ajudá-lo. Quando começar a agir desse modo, provavelmente sentirá a diferença, porque a maioria das pessoas não faz isso.

Na verdade, se você tem um inimigo ou alguém que lhe desagrada, uma das melhores coisas é começar a fazer favores a essas pessoas, o que as deixará constrangidas.

Uns dois anos atrás, fui até Paris, no Missouri, para dar uma aula. As pessoas lá, desconfiando de mim, investigaram-me por meio do Better Business Bureau, do FBI, do Dun & Bradstreet, da Comissão de Valores Mobiliários, dos Correios. Juravam que eu estava lá para roubar um banco ou coisa assim. Por que o grande Napoleon Hill iria a um lugar no meio do nada, como Paris, no Missouri, se não fosse com más intenções?

Então eu agi. Ninguém pode agir dessa maneira comigo sem que eu revide na mesma medida. Quando alguém me ofende, tenha certeza de que eu vou querer tirar satisfações.

E foi o que fiz. Depois de concluir o curso introdutório e de ter recebido o dinheiro, fui lá e dei aos alunos esta mesma Masterclass. Além disso, peguei todo o dinheiro que ganhei com o curso introdutório e paguei à rádio para transmiti-lo na frequência de toda a região, em cinco ou seis municípios.

Se você quer reagir a alguém que o feriu ou tentou feri-lo, desvie-se do seu caminho para fazê-lo engolir o seu bom serviço e a sua atitude mental positiva.

Você imagina o que aconteceu? Sabe qual foi a semente do benefício equivalente? Fiz uma descoberta incomparável: as pessoas do interior, em comunidades rurais como Paris, no Missouri, estão sedentas por esta filosofia. Eu nunca descobriria isso se tivesse reagido às pessoas que desconfiaram de mim.

Enquanto aluno desta filosofia, você estará em um patamar superior ao da maioria das pessoas, e resolverá as suas diferenças em um tribunal diferente daquele ao qual as pessoas comuns apelam. Se você tiver que revidar a alguém, faça-o sentir vergonha, em vez de fazê-lo sentir medo.

Eu poderia ter revidado a algumas daquelas pessoas de Paris na Justiça, com um processo por difamação ou calúnia. Mas de que adiantaria? Apenas teria me rebaixado ao nível delas.

Em uma luta de braços, não correria o risco de me aproximar de muitos homens mais fortes, maiores e mais hábeis com os punhos do que eu. Seria tolo se tentasse resolver minhas diferenças com qualquer um na base de uma luta corporal, não é?

Gosto de resolver as minhas diferenças em uma justiça na qual eu consiga controlar o juiz, o júri, os réus e a acusação. É com esse tipo de Justiça que gosto de lidar, aquela que está na nossa mente. Você decide o momento, o local e a forma de lidar com as pessoas. Fazendo isso, coloca muitas pessoas em desvantagem caso tentem feri-lo.

33. *Desejo de vingança*

A número 33 se refere ao *desejo de vingança* por mágoas reais ou imaginárias. O que é pior, querer vingar-se em razão de uma mágoa real ou de uma imaginária?

Pense bem. O que lhe acontece ao expressar ou desejar vingança por qualquer motivo?

Prejudica o outro? Não. Prejudica a si mesmo. Como? Porque entra em um estado de negatividade, com a mente e o sangue envenenados se esse estado perdurar. Qualquer atitude mental penetra no sangue e compromete a saúde.

34. Criação de álibis em vez de resultados

Em que medida você começa imediatamente a procurar um *álibi* quando comete um erro ou quando faz algo que não dá certo, ou ainda quando deixa de realizar algo que deveria ter realizado? Em que medida você se posiciona e diz: "A culpa foi minha"? Você deixa as coisas claras e enfrenta seja lá o que for ou concebe álibis como justificativa do que fez ou deixou de fazer?

Atribua-se uma nota considerando essas questões e também os seus hábitos predominantes neste quesito.

Se você for uma pessoa comum, é possível que na maioria dos casos procure um álibi para justificar o que faz ou deixa de fazer. Se não for uma pessoa comum – e tenho certeza de que não será se for doutrinado com esta filosofia –, não irá procurar álibis, pois sabe que isso é uma muleta em que você se apoia e só o debilita. Você vai encarar a situação de frente. Vai reconhecer os seus erros e as suas fraquezas, porque a confissão voluntária é extraordinária. Acontece algo na sua alma quando você de fato identifica os seus defeitos e os confessa com honestidade. Você não precisa contá-los ao mundo todo, mas confesse-os sempre que for necessário.

35. Falta de confiança

Talvez seja um pouco difícil se atribuir uma nota neste aspecto, mas quase sempre as pessoas sabem se são confiáveis ou não. Sabem se as próprias palavras são confiáveis, se o seu desempenho profissional é confiável, se são confiáveis enquanto pai ou mãe de família. E ainda sabem se são confiáveis ou não com base nas relações de crédito.

Na minha vida, conheci alguns alcoólatras a quem tentava curar. Não ajo mais desse modo. Em vez disso, dedico meu tempo às boas pessoas que não são alcoólatras e assim obtenho resultados muito melhores. Se encontro um alcoólatra hoje, digo-lhe que vá até o Alcoólatras Anônimos, que fazem um trabalho melhor do que eu.

Conheço alguns homens incríveis quando estavam sóbrios, mas terríveis quando ficavam bêbados, porque não eram confiáveis. A maioria das empresas nunca daria a esse tipo de sujeito um trabalho de responsabilidade, porque sabe que não são confiáveis.

14

Visão criativa e imaginação

Agora trataremos da visão criativa. A imaginação, disse alguém, é a oficina onde se modelam o propósito do cérebro e os ideais da alma. Não conheço melhor definição do que essa.

Há dois tipos de imaginação. O primeiro é a *imaginação sintética*, que consiste em uma combinação de ideias, conceitos, planos ou fatos estruturados de um jeito novo.

As coisas novas são poucas e distantes entre si. Na verdade, quando se fala que alguém criou uma nova ideia ou alguma coisa inédita, há grandes chances de que não seja de fato nova, mas um mero rearranjo de algo antigo.

O segundo é a *imaginação criativa*, que opera no subconsciente por meio do sexto sentido, atuando como um instrumento por intermédio do qual são revelados novos fatos ou ideias.

Qualquer ideia, plano ou propósito que se introduz na mente consciente e se repete e encontra suporte nas emoções é automaticamente captado pela seção subconsciente do cérebro para chegar à sua conclusão lógica, por qualquer meio natural que seja prático e conveniente.

Quero enfatizar um fato importante: qualquer ideia, plano ou propósito introduzido na mente consciente e que encontra suporte frequente na mente consciente acaba dando frutos. As ideias na sua mente que *não* são sentimentalizadas, que *não* o empolgam, que não se conectam com você e ainda *não* lhe despertam a fé raramente resultam em alguma ação.

Tenha emoção, entusiasmo e fé nos seus pensamentos antes de agir.

IMAGINAÇÃO SINTÉTICA

Trago aqui alguns exemplos de imaginação sintética aplicada. Em primeiro lugar, a invenção da lâmpada elétrica incandescente por Thomas Edison. Não havia nada de novo nela, pois os dois elementos que a compunham eram velhos conhecidos em todo o mundo muito antes de Edison.

Coube a ele enfrentar dezenas de milhares de fracassos e encontrar uma forma de combinar essas duas velhas ideias em um novo rearranjo. Uma ideia dizia que era possível captar e aplicar energia elétrica a um fio que, naquele ponto de fricção, ficaria quente e produziria luz. Muitas pessoas já tinham descoberto isso antes de Edison. A novidade foi encontrar um meio de controlar o fio para que, quando fosse aquecido, não acabasse queimando.

Edison fez mais de dez mil experimentos e nenhum funcionou. Certo dia, como lhe era de costume, ele se deitou para tirar uma soneca e colocar aquele problema no seu subconsciente. Enquanto dormia, a resposta despontou. (Sempre me perguntei por que ele passou por dezenas de milhares de fracassos antes de fazer com que o subconsciente lhe desse a resposta.)

Metade do problema já estava resolvida, e a solução para a outra metade foi encontrada no princípio do carvão. Para produzir carvão, coloca-se uma pilha de madeira no chão e ateia-se fogo. Em seguida, a pilha é coberta com pó, de forma a permitir que uma quantidade de oxigênio penetre nela para manter a madeira queimando em combustão lenta, mas sem deixar que se formem chamas. Assim, uma parte da madeira é queimada e outra parte, o carvão, permanece. É claro, sem oxigênio não haverá combustão.

Com esse conceito em mente, o qual Edison conhecia havia muito tempo, ele voltou ao laboratório, pegou um fio que fora aquecido com eletricidade, colocou-o em uma garrafa, extraiu o ar e selou-a, cortando o fluxo de oxigênio. Portanto, nada de oxigênio entraria em contato com o fio. Quando ele ativou a eletricidade, o fio ficou queimando por oito horas e meia. Até hoje, esse é o princípio de funcionamento das lâmpadas incandescentes, razão pela qual fazem um estouro como o de um revólver quando caem no chão, ou seja, o ar já foi retirado. Não se pode deixar entrar oxigênio na lâmpada, senão o filamento queimaria em um instante.

Duas ideias antigas e simples foram combinadas por meio da imaginação sintética. Se você analisar o funcionamento da sua imaginação ou da imaginação de pessoas bem-sucedidas, acredito que descobrirá que a maioria delas usou a imaginação sintética, e não a criativa.

O método de compras do supermercado Piggly Wiggly[27], criado por Clarence Saunders, exemplifica o uso da imaginação sintética. Ele não criou nada, apenas se limitou a colocar em prática uma ideia que ouviu, levá-la para outro lugar e introduzi-la em um supermercado. Só isso. Tem algum valor? Sim – US$ 4 milhões já nos primeiros quatro anos do supermercado. Reordenar ideias e conceitos antigos pode ser muito lucrativo.

---

27. A Piggly Wiggly, criada em 1916, se notabilizou por ter sido a primeira mercearia verdadeiramente *self-service* e a criadora de vários recursos familiares de supermercado, como caixas, marcação de preços de itens individuais e carrinhos de compras.

Talvez você já tenha percebido que nesta filosofia só existe um conceito novo de que talvez nunca tenha ouvido falar. Essa foi a minha contribuição. Todo o resto é tão antigo quanto a humanidade. Então, o que eu fiz? Usando a minha imaginação sintética, reordenei os estudos do passado; recombinei os elementos relevantes para o sucesso e os organizei de uma forma inédita e simples, que todos são capazes de aplicar na prática. O uso da imaginação sintética se destina a influenciar e a ajudar mais pessoas (algumas nem sequer ainda nasceram) do que provavelmente qualquer outra coisa que tenha sido feita na minha área nos últimos quinhentos anos.

Eu às vezes me pergunto como uma pessoa mais inteligente do que eu não pensou nisso antes. Quando nos vemos diante de uma boa ideia, sempre tendemos a pensar: "Por que não pensei nisso antes, quando precisava de dinheiro?".

Henry Ford recorreu à imaginação sintética ao combinar carroças puxadas a cavalo com debulhadoras de grãos movidas a vapor. Ele se inspirou para criar o automóvel quando viu uma debulhadora puxada por um motor movido a vapor, observando o equipamento da debulhadora, com o mecanismo atrelado à locomoção do motor a vapor, descendo a estrada. Então ele teve a ideia de aplicar o mesmo princípio a uma carroça, no lugar do cavalo, para inventar uma carroça sem cavalo, que acabou virando aquilo que hoje é conhecido como automóvel.

IMAGINAÇÃO CRIATIVA

Agora vêm os exemplos de imaginação criativa. Todas as ideias novas se originam da aplicação individual ou coletiva da visão criativa – geralmente coletiva –, por meio do MasterMind. Quando duas ou mais pessoas se unem visando solucionar um grande problema, pensando na mesma direção em um espírito de harmonia, e trabalhando com entusiasmo, todas as pessoas do grupo começam a ter ideias, e uma delas resolverá o problema. Alguém encontrará a resposta, dependendo de quem está com o subconsciente mais alinhado ao estoque infinito de sabedoria para conseguir chegar à resposta primeiro.

Às vezes, a resposta não vem dos homens mais inteligentes ou mais estudados do grupo. Às vezes, ela vem da pessoa menos escolarizada e menos brilhante, pois, ao que parece, o subconsciente e a escolarização formal não têm muito em comum. Isso fica evidente quando vemos grandes realizações vindas de homens como Henry Ford, que não teve educação formal, e o meu próprio exemplo. Estudei apenas até o ensino médio, e ainda assim tive o privilégio de dar ao mundo a primeira filosofia prática sobre realização, que hoje beneficia milhões de pessoas em todo o mundo.

Eis aqui mais alguns exemplos de imaginação criativa. Veja o caso de Marie Curie; ela sabia que, teoricamente, deveria haver rádio em algum lugar do universo, e desejou que fosse nesta bolinha de lama que chamamos de Terra. Ela tinha um propósito definido, uma ideia definida, trabalhou com cálculos e descobriu que havia mesmo rádio em algum lugar. Ninguém nunca vira rádio em lugar algum. Ninguém nunca o produzira.

Pense em Marie Curie encontrando rádio e compare o caso com a história da pessoa que procura uma agulha em um palheiro. Eu optaria pela agulha e pelo palheiro, em comparação à tarefa que lhe cabia. Por meio de algum processo estranho da natureza, Marie Curie se deparou com o primeiro rádio e o refinou. Hoje o rádio está disponível para fins médicos.

Como ela agiu? Saiu procurando rádio por todos os cantos? Quais foram as primeiras pistas? Não pense nem por um momento que ela saiu com uma pá escavando a terra. A Sra. Curie não era ingênua.

Ela condicionou a própria mente para se alinhar à inteligência infinita, o que a levou até a fonte – o mesmo processo que se usa para atrair riqueza ou praticamente qualquer coisa que se queira. Você primeiro condiciona a mente com uma imagem definida daquilo que quer, desenvolve a ideia e então a sustenta com fé e com a sua crença, e continua desejando-a mesmo quando o caminho fica difícil.

Veja o exemplo da máquina voadora dos irmãos Wright[28]. Ninguém havia criado nem conseguido fazer voar uma máquina mais pesada que o ar, até que os irmãos Wright produziram a deles.

Quando começaram os trabalhos, foram ridicularizados. Mas tinham conseguido fazer a máquina voar e anunciaram à imprensa que iriam promover uma nova apresentação em Kitty Hawk, na Carolina do Norte. Os jornais, absolutamente descrentes, nem se deram ao trabalho de ir até lá. Nenhum único e solitário jornalista foi até o local para presenciar o maior furo jornalístico dos últimos cem anos. Eram espertalhões, sabichões, sabe-tudo. Quantas pessoas desse tipo vemos quando alguém surge com uma ideia nova? Espertalhões, sabichões, pessoas que não acreditam que algo seja possível só porque nunca foi realizado antes.

Não há limites para a aplicação da visão criativa. Uma pessoa que condiciona a própria mente para sintonizar a inteligência infinita pode encontrar a resposta para tudo que tem resposta – não importa o que seja.

Quando o inventor Elmer R. Gates buscava novas ideias, ele recorria à comunicação direta com a inteligência infinita por meio do subconsciente, aplicando a definição de propósito. Vale lembrar também a invenção de Marconi da telegrafia sem fios e o fonógrafo, ou o

---

28. Os Irmãos Wright, Wilbur (1867–1912) e Orville (1871–1948), foram dois irmãos norte-americanos inventores e pioneiros da aviação, aos quais foi concedido o crédito pelo desenvolvimento da primeira máquina voadora mais pesada que o ar, que efetuou um voo controlado em 17 de dezembro de 1903.

aparelho de gravação, de Edison. Até onde sei, a única ideia de Edison resultante de uma visão criativa foi o fonógrafo.

Antes de Edison, ninguém sequer se aproximara da gravação ou reprodução de qualquer tipo de som. Edison concebeu essa ideia quase instantaneamente: em um pedaço de papel retirado do bolso, desenhou um esboço grosseiro do que mais tarde se tornaria o seu fonógrafo que continha um cilindro. Quando fizeram o protótipo e o testaram, o aparelho funcionou de primeira. Veja, a lei da compensação o gratificou pelas dezenas de milhares de fracassos de quando trabalhou com a lâmpada elétrica incandescente.

Está vendo como a lei da compensação é generosa e justa? Quando parece que nos trataram injustamente em certo momento, descobrimos uma recompensa de outra forma, proporcional às nossas renúncias. Ao atravessarmos um sinal vermelho e escaparmos de um policial em uma esquina, na próxima ele virá já com duas ou três multas.

Em algum lugar na natureza, há um policial e um equipamento extraordinário que grava todas as nossas qualidades, boas ou ruins, todos os nossos erros e todos os nossos sucessos. Mais cedo ou mais tarde eles estarão no nosso encalço.

PROEZAS DA VISÃO CRIATIVA

A visão criativa nos permite avaliar o fantástico modo de vida americano. Mesmo desfrutando o privilégio da liberdade no país mais rico e mais livre que a humanidade já viu, precisamos usar a nossa visão se quisermos continuar nos beneficiando dessas incríveis bênçãos. Se olharmos para trás e observarmos os traços de caráter que tornaram o nosso país incrível, são estes aqui.

Em primeiro lugar, os líderes responsáveis pelo que temos, pelo modo de vida americano, colocaram em prática com toda a determinação os dezessete princípios da ciência do sucesso, com destaque para os seis apresentados a seguir.

Naquela época, eles não chamavam os princípios por estes nomes, provavelmente nem tinham consciência de que os estavam aplicando. (Uma das coisas mais estranhas a respeito das pessoas bem-sucedidas com quem trabalhei: nenhuma delas conseguia sentar-se e me dar um passo a passo do *modus operandi* que usaram para prosperar, ou seja, elas utilizaram esses princípios por mera coincidência.)

1. Definição de propósito
2. Fazer além do necessário e prestar um serviço melhor
3. MasterMind
4. Visão criativa
5. Fé aplicada
6. Iniciativa pessoal

Os criadores do estilo de vida americano não esperavam nada em troca. Não controlavam suas horas de trabalho no relógio de ponto. Assumiam plenamente as responsabilidades da liderança mesmo quando as coisas ficavam difíceis, o que certamente se aplica a qualquer pessoa de sucesso de qualquer área hoje. Você verá que elas aplicam esses princípios estabelecidos aqui.

Olhando para trás, para os últimos cinquenta anos de visão criativa, vemos, por exemplo, que Thomas A. Edison a usou, e também a iniciativa pessoal, para nos conduzir à era da eletricidade, dando-nos uma fonte de energia até então desconhecida. Aquele homem sozinho levou o mundo à era da eletricidade, sem a qual as melhorias industriais de hoje – radar, televisão, rádio – não seriam possíveis. Que coisa maravilhosa o feito de uma pessoa sozinha para influenciar os caminhos da humanidade em todo o mundo!

Quantas coisas incríveis Henry Ford desencadeou ao criar o automóvel! Uniu o campo e a cidade, encurtando distâncias. Aumentou o valor das terras em razão das estradas construídas ao longo delas. Empregou direta e indiretamente milhões de pessoas que, caso contrário, estariam desempregadas, incluindo aí milhões hoje proprietárias de empresas fornecedoras de produtos ao setor automobilístico.

E depois vieram os irmãos Wilbur e Orville Wright, que alteraram o tamanho da Terra. Encurtaram distâncias em todo o mundo – apenas dois homens agindo em benefício de toda a humanidade.

Quando o Sr. Stone e eu falávamos das nossas atividades e do nosso futuro, ambos chegamos à conclusão de que (1) fomos abençoados com a maior oportunidade que alguém já teve por podermos levar esta filosofia ao mundo; (2) com essa oportunidade vem a responsabilidade recíproca e com o nosso Criador de sempre desempenhar a nossa missão com diligência e continuamente. É exatamente o que pretendemos fazer: dedicar nossa vida a esse projeto.

Em razão de sua visão criativa e iniciativa pessoal, Andrew Carnegie entrou na grande Era do Aço, revolucionando todo o nosso método industrial e possibilitando o surgimento de numerosas indústrias que, caso contrário, não existiriam. Não satisfeito em acumular uma enorme fortuna para si mesmo e em garantir consideráveis fortunas aos seus funcionários mais próximos, ele terminou a vida inspirando a organização da primeira filosofia de realização pessoal do mundo, a qual disponibiliza os conhecimentos sobre sucesso até para as pessoas mais humildes.

A iniciativa pessoal e a visão criativa de Carnegie produziram o maior número de empregos já criados por um único homem na história da civilização. A filosofia do sucesso que ele inspirou vai entrar para a história, beneficiando milhões de pessoas que ainda nem nasceram.

Que coisa fantástica um homem sozinho consegue fazer, agindo por meio de outro!

Quando analisamos esse caso, vemos o extraordinário resultado decorrente da associação de uma pessoa à outra, em uma aliança de MasterMind. Não existe o impossível para duas pessoas que trabalham juntas em espírito de harmonia, sob o princípio do MasterMind.

Sem essa aliança, eu nunca teria criado esta filosofia, ainda que vivesse mil vidas. A inspiração, a fé, a confiança e a vontade de seguir em frente que experimentei em razão do acesso a um grande homem como o Sr. Carnegie me permitiram subir ao nível dele, o que eu nunca faria de qualquer outra forma.

Que incrível explorar essa coisa chamada visão criativa e, por meio dela, sintonizar-se com os poderes do universo! Não faço um discurso poético, refiro-me à ciência, pois tudo o que digo é colocado em prática, e pode ser feito por você.

Com a finalidade de olharmos para os últimos cinquenta anos do incrível modo de vida americano, ilustro aqui com brevidade o legado de homens e mulheres com visão criativa e iniciativa pessoal. Primeiro de tudo, o automóvel, que praticamente mudou toda a nossa forma de viver. Quem nasceu nas últimas décadas nem sequer imagina este país nos tempos da carroça, em comparação aos dias de hoje. Naquele tempo, era possível andar pelas ruas com segurança, enquanto hoje não se pode nem cruzar uma rua sem ativar todos os sentidos. Todo o sistema de transporte, toda a forma de fazer negócios mudou por conta do automóvel. Ouso dizer que seria caótico se amanhã o governo anunciasse que cada um de nós precisaria entregar o seu automóvel porque não poderia mais usá-lo. As pessoas simplesmente não conseguem mais viver sem eles.

Depois vieram os aviões, que voam mais rápido do que o som e diminuíram o mundo, permitindo que pessoas de todos os países se conhecessem melhor. Como são incríveis! Talvez fosse esta a intenção do Criador: em vez das guerras do passado, ao reduzir o tamanho do mundo e unir os povos de todas as nações em uma distância de mais ou menos 24 horas, passaríamos a nos conhecer melhor e nos tornaríamos, por fim, vizinhos e irmãos de alma.

Se a noção de irmandade um dia chegar a esse ponto, será em razão das coisas descobertas pela imaginação do homem, as quais nos unem e tornam mais conveniente nosso entendimento por todo o mundo. Afinal, não poderemos nos embrenhar em guerras com aqueles que são parceiros de negócios ou vizinhos. Pelo menos não se quisermos ter paz de espírito. Tente se dar bem sem as pessoas com quem tem contato.

Em seguida, o rádio e a televisão, que nos transmitem as notícias do mundo quase em tempo real e oferecem entretenimento da melhor qualidade, e sem custo, tanto para as cabanas de madeira das cidades do alto das montanhas quanto para as mansões. Que magnífico avanço em relação ao tempo de Lincoln, quando ele aprendeu a escrever na parte de trás de uma pá de madeira, em uma cabana de um só cômodo.

É maravilhoso saber que lá nas montanhas do Tennessee e da Virgínia, onde nasci – antes famosas apenas pelo cenário montanhoso, pelos destilados de milho e pelas cascavéis –, é possível girar um botãozinho, sintonizar as melhores óperas e músicas e saber o que está acontecendo no mundo em tempo real.

Se tivéssemos essas facilidades na minha infância, duvido que meu primeiro propósito principal definido tivesse sido me tornar um segundo Jesse James. Provavelmente sonharia em ser um operador de rádio. Como essas invenções mudaram os povos das montanhas e todas as pessoas deste país e de todo o mundo! E elas resultam do que a mente humana criou para apresentar as pessoas umas às outras.

Destaco também a expansão da energia elétrica, que nos conduziu à era dos botões, capazes de realizar todos os tipos de trabalho antes feitos à mão. Não sei se isso é bom ou ruim, mas é definitivamente uma era de botões.

Já crescido, comandei a primeira autoescola dos Estados Unidos e ensinei mais de cinco mil pessoas a dirigir um carro. Hoje as crianças já nascem com um volante nas mãos.

Depois vieram os radares, que nos avisam com antecedência sobre perigos iminentes, tanto no ar quanto no mar. Podemos olhar bem ao longe e ver o que está acontecendo muito antes de o olho humano distinguir qualquer coisa. A humanidade superou até mesmo o Criador e ampliou as possibilidades da visão para muito além do alcance do olho humano. Não sei se, com o tempo, o radar se revelará bom ou ruim, mas sei que hoje ele atua como uma proteção efetiva para este país, pois conseguimos detectar a presença de aviões inimigos muito antes de eles causarem algum dano significativo.

Por meio de nossa iniciativa pessoal e visão criativa, descobrimos por fim o segredo da energia do átomo para ser liberada e explorada para o benefício da humanidade – ao menos é isso que esperamos.

OS DEZESSETE PRINCÍPIOS DO TRABALHO

Vamos considerar algumas sugestões como exercício de imaginação e ver se conseguimos plantar algumas ideias milionárias na sua mente. Volte-se ao subconsciente, onde você guardou aquela ideia que teve há uns cinco, dez ou quinze anos, porque se achava incapaz de criar uma boa ideia, ou porque ela não era boa tendo em vista que você que a criou. Traga-a à tona, tire o pó e veja se não podemos encontrar algo de útil nela.

Talvez consigamos eliminar todas as disputas trabalhistas, as greves, os bloqueios e os desentendimentos entre os trabalhadores usando os dezessete princípios da ciência do sucesso, concebidos para proporcionar benefícios igualitários a todas as pessoas, em todas as relações humanas. Empregando-os, as empresas teriam lucros adicionais, permitindo que todos os trabalhadores os dividissem e ganhassem muito mais do que seus salários, igualando-se talvez aos lucros distribuídos àqueles que detêm o capital.

Essa relação humana profunda só será concretizada por meio da iniciativa pessoal e da visão criativa de homens e mulheres, nos negócios e nas indústrias, que desejem sinceramente que o atual desperdício causado pelos atritos e desentendimentos se convertam em dividendos. Esse é um ponto de partida para que muitos líderes, tanto trabalhistas quanto industriais, se aproximem um pouco da imortalidade, beneficiando eternamente o nosso incrível modo de vida americano.

Além disso, aqui está também uma oportunidade incrível para os aprendizes desta filosofia: vincular-se a algum empresário de destaque e, aplicando esta filosofia, fazer um trabalho tão formidável nas relações de trabalho que acabará eliminando todos esses conflitos.

Temos o exemplo bem-sucedido de uma empresa que produz tanques de aço estabelecida no sul de Illinois. Dois dos meus melhores alunos se organizaram e comandam o negócio, totalmente baseados nos dezessete princípios. Espero que no futuro haja, em todo contrato de trabalho firmado entre qualquer organização trabalhista e qualquer empresa, uma cláusula prevendo que o serviço prestado será norteado pelos dezessete princípios.

Consegui colocar isso em prática em muitas ocasiões, e os retornos foram tão impressionantes que me pergunto por que outros industriais e líderes trabalhistas ainda não se deram conta das oportunidades. Não me pergunto demais, porque conheço o motivo: a presença de muitos trapaceiros na área trabalhista impede que alguns líderes queiram mudar o próprio método, que, aliás, não está exatamente de acordo com o meu. Eles não acreditam em fazer além do necessário.

Algum dia essa falácia será exposta. Alguém importante da área trabalhista se unirá a Napoleon Hill e a dominará. Essa pessoa terá êxito, não importa quem seja. Tentei convencer William Green da importância desta filosofia quando ele se desentendeu com John L. Lewis. Falei a Green que, se seguisse a fórmula que criei, com certeza eliminaria John L. Lewis do mundo trabalhista e se tornaria o rei. Garanti que todas as empresas e todas as indústrias dos Estados Unidos se filiariam à iniciativa, e eu não cobraria um centavo.

O Sr. Green me enviou um recado pedindo-me que fosse visitá-lo. Quando cheguei lá, ele disse:

– Napoleon, acredito que lhe devo desculpas. Ouvi falar muito sobre você, e tinha muita curiosidade de vê-lo. Devo confessar-lhe que você não é como eu imaginava, um maluco total. Você não parece nada maluco. Mas, falando da sua fórmula, imaginei que, se você quisesse arcar com as despesas, o mínimo que eu poderia fazer seria convidá-lo para vir aqui. Como é a fórmula?

– Certo, Sr. Green, vou explicá-la – eu disse. – Quero apresentar à Confederação Trabalhista Americana a essência do trabalho da minha vida. Pretendo entregar-lhes a minha filosofia e abrir escolas nos Estados Unidos para ensiná-la a todos os membros de lá.

– Quais são os princípios? Qual é a filosofia? Quero ouvir.

– Certo – afirmei. – São dezessete princípios, e o primeiro se refere à definição de propósito.

O Sr. Green disse:

– Muito bem, parece razoável.

– O número dois é a fé aplicada.

– Razoável também.

– O número três é o entusiasmo.

– Ótimo.

– O número quatro, a imaginação.

– Não vejo nada de errado.

– O número cinco, andar um quilômetro a mais.

– O que é isso? – ele perguntou.

– Sr. Green, significa prestar um serviço melhor e mais abrangente do que se é contratado para prestar, trabalhando o tempo todo com uma atitude mental agradável e amigável.

– Eu sabia que teria uma pegadinha – ele retrucou. – Aí está nosso problema. Você bem sabe que não poderíamos atuar se seguíssemos esse caminho.

Ouça e pense bem. Algum líder trabalhista descobrirá como atuar seguindo o princípio de fazer além do necessário e, quando isso acontecer, ele chegará ao topo. Quando lançar esse padrão lá do alto, outros líderes de negócios se adaptarão ou sairão do mercado.

Quando as empresas, as indústrias e os trabalhadores conseguirem ser mais parceiros, trabalharão ancorados na amizade. Haverá uma distribuição melhor de renda, mas, antes que isso se efetive, é necessário ter mais lucros para distribuir. Com certeza greves e esse tipo de coisa não renderão lucro algum.

Se você não acha que é uma boa ideia, vá até Baltimore, em Maryland, e converse com o meu aluno Charles McCormick. Dê uma olhada em seus registros contábeis. O que acontecia com os seus lucros antes de ele adotar esse plano e o que vem acontecendo desde então? Você entenderia, sem margem para dúvidas, que vale a pena dividir os lucros com os funcionários.

O processo não custa caro para a empresa. Na verdade, até aumenta o faturamento, elimina brigas, atritos, desânimo, ódio e raiva entre os homens, o que quero ajudar a erradicar, na medida do possível, com a minha filosofia. Quero melhorar o mundo onde vivemos. Quero nos ver praticando a cristandade ao menos uma vez. Talvez funcione se lhe dermos uma chance. Quem sabe?

POSSIBILIDADES CRIATIVAS

Uma possibilidade criativa seria uma série de represas de controle de fluxo ao longo das grandes correntes dos rios Ohio, Missouri e Mississipi, onde o sedimento é represado, extraído da água e redistribuído sobre os solos desses vales, salvando assim aqueles que estão enfrentando erosão acelerada e garantindo um controle do fluxo ao mesmo tempo. Aí está uma ideia para inspirar a visão criativa de engenheiros e especialistas em conservação do solo. Pense nisto: a melhor parte do solo descendo os rios Mississipi, Missouri e todos os outros, sendo represada, levada de volta e colocada no solo novamente, tudo pago pelo governo.

Se eu soubesse que os meus impostos estão sendo investidos nessa inciativa, acredito que não reclamaria tanto na hora de pagá-los. Também não ficaria buscando meios de conseguir a restituição do meu imposto de renda se tivesse certeza do uso do dinheiro para resolver um problema que nos atormenta. O rio Mississipi está cada vez maior e mais perigoso, levando para o mar cada vez mais riquezas do nosso solo. Milhões e milhões de toneladas de sedimentos, que constituem a parte fértil do solo, descem o rio todos os anos, e, além disso, as enchentes são frequentes. Controlaríamos o problema com facilidade se tivéssemos represas adequadas nos locais corretos, tanto a jusante quanto a montante.

Apresento aqui uma ideia que me agrada bastante; alguém vai se tornar prefeito ou governador e se encarregará disto: um sistema de guardas de trânsito civis para diminuir os acidentes nas estradas e reduzir os valores dos seguros dos automóveis. Motoristas de boa reputação teriam autoridade para dar ordens de prisão e aplicar multas de trânsito.

Não seria sensacional se, ao ver aqueles idiotas que dirigem nas estradas colocando em risco as próprias vidas e as vidas dos outros, você pudesse pará-los no acostamento, retirar deles a carteira de habilitação e aplicar-lhes uma multa? Eles só a reaveriam se fossem até a delegacia mais próxima. Sempre que dirijo por uma estrada, imagino-me como um policial com autoridade para prender alguns sujeitos. Se os motoristas irresponsáveis soubessem que o cara à frente ou atrás deles é um policial, seriam um pouco mais cuidadosos.

E que tal um novo partido político composto de homens e mulheres cada vez mais insatisfeitos com todos os partidos atuais? Algum sujeito esperto, com iniciativa pessoal e visão criativa, vai aderir a essa ideia em algum momento, e não será o coronel McCormick, dono do *Chicago Tribune*. (Já ouvi dizer que, quando o coronel McCormick apoia um candidato, todos os funcionários do *Tribune* votam no outro.)

Também poderiam desenvolver um método terapêutico para a cura de doenças e maus hábitos durante o sono, por meio de instruções dadas diretamente ao subconsciente por um fonógrafo. Essa máquina já existe, e muitos médicos e educadores a estão testando. Eu mesmo tenho uma.

Na Napoleon Hill Associates, vamos começar a fazer gravações para ajudar as pessoas na concretização de qualquer propósito, como eliminar a mentalidade de pobreza e criar a de prosperidade durante o sono, ou extinguir quaisquer doenças que as acometam.

Há não muito tempo, se eu fizesse tal afirmação, você riria de mim, mas os experimentos atuais em muitas comunidades científicas estão provando ser viável a realização de coisas maravilhosas com uma máquina conectada ao nosso subconsciente enquanto dormimos.

Qualquer pessoa, se eu tivesse tempo para me sentar com ela uma hora por dia e tratar do seu subconsciente, alcançaria qualquer objetivo colocado na cabeça. Você será capaz de realizar qualquer objetivo que colocar na cabeça e no qual acredite.

Como imagina que eu agiria durante essa uma hora? Ficaria repetindo-lhe o que você deseja fazer. Repetiria tanto que você não mais resistiria. Não, não vou fazer isso. Uma máquina cumprirá esse papel muito bem e mais em conta. Cerca de seis empresas diferentes iniciaram a produção dessas máquinas desde que comecei a falar sobre elas há uns dez anos.

Quando você entender o fundamento da fórmula do sucesso, entenderá a importância de ter um propósito principal definido e repeti-lo até que o seu subconsciente não mais resista, até se hipnotizar com a crença de que você não apenas sabe o que quer, mas também sabe que irá conseguir.

É claro, você pode agir por meio da autossugestão, da sugestão automática ou da repetição, mas dá trabalho. Quero algo que use enquanto dorme. Vamos economizar e aproveitar suas oito horas de sono. Na verdade, se você fizer um uso científico do sono, será capaz de trabalhar mais pelo seu sucesso enquanto dorme do que enquanto está acordado. É um fato, pois, quando se está acordado, a mente consciente permanece em constante trabalho, o que não permite a entrada de ideias com potencial de colocá-lo para cima. São inúmeras as razões para isso, muitos impedimentos, muitos obstáculos, muitas crenças infundadas. O subconsciente aceita qualquer coisa que lhe é apresentada. Se você tivesse um método para despejar nele apenas aquilo que quer fazer, afastando-o do que não quer, consegue ver o que aconteceria na sua vida?

Quando vamos dormir, ativamos o nosso subconsciente para sonhos absurdos, que desperdiçam nossa noite, aborrecendo-nos com pesadelos. Bom, até existe alguma relação, então talvez isso nos incomode um pouco.

Parece ingênuo? Não tem nada de ingênuo: é verdade. Sempre que despertamos com um pesadelo, sabemos que o subconsciente andava vagando por aí para ver em que tipo de enrascada poderia se meter.

Poderia, portanto, existir um novo tipo de filosofia religiosa sem uma designação sectária, que ensinasse as pessoas a viver em harmonia entre si, não importando raça, cor ou posicionamentos religiosos. Seria a antítese do comunismo, que hoje ameaça destruir todas as religiões e toda a liberdade humana. Se você estiver usando a sua imaginação sintética ou a criativa, percebeu que essa religião já existe e a estamos estudando neste momento. Não há nada de sagrado nela que os católicos, os protestantes, os judeus não possam aceitar; todos podem. Em outras palavras, estamos estudando uma série de verdades universais, de certa forma aceita por todas as religiões, mas sob nomes diferentes.

Esta filosofia na sua forma atual, sem complementos de qualquer natureza, é suficiente para tornar a religião de qualquer pessoa mais relevante, funcional e efetiva. Não há como negar. Estamos diante de uma religião que não permite o afloramento da inveja entre os praticantes, que induz a cooperação amigável, com base no princípio do MasterMind, em detrimento da hostilidade e da inveja.

Também poderíamos criar um sistema escolar cujo objetivo fosse preparar homens e mulheres para ocupar cargos públicos, adotando preceitos baseados em notas que todos deveriam atingir, em substituição ao método atual que elege os ocupantes desses cargos apenas pelo voto. Afinal, muitas vezes os eleitores não estão capacitados para avaliar quem é competente para o cargo ou não. Esse método se especializará na formação de pessoas para os cargos mais altos, como presidentes, deputados, ministros, embaixadores e diplomatas. Educadores com iniciativa pessoal e visão criativa podem encontrar uma forma de colocar em prática outros talentos relacionados a essa sugestão.

Algum dia, alguém com uma formação excepcional vai se apropriar dessa ideia e criar esse tipo de escola, e assim terá mais publicidade gratuita do que com qualquer coisa que eu possa mencionar agora. Seria algo excepcional, necessário, comercialmente lucrativo e uma forma de revelar talentos que de outro modo talvez nunca surgissem. Um método educacional de valor incalculável para as pessoas deste país.

Não vou criar essa escola porque estou comprometido com um grande trabalho. Acredite, se algum dos meus alunos brilhantes não agarrar essa ideia, talvez ela se torne um departamento da Napoleon Hill Associates daqui a dez anos. Hoje já estamos muito ocupados em levar esta filosofia às pessoas por meio de gravações, filmes, material para aprendizado autodidático, livros e aulas como estas para treinar professores.

UMA ESCOLA DE CASAMENTO

Aqui vai outra ideia: uma escola cujo foco fosse preparar homens e mulheres para o casamento. Não seria maravilhoso se enviássemos nossos filhos adolescentes para uma escola que lhes ensinasse e os preparasse para saber como escolher um parceiro, como lidar com ele após a escolha, como administrar um lar, como economizar e como praticar o MasterMind?

Se vocês não adotarem essa ideia, eu mesmo o farei um dia, porque é uma beleza – uma escola focada em preparar pessoas para o casamento, substituindo o nosso método baseado em erros e acertos. Ainda hoje se perpetua a ideia de se casar com uma garota porque ela tem belos olhos, belas pernas e usa belos chapéus. No entanto, chegará o momento em que os olhos não serão mais tão belos e as pernas ficarão fora de forma, mas, se você selecionar uma parceira pelos motivos certos e viver com ela do jeito certo, é provável que ela só melhore com o tempo e seja linda para sempre.

Quando falo sobre Annie Lou, sempre destaco sua beleza. Mas ela diz:

– Você sabe que não pode estar falando sério.

E retruco:

– Ouça, Annie Lou, a minha definição de beleza inclui tudo que está na superfície e por baixo dela. Lembre-se disso. Para mim, você é e sempre será linda.

Eu a acho linda na aparência e sei que ela é linda por dentro.

Algumas pessoas talvez me critiquem por falar tanto sobre a minha esposa, mas, quando temos algo de que nos orgulhamos e que merecemos, por que não gritar ao mundo todo e deixar todos saberem? Afinal, é muito melhor que eu me interesse pela minha esposa do que pela dos outros, e para isso o melhor é prestar atenção na minha própria esposa.

Aqui vai outra das minhas ideias preferidas: educação para nutrir o solo, que seria obrigatória para os agricultores, de modo que nutrissem o solo com todos os minerais necessários para dar aos alimentos os valores pretendidos pela natureza. Muito já foi feito e está sendo feito nesse sentido, mas o trabalho precisa ser obrigatório para todos aqueles que cultivam alimentos para venda.

Dentes estragados e diversas doenças resultam da má nutrição causada por alimentos inadequados, e inclusive a indisposição física também pode resultar disso. Chegará um dia em que em todo alimento comprado nos supermercados deverá ser fixada uma lista das substâncias que contém, como acontece com as vitaminas para suplementação nutricional. Chegará o dia em que, se um agricultor não nutrir o solo com todos os elementos necessários, não mais poderá comercializá-los.

A melhor forma de colocar em prática esta regra é o consumidor negar-se a efetivar a compra.

Próxima: as funções do governo federal que foram assumidas pelos estados serão retomadas pelo povo, mediante o reconhecimento da importância de votar de maneira inteligente e a eliminação de muitos dos atuais grupos de pressão, que operam apenas em benefício de um número pequeno de pessoas. Grupos de pressão à frente do governo deste país passaram a representar um perigo. Alguém precisa acabar com isso.

Outra ideia é produzir imagens que levarão a ciência da filosofia do sucesso às crianças, nas casas e nas escolas. Acredite, isso vai acontecer de qualquer modo. Será possível ir até uma biblioteca à procura de programas de televisão, rádio e fotos e encontrar lá aulas sobre, por exemplo, definição de propósito, ministradas com uma terminologia compreensível e atrativa. Imagine não só os efeitos disso nos lares, mas também a criação de um produto comercial fantástico. Muitas pessoas têm projetores em casa. Esse momento está chegando, e, se não voluntariamente, temos maneiras de fazer acontecer. É assim que agimos na Napoleon Hill Associates. Fazemos acontecer.

Queremos dar aos nossos alunos a chance de desenvolver algumas dessas ideias. No entanto, caso não tomem uma atitude, temos formas de agir por nós mesmos. Chegará um dia em que os princípios aqui estudados se reduzirão a uma forma de entretenimento e educação para adultos e crianças, dentro das próprias casas. Talvez cheguem até a competir com Roy Rogers[29] e Bob Hope[30].

---

29. Roy Rogers foi um famoso cantor e ator norte-americano, cujo nome verdadeiro era Leonard Franklin Slye (1911–1998). Ele e sua terceira esposa, Dale Evans, seu cavalo Trigger e seu cachorro, Bullet, apareceram em aproximadamente uma centena de filmes.

30. Bob Hope (1903–2003) foi um comediante americano nascido na Inglaterra. Criado nos Estados Unidos, formou na década de 1940, ao lado do cantor e ator Bing Crosby, uma das mais famosas e influentes duplas cômicas do cinema.

Talvez lhe interesse saber que a KFWB em Los Angeles, uma das maiores rádios da cidade, transmitiu um programa baseado nos dezessete princípios por três anos seguidos, do verão ao inverno. O programa ficou à frente de todos os outros da rádio e recebeu mais cartas do que todos os outros juntos.

A Warner Brothers, proprietária da rádio, convocou uma reunião de equipe e dedicou uma tarde inteira à análise do programa. Primeiro, monitoraram diversos programas meus e os repetiram nas reuniões de equipe. Um dos funcionários da Warner Brothers perguntou: "O que esse Napoleon Hill tem de especial para entrar na nossa rádio com um comercial de trinta minutos e ficar à frente de todos os outros programas?". Eles responderam que o meu programa era um comercial. Talvez, de certa forma, fosse mesmo. E ainda assim atraía o interesse das pessoas.

COMUNICAÇÕES INTERESTELARES

Em seguida, vem um método de comunicação interestelar que nos permitirá a comunicação com povos de outros mundos, se existirem, de toda a imensidão do universo. Se uma empresa anunciar amanhã que fizeram contato com Marte e que estão se comunicando, eu não duvidaria. Na verdade, serei o primeiro a acreditar, porque acredito de todo o coração que, se há alguém habitando Marte, ou qualquer outro planeta do universo, chegará um momento em que conseguiremos nos comunicar com eles. Quando isso acontecer, aprenderemos com eles uma forma de convivência mais aprimorada. Não poderá ser pior do que o modo como nos relacionamos neste planeta; provavelmente será melhor.

O Criador deste universo não fica parado. Está sempre trabalhando e revelando ideias formidáveis e benéficas às pessoas, que as usarão se tomarem a iniciativa de aproveitá-las.

Outra ideia: estradas públicas projetadas de forma a reduzir drasticamente os riscos decorrentes da direção imprudente. Radares interceptarão as pessoas que estiverem além do limite de velocidade por meio de bloqueios automáticos nas estradas, onde os oficiais de trânsito ficarão posicionados. Isso com certeza vai acontecer, porque o índice de mortalidade atual por acidentes é enorme e precisa ser controlado de algum jeito. Matar 36 mil pessoas por ano e mutilar uma quantidade igual a várias vezes esse número não pode continuar acontecendo para sempre. Pelo menos se quisermos continuar nos chamando de civilizados.

15

Manutenção da boa saúde

Como é maravilhoso ter um físico em boas condições, que nos permite fazer o que quisermos, a qualquer momento. Se eu não tivesse um método para me manter saudável e cheio de energia, não teria conseguido trabalhar tanto nos últimos anos. E não teria conseguido trabalhar tanto quanto trabalho hoje.

Preciso me manter em boas condições por inúmeras razões. Em primeiro lugar, a vida fica melhor se o meu corpo reagir bem aos estímulos. Se eu exigir algo dele por entusiasmo, quero que haja uma base física para isso. Não desejo me levantar pela manhã com dores. Não desejo me olhar no espelho e ver a minha língua branca. Não desejo ficar com mau hálito.

Há maneiras de evitar tudo isso, e espero que você adote algumas sugestões desta lição que o ajudarão a manter o corpo físico em boas condições.

ATITUDE MENTAL

A atitude mental vem no topo da lista porque, sem uma consciência sobre a saúde, é bem provável que você não seja saudável.

Nunca penso em doenças. Na verdade, nem posso me dar ao luxo de ficar doente. As doenças tomam muito tempo e também comprometem a minha atitude mental.

Você talvez se pergunte: "Como é possível evitar adoecer?". Ao terminar esta lição, você não mais ficará doente com a mesma frequência de antes. Há uma forma de controlar as doenças: a atitude mental. Você perceberá que consegue controlar, caso queira, todos os aspectos relativos ao condicionamento da atitude mental.

Antes de tudo, não viva conflitos familiares ou profissionais, pois isso prejudica a digestão. Se você disser "Mas é minha família que me obriga a me queixar e reclamar", tudo bem, mas mude a situação para que não tenha mais motivos para isso.

Refiro-me a relações familiares e profissionais porque envolvem lugares onde passamos a maior parte da nossa vida. Se você permitir que elas se baseiem em atritos, desentendimentos e discussões, não conseguirá se manter saudável e não encontrará paz de espírito. Não pode haver ódio, por mais que uma pessoa mereça ser odiada. Não perca seu tempo com o ódio, pois ele prejudica a saúde, causa úlceras estomacais e coisas ainda piores. Além do mais, produz atitudes mentais negativas, que afastam as pessoas em vez de atraí-las, e você não pode se permitir passar por tal situação. Em razão de o ódio atrair uma represália equivalente, se você odiar as pessoas, elas irão odiá-lo. Talvez não digam, mas irão mesmo odiá-lo.

No ambiente, também não podem existir fofocas ou ofensas, regra bem difícil de ser respeitada, considerando-se que no mundo há tanto material para fofoca. É uma pena acabar com esse prazer, mas vamos transformá-lo em algo mais lucrativo. Nada de fofoca ou ofensas, porque atraem revide e também prejudicam a digestão.

Não pode haver medo, que, além de indicar atrito nas relações humanas, também compromete a digestão. O medo interior sugere que alguma coisa na vida tem de mudar.

Digo com sinceridade que não há na face da Terra ou neste universo qualquer coisa que eu tema – nada mesmo. Antes eu temia o mesmo que as pessoas comuns, até criar um método para superar meus medos. Se hoje eu sentisse medo de alguma coisa, recorreria ao método de novo para eliminar a causa dele, não importa quanto tempo levaria ou o que eu precisaria fazer para isso.

Não tolero o medo em meu interior porque ele não combina com uma boa saúde. Não seremos prósperos, felizes ou tranquilos se sentirmos algum tipo de medo, mesmo da morte, principalmente da morte.

Particularmente, espero a morte com muita expectativa, como um dos interlúdios mais incomuns de toda a minha vida, na verdade, a derradeira coisa que sentirei. É claro, ainda vai levar um bom tempo – afinal, tenho ainda um trabalho a fazer, essas coisas todas –, mas, quando chegar a hora, estarei pronto. Minha última e mais maravilhosa de todas as ações, pois não sentirei medo.

Não se deve falar sobre doenças, porque esse tema desencadeia hipocondria e doenças imaginárias, que garantem o sustento da maioria dos médicos.

Não pode existir inveja, que indica falta de autoconfiança e, de novo, prejudica a digestão.

A forma como usamos a nossa mente tem mais relação com a saúde do que todas as outras coisas juntas. Você pode falar o quanto quiser sobre germes penetrando na corrente sanguínea, mas a natureza concebeu um método maravilhoso de curar o interior das pessoas. Com ou sem germes, se o método estiver funcionando bem, sua resistência física se encarregará de destruir todos eles.

Descobri há muito tempo que dificilmente alguém chega aos 35 anos sem ter sido em algum momento infectado pelos germes causadores da tuberculose. Muitas pessoas os carregam, além de outros germes, durante toda a vida. Por que não desenvolvem a doença? Porque a resistência física evita a multiplicação dos germes. Preocupação, medo e irritação acabam com essa resistência física, e os germes começam a se multiplicar aos bilhões, trilhões e quatrilhões. E, quando você menos espera, adoece.

HÁBITOS ALIMENTARES

Prepare-se para fazer suas refeições com tranquilidade, sem preocupações, discussões ou aborrecimentos. As famílias comuns costumam escolher a hora da refeição como o momento para a bronca no marido, na esposa ou nas crianças, conforme o caso. Na hora singular em que todos se reúnem e não ficam tentados a ir embora, a língua se torna um chicote. Acredite, se você visse o que acontece com a digestão e com a corrente sanguínea de uma pessoa que come enquanto é punida, entenderia que comida e castigo não combinam. Nossos pensamentos enquanto comemos se encaminham para a comida e se tornam parte da energia que entra pela corrente sanguínea. A melhor prova disso são as mulheres que amamentaram os filhos, pois bem sabem que, se ficam preocupadas ou irritadas nesses momentos, a criança sofrerá de cólicas em questão de minutos. A atitude mental envenena o leite.

Excessos alimentares fazem o coração, os pulmões, o fígado, os rins e o sistema digestivo trabalharem demais. A maioria das pessoas come duas vezes mais do que precisaria para viver, portanto, pense na quantidade de dinheiro que você economizaria hoje, com o preço dos alimentos. É assustador constatar que tantas pessoas comem exageradamente, e muitas têm trabalhos sedentários. É claro, um sujeito que cava valas precisa de uma nutrição balanceada com certa quantidade de carne e batatas ou algo equivalente, mas alguém que trabalha em um escritório, uma loja ou em casa não necessita consumir a mesma porção de alimentos pesados.

Coma porções equilibradas com frutas, legumes e muita água, ou o equivalente da água na forma de sucos. Na Califórnia, faço ao menos uma refeição por dia composta apenas de alimentos vivos, ou seja, legumes, frutas, castanhas e coisas do gênero, nada que tenha sido enlatado ou processado. Sinto uma enorme diferença energética quando estou em casa seguindo a minha dieta.

Não coma com pressa, o que prejudica a mastigação e mostra que tem muita coisa acontecendo na sua cabeça. Você não está relaxado, não está aproveitando o momento. A refeição deve ser uma forma de reverência. Ao comer, pense apenas nas coisas bonitas que quer fazer, no seu propósito principal e nas coisas de que mais gosta.

Se você está comendo na companhia de alguém e estão conversando, o assunto deve ser agradável, e não uma troca de acusações. Quando um homem está sentado diante de uma mulher, ele pode falar sobre os belos olhos, o penteado, o batom dela, enfim, sobre todas as coisas que as mulheres gostam de conversar (se for com o homem certo). Mesmo se você estiver sentado de frente para a sua esposa, não vejo como isso não ajudará vocês dois. Diga algo agradável sobre ela enquanto se alimentam, por exemplo, que a torrada está gostosa e o café foi bem passado naquela manhã. Nunca me sento à mesa sem elogiar Annie Lou por tudo que é servido, pois foi ela quem preparou. (Eu a ajudo um pouco, espremendo o suco de laranja, mas todo o resto é ela quem faz.) Transformamos as nossas refeições em rituais. Dedicamos duas horas ao café da manhã, não por comermos demais, mas pela forma como comemos. Quando terminamos, nossos cachorrinhos, sempre sentados ali perto, ficam esperando que lhes dispensemos um pouco de atenção. Um deles sobe no meu colo, e o outro sobe no colo dela, e assim passam um tempo conosco. Falamos um pouco da língua deles e nos divertimos. Os cachorros se divertem, nós nos divertimos, e isso faz bem à nossa saúde.

Imagino que haja pessoas entre os meus seguidores que, se descobrissem como vivo, achariam que sou um tanto excêntrico. Bom, excêntrico ou não, aprendi a viver, e isso é importante, não é?

Não coma chocolates, amendoim ou lanches entre as refeições, e não beba refrigerante demais. Conheço pessoas que no almoço engolem um monte de doces e lanches que compram na banca de jornais, acompanhados por uma ou duas garrafas de refrigerante. O estômago de um jovem aguenta esse tipo de dieta por um tempo, mas não está sendo cuidado da maneira certa. Mais cedo ou mais tarde, a natureza cobrará o preço pelo fato de o estômago ter sido tão maltratado.

Seria muito melhor se as pessoas levassem para comer no escritório um pé de alface com um belo molho de salada, ou então alguma fruta, como uvas compradas na banquinha de frutas.

Bebidas alcoólicas em excesso também são sempre um tabu, mas em quantidades razoáveis não constituem problema. Tomo um coquetel, até dois, e esse é o meu limite. Poderia tomar três, mas aí diria ou faria coisas que não me beneficiariam. Gosto de ficar no controle da minha mente o tempo todo.

Qual é a graça de estimular o estômago e o cérebro a ponto de deixar de ser você mesmo? As pessoas acabam descobrindo mais coisas sobre você do que gostaria. É papel de bobo, não é? Você não acha que qualquer pessoa, não importa quem seja, que perdeu o freio na língua por causa da bebida passa um vexame que não lhe traz benefício algum?

Não acredito na necessidade de ser um puritano. Se vou a uma casa onde as pessoas estão bebendo, como acontece com frequência, não digo: "Ah, não. Eu não bebo essas coisas. Não chego nem perto". Aceito a bebida e, se não estiver com vontade de beber, fico segurando-a na mão a noite inteira. Às vezes, se preciso falar em público, jogo a bebida fora para acharem que a bebi. Seria ridículo me deixar transtornar pelo álcool antes de falar em público.

Bebida, cigarro, em síntese, todo o resto, se forem ingeridos com moderação e você controlá-los, em vez de eles o controlarem, não são ruins, mas é ainda melhor se puder evitá-los.

Agora veja que assim agrado todo mundo. Eu disse que não gosto de bebidas, e disse também que gosto. E me expresso desse modo para que cada um ouça o que quiser a partir dessa história. Você fará isso de qualquer forma, então é melhor que eu lhe facilite as coisas.

Tome vitaminas se precisar suplementar alguma deficiência nutricional, mas apenas mediante prescrição de um médico ou de alguém que entenda do assunto. Não vá à farmácia e diga: "Quero aquela marca que resolve tudo de uma vez só". Isso é besteira; não existe vitamina que lhe forneça tudo de que precisa. Eu tenho uma série de vitaminas no meu quarto, e cada uma tem uma função.

RELAXAMENTO E DIVERSÃO

Você precisa se divertir para manter uma boa saúde, então equilibre todo o trabalho com uma quantidade equivalente de diversão. Isso não significa um número equivalente de horas, porque não funciona assim. Posso compensar uma hora de trabalho com cinco minutos de diversão. Sou um escritor motivacional, como você deve imaginar, e escrevo quando me sinto energizado. É como se eu fosse para outro plano. Escrever exige muito do corpo, fisicamente, e só consigo aguentar quarenta minutos seguidos. Depois desse tempo, vou até o piano e me sento para tocar por cinco ou dez minutos, como forma de equilibrar aquela atividade intensa. Depois retomo o trabalho por mais quarenta minutos.

Não sei tocar piano, mas faço um barulho medonho com ele. Annie Lou diz que o único ser que gosta de me ouvir tocar é Sparky, minha Lulu da Pomerânia, que senta no banco do piano ao meu lado e diz: "Olá, Sr. *Paderewski*"[31]. Ela realmente acha que eu toco piano; é muito querida.

Outro hábito excelente é dormir oito horas por dia, se dispuser de tempo para isso. Não fique se virando, gemendo ou roncando. Deite-se e durma tranquilo. Assuma essa boa relação consigo mesmo, com a sua consciência e com as pessoas próximas, para que não tenha nada com que se preocupar. Ao deitar a cabeça naquele seu velho travesseiro, tente cair no sono de imediato.

Treine-se para não se preocupar com coisas que você *não é capaz* de reparar. Já é bem ruim se preocupar com aquilo que você *é capaz* de consertar. Eu não me preocuparia por mais tempo do que levei para o reparo. Há algum tempo, um dos meus alunos me perguntou se eu não me preocupava muito com as pessoas que traziam seus problemas para mim. Eu disse: "Problema dos outros? Imagine! Não me preocupo nem com os meus próprios problemas. Por que me preocuparia com os problemas dos outros?".

Isso não significa que eu seja indiferente. Não mesmo. Sou muito sensível aos problemas dos meus alunos e dos meus amigos, mas não a ponto de deixar que se tornem um problema *meu*. Os problemas continuam sendo *dos outros*. Farei de tudo para ajudar a resolver, mas não

---

31. Referência a Ignacy Jan Paderewski (1860–1941), pianista, compositor, político e diplomata polaco, que se tornou um dos pianistas mais famosos de sua época.

os assumirei como meus. Não é a minha forma de agir e lhe sugiro que não aja assim também. Muitas pessoas, além de abrirem espaço para os seus próprios problemas, ainda assumem os de seus parentes, amigos, vizinhos e às vezes até os do país inteiro.

Muita gente hoje se preocupa com a bomba atômica. Eu não, porque, quando acontecer, nem saberei. Então por que me preocupar? Sigo adiante, trabalhando como se o mundo estivesse passando por um processo de ajustes. Se não der certo, terei feito o meu melhor, e é tudo o que podemos fazer, seja lá o que esperam de nós. A preocupação não me atinge. Não fique procurando problemas, pois vão encontrar você em algum momento, de qualquer forma.

Como as circunstâncias da vida têm um jeito estranho de nos revelar as coisas que estamos buscando, se procurarmos defeitos nos outros, ou problemas, ou coisas com que nos preocuparmos, sempre encontraremos, e nem precisaremos ir muito longe. Dentro de sua casa já existem várias coisas com que se preocupar, caso esteja em busca de motivos para preocupação.

ESPERANÇA

Uma boa saúde inspira esperança, e esta inspira uma boa saúde. Uma pessoa sem esperança está perdida. E ao falar *esperança* refiro-me a um objetivo ainda não atingido, algo pelo qual você está batalhando, algo que está tentando fazer. Você sabe que vai fazer e que não precisa se preocupar porque as coisas não estão acontecendo tão rápido como gostaria.

Muitas pessoas desejam ser ricas, querem ganhar muito dinheiro rápido, o que as influencia de modo negativo e não é bom. São muito impacientes, ficam nervosas e se enfurecem porque não ganham dinheiro com a rapidez que esperavam.

Cultive a esperança orando todos os dias, com suas próprias palavras ou sem precisar usar palavras, apenas em pensamento. Ore não para conquistar mais bênçãos, mas por aquelas que você já tem, como a liberdade enquanto cidadão americano.

Desconfio que seja difícil para nós, americanos, o reconhecimento pleno dos benefícios resultantes da liberdade neste país – podemos ser nós mesmos, viver nossas próprias vidas, ter nossos objetivos, fazer amizades, votar como quisermos, orar por quem quisermos e fazer praticamente qualquer coisa que desejarmos, mesmo se nos prejudicarmos com nosso estilo de vida, se for isso que quisermos.

Há também o privilégio de agir por iniciativa própria e de ter um trabalho livre de perigos. Hoje não corremos o risco de uma nova guerra. Talvez haja esse perigo daqui a algum tempo, mas não hoje.

Expresse gratidão pela oportunidade de garantir a sua liberdade econômica de acordo com os seus talentos, pela sua saúde física e mental e pelo tempo que tem pela frente. A parte mais rica da minha vida e das minhas conquistas está à minha frente. Ainda sou jovem, só frequentei o jardim de infância. Agora vou para a escola da minha profissão e farei um belo trabalho. Em síntese, aproveito melhor meu tempo hoje do que no passado.

Há ainda a esperança por um mundo melhor agora que a guerra acabou e não enfrentamos a iminência de outra. Ajude a construir um mundo melhor colocando em prática esta filosofia, primeiro em sua vida e depois na vida das pessoas ao seu redor. Não restam dúvidas de que você pode fazer do mundo um lugar melhor.

EVITE TOMAR REMÉDIOS

Evite tomar remédios e adquirir outros hábitos enganosos. Tudo bem tomá-los com recomendação médica, mas evite que isso se torne um hábito. Jogue fora a aspirina e os comprimidos para dor de cabeça assim que puder. A dor de cabeça é o jeito de a natureza avisá-lo que alguma coisa precisa ser endireitada, ou seja, há algo errado, e é melhor que dê um jeito.

Você sabia que a dor física está entre as criações mais milagrosas da natureza? É uma língua universal. Todos os seres vivos compreendem quando a dor física começa a limitá-los, porque é uma forma de aviso.

É um péssimo hábito ingerir laxantes. Lembre-se, não se encontra uma boa saúde em frascos de remédio, mas sim no ar fresco, em comidas e pensamentos saudáveis e em bons hábitos – coisas que estão sob o seu controle.

Cuide do peso. Os obesos podem ser pessoas de boa índole, mas quase sempre morrem jovens. Não gosto de ver jovens morrendo.

JEJUM

Se você quer saber um dos segredos da minha saúde incrível, da minha energia abundante e do porquê de eu não ter doença alguma, a resposta está em jejuar durante dez dias duas vezes por ano. Dez dias sem qualquer tipo de alimento. Condiciono meu corpo em dois dias de preparação, alimentando-me apenas de frutas e sucos de frutas: nada além de elementos vivos e vitais entram no meu corpo. Em seguida, passo para um jejum à base de água, nada além de água pura, tudo que conseguir beber. Apenas coloco algumas gotas de um aromatizante ou de suco de limão, algo do tipo, para dar algum sabor, porque, acredite, quando estamos jejuando, a água tem um gosto absolutamente sem graça. Quando encerro o jejum, mantenho uma dieta bem leve por dois dias. No primeiro, eu só tomo uma tigela pequena de sopa sem nenhuma gordura e como uma fatia de pão integral.

Mas não vá começar a jejuar só porque eu disse.

Só jejue quando você aprender mais a respeito e souber o porquê disso, seguindo as recomendações de um médico ou de algum especialista na área. Aprendi a arte do jejum com Bernarr, MacFadden[32] quando peguei a gripe de 1928. Mesmo depois de curado, ela ficava voltando a cada duas semanas de uma forma leve. Contei a Bernarr e ele disse: "Por que você não se livra dela de uma vez por todas?". Então perguntei como, ao que ele respondeu: "Vamos matá-la de fome". E me convenceu de que eu precisava purificar o meu corpo por inteiro e deixar de alimentar a gripe.

É claro, a gripe morreu mesmo e nunca mais se manifestou. Desde então, só fui ter algo minimamente parecido com uma gripe neste ano. Imunizo o meu corpo contra essas coisas jejuando duas vezes por ano.

Ao fazer o seu primeiro jejum, você viverá uma das experiências espirituais mais maravilhosas, lembrando-se de fatos que aconteceram quando ainda usava fraldas. Aconteceu comigo. Eu me lembrei de uma conversa com a minha mãe enquanto estava brincando no jardim, apenas de fraldas. Era um dia quente de verão. Ela se aproximou, fez algumas perguntas, e respondi. Lembrei as perguntas e as respostas tão claramente como se tivesse acontecido havia poucos minutos. Muitos outros eventos da minha infância também me vieram à mente. Em outras palavras, todo o meu sistema de memória foi revitalizado.

Se eu tivesse preocupações antes de jejuar, não conseguiria mantê-las, porque elas se dissolvem no ar no período do jejum. Outra coisa: quando você ganha do seu estômago, quando exerce domínio absoluto sobre ele, consegue dominar muitas outras coisas depois de sair do jejum.

---

32. Bernarr MacFadden (1868–1955) foi um defensor americano da cultura física, uma combinação de musculação com teorias nutricionais e de saúde.

Conheço pessoas que jejuaram por quarenta dias. Conheço médicos que curaram câncer por meio do jejum. Já vi acontecer. Há um enorme valor econômico, espiritual e terapêutico no jejum.

TRABALHO SAUDÁVEL

O trabalho deve ser uma bênção, pois Deus quis que toda criatura se dedicasse ao labor de alguma forma. Os pássaros no ar e os animais na selva não revolvem o solo, nem semeiam, nem colhem, mas ainda assim precisam trabalhar para poder comer.

O trabalho deve vir acompanhado de um espírito de reverência – como um rito. Que maravilhoso seria se você encarasse o seu trabalho como a prestação de um serviço útil, e não como algo pelo qual será recompensado do ponto de vista financeiro! Pense nas pessoas que você vai ajudar como resultado do que está fazendo da sua vida.

Quando você se empenha em um trabalho de amor, quando faz algo por uma pessoa simplesmente porque a ama, nunca acha o trabalho difícil. Ele lhe faz bem; você é recompensado.

Fazer além do necessário é o aspecto mais incrível desta filosofia. Faz você se sentir melhor – consigo mesmo, com o seu próximo –, e você assume uma posição mais aprimorada no âmbito da saúde.

O trabalho deve se basear na esperança de atingir o propósito principal definido. Assim, ele passa a ser voluntário, um prazer a buscar, não um peso a carregar.

Trabalhe com um espírito de gratidão pelas bênçãos que o trabalho proporciona à sua saúde física e à sua segurança econômica, bem como pelos benefícios que ele garante aos seus dependentes.

FÉ

Aprenda a se comunicar com a inteligência infinita e ajuste-se às leis da natureza, que se evidenciam em tudo ao seu redor. Esse é um dos mais significativos sistemas de cura que conheço, uma fonte de fé eterna e inabalável. Se qualquer doença pensar em se aproximar, desconheço melhor remédio, pois a fé faz coisas incríveis pelo seu corpo físico.

Acredite na cura. Se algo de errado acontecer com o meu corpo físico, acredito que eu seja capaz de ir até o deserto, ficar com a pele exposta ao sol e trabalhar nisso. Com a combinação de terra e luz solar concebidas por Deus, sei que eliminarei qualquer coisa que queira interferir no meu corpo. Sei que conseguiria.

HÁBITOS

Todos os hábitos se tornam permanentes e automáticos por meio da ação da força cósmica do hábito, que obriga todos os seres vivos a assumir e a se transformar em uma parte das influências ambientais de onde eles existem. (Tratarei da força cósmica do hábito na próxima lição.) Você pode criar padrões para os seus hábitos, tanto os de pensamento como os físicos, mas as forças cósmicas do hábito assumem o controle e agem ao seu próprio modo. Entenda essa lei e saberá por que os hipocondríacos gostam de ficar doentes. A saúde começa com uma mentalidade saudável, e já falamos resumidamente dos fatores com potencial de despertar essa consciência. Se você não tem uma boa consciência sobre a saúde, não é saudável.

16
Força cósmica do hábito

Chegamos a uma lição maravilhosa, para mim, a mais profunda de todas. Se algum de vocês chegou a estudar Emerson, se tiverem lido o ensaio *Compensação*, escrito por ele, incorporarão o espírito desta lição muito mais rápido e aproveitarão os ensinamentos de forma ainda melhor.

Depois de ter lido os ensaios de Emerson por dez anos, sobretudo o que fala sobre compensação[33], finalmente o entendi. E disse que algum dia o reescreveria para que as pessoas pudessem entendê-lo de primeira. Esta lição é a reescrita que prometi.

Chamamos de *força cósmica do hábito* porque é a força que controla todas as muitas leis naturais do universo, que funcionam de forma automática, sem a mínima interrupção. Elas são estabelecidas para que as pessoas que as compreendam e se adaptem a elas progridam muito na vida. Caso contrário, só sofrerão derrotas.

Você já deve ter se questionado muito sobre hábitos: por que os temos, por que os adotamos, como nos livramos daqueles que não quere-

---

33. Célebre filósofo e escritor, Ralph Waldo Emerson escreveu o ensaio aqui citado, considerado por muitos uma atualização da Lei da Semeadura e da Colheita (Gálatas, 6: 7,8).

mos mais. Espero que a partir desta lição você vislumbre uma resposta a essas perguntas.

Como já repeti muitas vezes, as pessoas têm controle sobre uma única coisa: o privilégio de construir os próprios hábitos, eliminando alguns, trocando-os por outros, refinando-os, modificando-os, fazendo qualquer coisa que queiram com eles. Os seres humanos têm essa prerrogativa por serem as únicas criaturas na face da Terra com tal capacidade. Todos os outros seres vivos seguem um padrão de vida que determina seu destino, do qual não conseguem se afastar nem um centímetro. Chamamos isso de *instinto*.

O homem não é limitado pelo instinto, apenas pela imaginação e pela força de vontade da própria mente. Ele pode projetá-las para o objetivo que quiser. Pode construir qualquer hábito que lhe propicie atingir os seus objetivos, e neste capítulo falo desse assunto.

Concebeu-se a ciência do sucesso que você vem estudando para formarmos hábitos que gerem segurança financeira, saúde e paz de espírito, elementos fundamentais para a felicidade.

A LEI DA NATUREZA

Nesta lição, examinaremos rapidamente a lei estabelecida pela natureza que perpetua todos os hábitos, menos os do homem, capaz de criar seus próprios hábitos e mudá-los sempre que quiser. É maravilhoso pensar que o Criador nos deu pleno controle da nossa própria mente e um meio para usá-lo. A lei da força cósmica do hábito constitui o meio pelo qual você define o padrão da própria mente e a direciona para o objetivo que escolher.

Alguns dos padrões determinados pela força cósmica do hábito não podem ser cancelados ou evitados, pois têm a ver com as estrelas e os planetas. Não é fantástico contemplar todos os milhões, bilhões e quatrilhões de planetas e estrelas lá no céu, todos funcionando de acordo com um sistema, sem nunca colidir? O sistema é tão preciso que os astrônomos conseguem determinar a relação exata de certas estrelas e planetas centenas de anos antes.

Se o Criador tivesse que pendurar aquelas estrelas e ficar cuidando delas todas as noites, seria um cara muito ocupado. Mas Ele não vai fazer isso, pois tem um método melhor, que funciona automaticamente, do tipo do meu modelo de oito príncipes – entidades imaginárias, nem tão imaginárias –, o qual cuida de todas as minhas necessidades. Eu não preciso me preocupar; eles cuidam de tudo.

Não estou dizendo que sou tão inteligente quanto o Criador. Mas suponho que Ele seja inteligente a ponto de estabelecer um método automático e constante, que funcione em todo o universo ou universos. O método trabalha a favor de, ou contra, todas as pessoas, sem distinção. Se você aprender estas leis, pode se adaptar e começar a se beneficiar com elas. Se não as aprender, provavelmente sofrerá, seja por ignorância, seja por negligência.

A maioria das pessoas, sem reconhecer a existência de uma maravilhosa lei da força cósmica do hábito, ainda percorre todo o caminho da vida usando-a. Para quê? Para trazer prosperidade, saúde, sucesso e paz de espírito?

Não. Elas trazem pobreza, doença, frustração, medo e todas as coisas que as pessoas não querem ao manter a mente fixa nessas coisas. A força cósmica do hábito capta esses hábitos de pensamento e os torna permanentes, pelo menos até eu aparecer para rompê-los com esta ciência da filosofia do sucesso.

O Sr. Stone e eu recebemos uma moça muito charmosa em nosso escritório, a qual desejava nos vender um espaço em um livro que ela estava publicando, sobre a influência da data de nascimento nas pessoas, e queria saber quando nasci.

O Sr. Stone não a deixou ir muito longe. Ele disse à moça que não queria ter qualquer vínculo com um livro cujo pressuposto se assentava na relação entre a data de nascimento e os eventos de nossa vida. Antes de encerrar, ele esclareceu:

– Bom, não posso falar por Napoleon Hill, mas esta é a minha decisão.

– Bem – eu disse –, o senhor acabou de fazer o meu discurso.

Pouco me importa a estrela sob a qual você nasceu. Pouco me importam as circunstâncias desfavoráveis que lhe aconteceram no passado. Sei que podemos trabalhar juntos, e, se você seguir as minhas instruções, sairá de onde está agora e chegará aonde quiser, e com facilidade. Sei que você é capaz de criar hábitos que facilitam tanto o alcance do sucesso que irá se perguntar por que trabalhou tão duro antes e não chegou tão longe. A maioria das pessoas trabalha mais para fracassar na vida do que eu trabalho para prosperar – muito mais. É muito mais fácil, e muito mais prazeroso, prosperar quando se aprendem as regras.

Você não prosperará se não entender a força cósmica do hábito e não começar a desenvolver hábitos que o levem aonde quer chegar. Não há "se", "e", "talvez" ou "mas" aqui. Apenas desenvolva hábitos que o conduzirão ao caminho almejado.

As estações do ano vêm e vão com regularidade. Tudo que aflora do solo da Terra se reproduz e cresce. Todas as sementes reproduzem exatamente sua própria espécie, sem variação, como acontece com todos os seres vivos, dos protozoários aos homens.

Falando estritamente, o que acabei de dizer não está correto. Na verdade, *existe* uma variação resultante do ambiente, das condições climáticas e da localização. Por exemplo, morei na Flórida, onde costumava sair para caçar coelhos com outros senhores. No norte, via coelhos com pelagem cinza, mas ali os coelhos tinham pelagem preta, e achei que fossem gatos. Todos eles estavam matando outros coelhos, mas não matei nenhum por achar que eram gatos.

Há variações. Luther Burbank[34] descobriu que poderia usar as variações das flores e misturá-las, para produzir novas espécies.

O *habitat* também é um elemento relevante nas reações químicas da matéria, das menores partículas – elétrons e prótons – às maiores, como as estrelas. Todas as ações e reações da matéria se baseiam em hábitos fixos da força cósmica do hábito.

Você já pensou que até as menores partículas da matéria decorrem de um hábito? Cada semente reproduz sua própria espécie, mas a reprodução de cada indivíduo é modificada pelas vibrações do ambiente em que ele vive.

Os hábitos de pensamento são determinados de modo automático e se tornam permanentes por causa da força cósmica do hábito, queira você ou não. Os pensamentos que você manifesta se estabelecerão como hábitos. Não se preocupe em fixar a mente nas coisas que quer para que elas virem hábitos. A força cósmica do hábito assumirá o controle a partir daí.

As pessoas criam o próprio padrão de pensamento por meio da repetição. A lei da força cósmica do hábito torna esses padrões permanentes, a menos que sejam desfeitos pela vontade da própria pessoa.

FIM DO HÁBITO DE FUMAR

Quando vejo tanta gente fumando cigarros hoje em dia, mesmo com propagandas nas revistas e nos jornais sobre a alta taxa de mortalidade

---

34. Referência a Luther Burbank (1849–1926), botânico e horticultor, pioneiro na ciência agrícola.

do câncer de pulmão decorrente do tabagismo, pergunto-me se as pessoas são ou não capazes de eliminar esse hábito.

Se você quer continuar e ter um câncer de pulmão, o problema é seu, não tenho nada a dizer, mas posso lhe oferecer uma amostra de alguma coisa útil. Se você não conseguir acordar amanhã e provar que a sua força de vontade é mais forte do que uma porção de tabaco enrolada em um pedacinho de papel, significa que precisa reeducá-la imediatamente.

Eu não tenho nenhum hábito que não possa eliminar de pronto. Quando parei de fumar, guardei meus cachimbos. Depois pedi a Annie Lou que se livrasse deles, pois não me serviriam para nada.

Ela disse:

– Vou guardá-los até você pedir.

Eu retruquei:

– Jogue tudo fora. Não vou mais precisar disso.

Se você não pode controlar o hábito de fumar, será muito difícil controlar aqueles que se referem ao medo, à pobreza e às coisas que sua mente fica remoendo.

Quando tenho que dar um jeito em alguns dos meus inimigos, sempre começo pelo sujeito mais forte. Depois de acabar com ele, os outros colocam o rabo entre as pernas e saem correndo. Se você tem hábitos que gostaria de largar, não comece com os pequenos, com os mais fáceis. Qualquer um pode fazer isso. Comece com os maiores, aqueles com os quais você quer acabar de vez.

Pegue o maço de cigarros que já fumou pela metade e, ao chegar em casa, coloque-o no balcão e diga: "Olhe aqui, camarada. Talvez você não saiba, mas eu sou mais forte do que você. Vou provar isso não mexendo mais neste maço. Você ficará aqui por quarenta dias. Depois, não vou mais precisar de cigarros".

Não, não estou falando mal da indústria tabagista. Estou apenas fazendo sugestões para você testar a sua capacidade de construir o tipo de hábitos que quer, começando pelos difíceis.

Vou citar outro hábito. Faça um jejum total de uma semana. Diga ao seu estômago que é você quem manda. Ele pode achar que é o chefe, mas é você. Não aja sozinho. Procure a ajuda de um médico, porque jejuar não é brincadeira de criança. Mas controle o seu estômago, e então ficará surpreso com a quantidade de coisas que consegue controlar.

Como teremos sucesso se permitimos que uma infinidade de hábitos, os quais surgem ao longo das circunstâncias do dia a dia, assumam o controle e dominem a nossa vida? Impossível alcançar o sucesso assim. Temos que criar hábitos por um tempo suficiente para que a força cósmica do hábito se encarregue deles automaticamente.

SAÚDE FÍSICA

Vejamos como uma pessoa pode aplicar a lei da força cósmica do hábito à saúde física.

Pode-se contribuir para a manutenção da saúde do seu corpo físico por meio de quatro padrões de hábitos. Não é muito difícil. Se você quer provar a consistência, potência e eficácia desta lei da força cósmica do hábito, eis aqui uma boa forma de começar, porque não conheço nada neste mundo que as pessoas queiram mais do que um corpo físico forte e saudável, capaz de atender a todas as necessidades da vida.

Eu não conseguiria fazer meu trabalho, não conseguiria escrever livros motivacionais, não conseguiria dar palestras se não soubesse que, ao colocar o pé no meu acelerador, por assim dizer, encontraria potência. Não importa a ingremidade da montanha ou a distância do caminho, sei que terei energia para percorrê-lo, porque mantenho meu corpo em boas condições.

Primeiro de tudo, comece aplicando a força cósmica do hábito no seu pensamento, para assim conquistar uma boa saúde. A mente positiva fomenta uma mentalidade saudável. Mentalidade é a consciência constante sobre determinada condição; mentalidade saudável se refere à tendência da sua mente de focar a saúde, não doenças ou problemas de saúde.

A maioria das pessoas se diverte muito falando sobre as próprias cirurgias. Seis meses atrás, um amigo próximo, que acabara de sair do hospital, veio me visitar. E descreveu a cirurgia com tanta precisão que senti o bisturi percorrendo as minhas costas, até me virar e massageá-las. Além disso, tinha começado a sentir dores no lugar que ele estava descrevendo, mas consegui reassumir o controle.

Quando meu amigo foi embora, não lhe pedi que me visitasse outra vez. A maioria das pessoas não gosta de ouvir falar sobre problemas de saúde. Ninguém está interessado nas suas doenças, nem você deve se interessar tanto assim, a menos que seja para se livrar delas. A melhor forma de alcançar isso é pelo desenvolvimento de uma mentalidade saudável: pense em saúde, fale sobre saúde.

Olhe-se no espelho dezenas de vezes por dia e diga: "Você é saudável". Converse consigo mesmo. Você se surpreenderá com os resultados. Vá até o seu armário de remédios, pegue todos os frascos, aspirinas e laxantes, jogue tudo fora e diga: "A partir de agora, a minha saúde virá do ar fresco, dos bons pensamentos, do exercício físico e de uma boa alimentação, não de remédios".

A mente positiva fomenta uma mentalidade saudável. A força cósmica do hábito executa o padrão de pensamento até a sua conclusão lógica, mas, da mesma forma, executa a imagem de uma mentalidade doente criada pelos hábitos de pensamento de um hipocondríaco. Ela chega até a produzir os sintomas físicos e mentais de qualquer doença sobre a qual a pessoa fique pensando e temendo.

Se você pensar demais em uma doença ou em um problema de saúde, a natureza vai de fato simulá-la no corpo físico. Lá no condado de Wise, na Virgína, conheci uma idosa que vivia nas montanhas. Quando eu era garoto, ela costumava visitar minha avó todo sábado à tarde. Sentada na varanda da frente da casa, aquela senhora nos distraía com conversas sobre as cirurgias dela e do marido, sobre a forma como o marido morreu, como a mãe morreu, como dois de seus filhos morreram. Depois de três ou quatro horas, ela sempre encerrava dizendo, as mãos firmes no seio esquerdo: "Eu sei que vou morrer de câncer".

Eu a vi fazendo isso dezenas de vezes. Naquela época, eu nem sabia o que era câncer; só descobri mais tarde. Anos depois, meu pai me enviou uma cópia do jornal do condado e lá estava o anúncio do falecimento da tia Sarey Anne, de câncer no seio esquerdo. Ela finalmente atraíra a doença com as suas palavras.

Esse caso não é um exagero. É, por coincidência, um fato que conheço. Da mesma forma, você pode atrair uma dor de cabeça com palavras, pode atrair um problema no estômago. Na verdade, pode atrair com as palavras qualquer coisa que a sua mente fique remoendo sobre os aspectos negativos do corpo físico.

ALIMENTAÇÃO CORRETA

A atitude mental e os padrões de pensamento estabelecidos na alimentação e nas duas ou três horas seguintes, enquanto a comida está sendo transformada em líquido para chegar até a corrente sanguínea, podem determinar se o alimento entra no nosso corpo de maneira adequada para nos manter saudáveis. A atitude mental ao comer torna-se parte da energia que entra na corrente sanguínea.

Como já salientei, se uma mulher se sente incomodada, chateada ou assustada enquanto amamenta seu bebê no peito, ele terá cólica imediatamente após mamar. Se você é casado e tem filhos, sabe disso. Sabe que a atitude mental das mães altera a composição química do leite que carregam no peito. Da mesma forma, a atitude mental também muda a composição química do alimento no estômago antes mesmo de chegar à corrente sanguínea.

Não se alimente quando estiver alterado ou fisicamente cansado. Sente-se, descanse, relaxe. Na verdade, a comida deveria ser uma forma de exercício religioso, uma cerimônia religiosa. Ao me levantar pela manhã (ao menos quando estou em casa), a primeira coisa que faço é ir até a cozinha, onde preparo um belo copo de suco de laranja. Depois, saio de casa e vou aonde consigo ver os cervos descendo as montanhas para beber água. Mantenho meu ritual de dizer: "Abençoado seja este suco de laranja. Olhe só, pessoal: aí vão seus irmãos e irmãs. Esses irmãozinhos e irmãzinhas estão entrando na minha corrente sanguínea para me animar, ajudar e permitir desfrutar meu café da manhã". Agradeço cada gota do suco de laranja que entra no meu corpo, em vez de simplesmente virar o copo e engolir tudo de uma vez. Sorvo devagar e reverencio cada gole.

Se você pensa que é brincadeira, esqueça, pois estou contando a você algo muito importante. Se adotar o hábito de abençoar a sua comida, não apenas ao se sentar à mesa, mas também enquanto ela entra no seu corpo, dará um passo muito importante para se manter saudável.

ENCARE O TRABALHO COMO UM RITUAL RELIGIOSO

Em relação ao seu trabalho, eis aqui duas atitudes mentais que podem ser grandes aliadas do mecânico silencioso que trabalha em todas as células do nosso corpo enquanto estamos ocupados com alguma ação física. O trabalho também deveria se tornar um ritual religioso, com a combinação de apenas pensamentos positivos.

Um problema da nossa civilização consiste em haver no mundo pouquíssimas pessoas comprometidas com um trabalho que amam, ou seja, que fazem o que fazem simplesmente porque querem, e não porque precisam comer. Eu torço e oro para que, antes de partir para o outro lado, tenha contribuído positivamente para que as pessoas encontrem o trabalho que amam, do qual tirem o sustento e ganhem a vida. E estou torcendo e orando para que aqueles que se associem à minha empresa como professores também anseiem pelo momento em que poderão fazer grandes contribuições nesse sentido.

Que mundo maravilhoso seria este se não fosse por algumas pessoas! Qual o problema delas? Nenhum. Apenas mantêm hábitos errados. Pensam de um jeito errado. A minha missão na vida – e a sua missão ao se associar a mim – é ajudar a mudar a forma como as pessoas pensam e lhes oferecer um conjunto mais proveitoso de hábitos do que os atuais. Incentivá-las a pensar em termos de saúde, abundância e plenitude, e de irmandade e camaradagem, no lugar das disputas entre homens e entre nações; ajudá-las a eliminar os pensamentos sobre guerra, substituindo-os por outros sobre cooperação.

Há abundância neste mundo para todos, inclusive para os animais, desde que algumas pessoas não extrapolem. Sinceramente, não quero ter vantagem e capacidade alguma que não possam ser compartilhadas com pessoas de todos os lugares. Não quero tirar vantagem de ninguém. Desejo só oportunidades para compartilhar não apenas meu conhecimento com os outros, mas também a minha capacidade de ajudá-los a se ajudarem.

Os famosos irmãos Mayo[35] descobriram quatro fatores vitais para manter uma boa saúde física: equilíbrio entre os hábitos de pensamen-

---

35. Referência aos irmãos William e Charles Mayo, fundadores da Clínica Mayo; eles acreditavam que um trabalho médico organizado era elemento essencial do sucesso em medicina.

to sobre trabalho, lazer, amor e espiritualidade, caso contrário, o resultado quase sempre será uma doença física. Tal inciativa partiu do grande Mayo Institute, por cujas clínicas já passaram milhares de pessoas.

Trago aqui uma justificativa consistente para um dos mais significativos motivos de fazer além do necessário, hábito que não apenas nos traz benefícios econômicos, mas também nos permite trabalhar com uma atitude mental fomentadora de boa saúde física. Quando fazemos algo por amor, por vontade de ajudar os outros, o trabalho tende a melhorar a nossa saúde. E, é claro, existem ainda outras vantagens, pois, sempre que prestamos um serviço útil a alguém, ele fica nos devendo um favor. Se você tem muitas pessoas lhe devendo favores, sempre que lhes pedir alguma coisa elas não terão como negar, nem desejarão negar.

Por comparação, pense em uma pessoa que costuma trabalhar de má vontade e com um estado de espírito negativo. Ninguém quer trabalhar com ela nem vai querer empregá-la, pois prejudica todos ao seu redor. Andrew Carnegie me disse que uma única mente negativa em uma empresa de dez mil funcionários tem potencial de envenenar a mente de todos os outros em dois ou três dias, ainda que a pessoa nem abra a boca, apenas com a força do pensamento.

Se eu for a uma casa onde está acontecendo uma briga entre os membros da família, consigo sentir desde o jardim o clima negativo e nem sei se vou querer entrar ou não. E certamente sinto o mesmo depois de entrar no ambiente.

Temos um experimento em casa que demonstra isso melhor do que qualquer palavra minha. Quase sempre, quando uma pessoa entra na nossa casa pela primeira vez, ela olha em volta e faz algum elogio. Um editor veio me ver há algum tempo e, quando entrou na nossa sala de estar, disse:

– Que casa bonita! – olhando o ambiente mais uma vez, comentou: – É só uma casa comum. Não tem nada de extraordinário. A beleza está na forma como me sinto aqui. A energia é muito boa.

– Agora você está chegando perto – eu disse. – Está entendendo o espírito da coisa.

Minha casa é carregada de energia positiva. Não permitimos nenhum tipo de desarmonia nela. Como eu disse, até os nossos cachorrinhos sentem isso e reagem à energia da casa, percebendo quando alguém não está em harmonia com o ambiente. Se vão até uma pessoa, eles a cheiram e percebem que ela está em harmonia, lambem-lhe as mãos. Se eles não gostam, se descobrem que a pessoa não está em harmonia, latem e a espantam.

Todas as casas, empresas, ruas, cidades têm sua própria energia formada pelos pensamentos dominantes de quem trabalha e passa por ali. Ao passear pela Quinta Avenida em Nova York, com todas aquelas lojas enormes como a Tiffany, você captará o sentimento das pessoas dali e se sentirá igualmente próspero, pouco importando quanto dinheiro tenha em seu bolso. Se você descer pouco mais de quatro quadras até a Oitava ou a Nona Avenida, chegando ao Hell's Kitchen[36], aposto que não vai conseguir andar um quarteirão sem se sentir mais pobre do que um rato de igreja, ainda que tenha todo o dinheiro do mundo, porque as pessoas ali são abatidas pela pobreza: pensam como pobres, vivem na miséria, mentalidade que domina toda aquela parte da cidade.

Caso você me vendasse e me levasse até lá, eu conseguiria dizer-lhe o exato momento em que chegamos à Quinta Avenida, à Oitava ou à Nona, pois sentiria a energia com a mesma facilidade que teria se os meus olhos estivessem abertos.

---

36. Traduzido livremente como Cozinha do Inferno, é um bairro de Manhattan, na cidade de Nova York, antes conhecido pelos altos índices de criminalidade e violência.

BENEFÍCIOS ECONÔMICOS E FINANCEIROS

Vejamos o que extrair da força cósmica do hábito em relação ao dinheiro. Podemos entregar a ela uma imagem exata da condição financeira que desejamos manter, o que será automaticamente captado e levado até sua conclusão lógica por uma inexorável lei da natureza, que desconhece o fracasso.

Já observei que as pessoas bem-sucedidas pensam constantemente naquilo que podem fazer, e nunca no que não podem. Certa vez perguntei a uma delas se havia alguma coisa que queria fazer, mas não podia. A resposta foi: "Não penso nas coisas que não posso fazer; só naquelas que posso".

Mas muitos não são assim; pensam em coisas que não podem fazer, preocupam-se e, consequentemente, acabam não realizando. Por exemplo, pensam no dinheiro que não têm e se preocupam com isso. Como consequência, ficam sem dinheiro algum e nunca conseguem ganhar nada.

A questão do dinheiro é bem peculiar. De um jeito ou de outro, ele não vai atrás do sujeito que não acredita merecê-lo. Como é inanimado, não acredito que seja culpa dele. Acho que o problema está na mente da pessoa que não se acredita capaz de ganhar mais.

Já notei que, quando meus alunos começam a acreditar que podem fazer coisas, a situação financeira deles começa a mudar. Também já notei o inverso: quando não acreditam que podem fazer alguma coisa, simplesmente não fazem.

O propósito desta filosofia se resume a induzir os alunos a criar hábitos de crença em si mesmos e em suas próprias capacidades de direcionar a mente ao que desejam na vida, e a mantê-la longe das coisas que não querem.

Se você não sabe muito sobre Mahatma Gandhi, seria uma boa ideia pegar um livro sobre ele e ler. Foi um homem que não tinha nada – soldados, dinheiro ou equipamentos militares – para combater os ingleses, a não ser a própria mente. Não tinha nem calças e mesmo assim acabou com o Império Britânico, combatendo apenas com o poder mental. Gandhi não queria os britânicos por lá, não os aceitava, e então eles tiveram a brilhante ideia de ir embora.

É surpreendente quantas pessoas agem da mesma forma quando você ajusta sua mente contra elas. Não é preciso dizer ou fazer nada; basta falar mentalmente "Eu não quero aquela pessoa na minha vida", e ela vai acabar indo embora, às vezes até bem rápido. Carrego um caderninho comigo e, sempre que alguém entra no meu caminho de um jeito que não quero, escrevo o nome da pessoa ali. Só isso, e nunca anotei um nome que não tenha saído da minha vida para nunca mais voltar.

A força da mente é mesmo poderosa, potente, fantástica e profunda. E vale a pena chamar atenção para o fato de que ninguém nunca conquistou independência financeira sem primeiro ter criado uma mentalidade próspera, assim como ninguém se mantém fisicamente bem sem antes estabelecer uma mentalidade saudável.

É um fato bem conhecido da psicologia a manutenção de uma mentalidade pobre das pessoas abatidas pela miséria, algumas delas desde a infância até o final da vida. Lembro-me muito bem da minha maior dificuldade quando comecei a trabalhar com Andrew Carnegie: esquecer que eu havia nascido em meio à pobreza, ao analfabetismo e à ignorância. Levei um bom tempo para me esquecer das montanhas do condado de Wise, na Virgínia, onde nasci. Quando eu começava a entrevistar alguma personalidade formidável, pensava: "Como eu sou insignificante perto dele. Acho que vou me envergonhar e sentir medo", porque me recordava da minha origem e da pobreza. Demorou um tempo para conseguir me livrar disso. Mas, por fim, consegui e comecei a pensar em termos de abundância, dizendo: "Por que Anderson não falaria comigo, se a minha mente é tão brilhante quanto a dele?". Eu não só achava isso, mas também, em certo momento, vi se tornar realidade.

Esta filosofia se espalhou e está se espalhando por todo o mundo, destinada a se espalhar ainda mais rápido, para mais longe e de maneira mais profunda. E esse sucesso equivale às conquistas de Anderson, Wanamaker, Carnergie ou qualquer outra pessoa. É uma vitória aproximar-se e influenciar a vida de milhões de pessoas de todo o mundo de maneira positiva. Eu não teria conseguido chegar até aqui se não tivesse mudado os hábitos e os pensamentos de Napoleon Hill.

O meu maior trabalho não estava em me encontrar com homens de negócios e levá-los a colaborar comigo. Isso era fácil. O mais complicado era mudar os hábitos de pensamento de Napoleon Hill. Se eu não os tivesse mudado, meus livros nunca causariam tanto efeito. Mas, antes de conseguir escrevê-los, precisei reconstruir meus processos de pensamento por inteiro para manter minha mente focada automaticamente em coisas positivas.

OBSESSÕES DE MEDO E FÉ

Não há nada que um médico tema mais do que a obsessão de um paciente, o que ocorre quando ele fica tão vazio e subjugado que receia que a medicina não consiga curar a doença. O médico sabe muito bem que, sem a cooperação da mente do paciente, não obterá resultado algum. Não importa o tipo de remédio prescrito; é fundamental o poder da mente da pessoa.

Todos nós viemos a este plano com um incrível sistema próprio de cura, uma química que fragmenta os alimentos e os distribui pelo corpo. Se você tiver bons pensamentos, comer de modo saudável, exercitar-se direito e viver bem, seu médico interior cuidará de todo o resto automaticamente. Ele se chama *resistência física*; denomine-o sobre o que quiser. É um sistema que nos foi ofertado pela natureza para equilibrar tudo de que precisamos para manter o nosso corpo em boas condições o tempo todo, mas precisamos fazer a nossa parte. Se o alimento que você tira do solo não tem os nutrientes vitais, a natureza não o usará para lhe garantir um corpo saudável, e é por isso que existem as vitaminas.

As obsessões não precisam ser negativas, mas tome cuidados com aquelas baseadas no medo e nas limitações autoimpostas, que o levam a acreditar em coisas que você não pode fazer, com medo de críticas ou de algo mais.

Se você quiser aproveitar a obsessão e se beneficiar da lei da força cósmica do hábito, concentre-se na obsessão com a fé aplicada. Como despertar uma obsessão? Pela repetição, aplicando-a em tudo o que faz, pensa e diz. Alguns de vocês irão se lembrar da fórmula: "Eu melhoro um pouco a cada dia em tudo o que posso". Milhões de pessoas de todo o país a diziam, mas ela só teria alguma utilidade se a primeira pessoa que repetiu a frase acreditasse no que estava dizendo. Era preciso "estar" na fala e no pensamento enquanto as palavras eram repetidas. Muitas pessoas a repetiram inúmeras vezes e acabaram desanimando. Não funcionou porque não acreditavam nas próprias palavras. Dá para entender o porquê. Não importa a frase que você diga; importa que os seus padrões de pensamentos estejam positivos e você os repita incansavelmente.

Sempre podemos transmutar qualquer energia negativa em algo que nos beneficiará e também ajudará as pessoas de nosso convívio. A força cósmica do hábito que vem se aprimorando em mim ao longo dos anos condicionou a minha mente para que, com um estalar de dedos, eu consiga mudar de um estado para outro. Você é capaz de fazer a mesma coisa, e quero que faça. Quero que mantenha o hábito de pensar de forma positiva até que a força cósmica do hábito se apodere da sua atitude mental e a torne predominantemente positiva.

O desenrolar das circunstâncias da vida costumam tornar a mente da maioria das pessoas predominantemente negativa o tempo tudo. Mude isso e torne a sua mente predominantemente positiva o tempo todo. Você é capaz de ativar esse poder, seja lá o que queira, e receber alguma resposta da inteligência infinita.

No entanto, ela não fará nada por você enquanto estiver em um estado de raiva, por mais que tenha o direito de senti-la. A inteligência infinita não fará nada *por* você, mas deixará que faça algo *a* si mesmo se o seu estado mental for negativo.

Não aja, não entre em qualquer relacionamento se estiver com uma atitude mental negativa. Para evitá-la, crie hábitos positivos e permita que a força cósmica do hábito assuma o controle e deixe a positividade predominar na sua mente.

Evite elementos negativos ao criar obsessões: pobreza, doenças imaginárias, preguiça. Sabe o que é um preguiçoso? Alguém que não encontrou um trabalho que ama. Isso mesmo: a preguiça vive em pessoas que não encontraram algo de que gostem. Algumas pessoas são bem difíceis de agradar, pois passam a vida procurando álibis: não gostam disso, não gostam daquilo. Na verdade, não gostam de nada e ponto final.

Evite também outros hábitos negativos como inveja, ganância, raiva, ódio, ciúme, desonestidade, falta de objetivo ou de propósito na vida, irritabilidade, vaidade, arrogância, cinismo e vontade de machucar os outros. Essas coisas acabam se tornando obsessões na vida da maioria das pessoas, e você não pode se permitir esse tipo de obsessão. Sai caro demais.

Os hábitos positivos que precisa se permitir ter – e que não pode *deixar* de ter – se referem à definição de um propósito principal. Faça disso a sua obsessão de todas as maneiras possíveis. Alimente-se dela, durma com ela, absorva-a. Todos os dias da sua vida, dedique-se a alguma ação que o levará rumo ao seu propósito principal definido. Outros hábitos positivos são fé, iniciativa pessoal, entusiasmo, disposição para andar um quilômetro a mais, imaginação, traços de personalidade agradável, pensamento aguçado e todos os outros recomendados nesta filosofia de realização pessoal.

Permita que essas coisas se transformem em obsessões mentais. Viva e aja de acordo com elas, pense nelas, relacione-se com as pessoas ligadas a elas e ficará surpreso em constatar como aqueles que tentaram feri-lo se afastarão rapidamente, por conta própria, e se tornarão impotentes e ineficazes. Ficará surpreso em perceber como atrairá novas oportunidades para a sua vida. Ficará surpreso com a rapidez com que conseguirá resolver os seus problemas. Você se perguntará por que motivo, em vez de se preocupar tanto, não agiu para resolvê-los – tudo isso por transformar esses hábitos positivos em obsessões.

Note também que todos esses hábitos estão sujeitos ao seu controle por meio da repetição do pensamento. Basta continuar a repetir, e agir conforme os pensamentos: palavras sem ações, como você sabe, não valem nada. Procure concretizar algum tipo de ação.

Como um profissional, por exemplo, um dentista, médico, advogado ou engenheiro, consegue atrair vários pacientes que concordam em aceitar as condições determinadas por eles e pagar as contas pontualmente?

A eficácia começa com o próprio profissional, cuja atitude mental diante dos clientes ou pacientes constitui um elemento determinante de como agirão diante dele. Não há como fugir. É a absoluta verdade. Acontece com comerciantes, com pessoas em qualquer emprego ou com qualquer um.

Em outras palavras, se você quer mudar as pessoas, não comece com elas, mas consigo mesmo. Acerte a sua atitude mental e descobrirá que as outras pessoas se alinharão a ela. Não poderão evitar. Na verdade, se você tiver uma mente positiva, uma pessoa em um estado mental negativo nunca o influenciará. A mente positiva sempre domina a negativa.

HEREDITARIEDADE FÍSICA E SOCIAL

Estamos aqui hoje por causa de duas formas de hereditariedade. Sobre uma delas temos total controle; sobre a outra, nenhum. Por meio da hereditariedade física, trazemos a este mundo a soma total de todos os nossos ancestrais. Se nascemos com uma boa capacidade mental, corpos bonitos e bem desenvolvidos, isso é ótimo, mas, se nascemos com uma corcunda ou alguma deformação, não há nada que possamos fazer. Em outras palavras, precisamos aceitar a hereditariedade física.

É claro que podemos nos adaptar a um corpo problemático. Charles P. Steinmetz, por exemplo, nasceu com uma curvatura na coluna, mas se adaptou de tal forma que acabou se tornando um grande gênio. Outra pessoa teria usado o problema físico como desculpa para se sentar com uma latinha e alguns lápis em uma esquina qualquer. Como eu já disse, conheci um homem que havia perdido as duas pernas por causa da poliomielite e vendia lápis a duas quadras de distância da Casa Branca, onde outro homem com o mesmo problema estava no comando do maior país do mundo. Ele transformou seu problema em um trunfo, e não em uma penalização.

No entanto, a segunda forma de hereditariedade, de caráter social, é bem diferente. Ela consiste em todas as influências que recebemos a partir do nascimento, talvez até mesmo antes de nascer.

As coisas que você ouve, vê, aprende e lê, as lendas que o influenciam constituem a sua hereditariedade social. Tudo de mais importante que acontece conosco ao longo da vida decorre em grande parte da nossa relação com a nossa herança social, ou daquilo que incorporamos do nosso ambiente e do que conseguimos controlar.

Todos nós deveríamos fazer uma autoanálise em relação às coisas em que acreditamos, para determinar nosso direito de crermos nelas. De onde vêm nossas crenças? O que as corrobora? Eu acho que todas as minhas crenças são corroboradas por evidências consistentes, ou ao menos por aquilo que acredito serem evidências.

Quando chegam as eleições, penso: quem, no final das contas, vai fazer um trabalho melhor? Quem é o candidato mais honesto e mais competente? Em 1928, Al Smith[37] concorreu à presidência. Não sou católico, mas votei nele porque achei que faria um bom trabalho. No meu livro de regras, a religião não importa. Se a pessoa for boa e quiser ocupar um cargo público, vou ajudá-la a chegar lá.

Entretanto, não cheguei a esse estado de tolerância e mente aberta do dia para a noite. Houve um tempo em que eu era tão intolerante quanto qualquer um, mas descobri que isso era ruim para mim. Reagindo à força cósmica do hábito, consegui criar um conjunto de hábitos que me levam a acreditar que não tenho qualquer preconceito ou opinião injusta sobre qualquer pessoa ou qualquer coisa deste mundo.

---

37. Al Smith, governador de Nova York, foi candidato à presidência dos Estados Unidos na eleição de 1928, realizando uma campanha notável, porque foi o primeiro católico indicado de um partido importante.

17

Planejamento do tempo e dos recursos

Esta última lição, que envolve planejar o uso do tempo e do dinheiro, ainda que não tão poética quanto algumas das outras, é igualmente importante. Se você almeja segurança financeira, precisa fazer ao menos duas coisas: planejar o uso do seu tempo e do seu dinheiro, os seus gastos e as suas receitas, para que tenha um plano claro a seguir.

PLANEJAMENTO DO TEMPO

Vamos começar pelo tempo. Você tem 24 horas divididas em três períodos de oito horas: oito de sono, oito de trabalho e oito de lazer, tempo livre para outras atividades.

É impossível que controle as oito horas de sono; isso cabe à natureza, e nem sempre você consegue controlar as oito horas dedicadas ao trabalho. Mas restam ainda oito horas, que lhe pertencem, ou seja, você pode usá-las como quiser: diversão, trabalho, descontração, algum curso de capacitação, leitura... qualquer coisa que queira.

Aí se encontra a maior oportunidade de todas as 24 horas. Lá atrás, quando eu conduzia a minha pesquisa, trabalhava dezesseis horas por dia, mas amava o que fazia. Reservava oito horas por dia para dormir e trabalhava as outras dezesseis. Durante parte daquele tempo, dava cursos a vendedores para ganhar o meu sustento, mas a maior parte era dedicada à pesquisa para trazer esta filosofia ao mundo. Eu nunca teria conseguido fazer a pesquisa necessária se não dispusesse de oito horas de tempo livre.

Outra coisa me ajudou no início da minha carreira, e foi muita sorte: construí uma ponte cruzando o rio Monongahela, na Virgína Ocidental, que me rendeu dinheiro para cuidar da minha família pelo resto da vida deles. Colho os frutos até hoje, então não precisei fazer mais investimentos desde aquele tempo. A mão do destino me foi estendida com uma chance maravilhosa, quando eu mais precisava.

Nas oito horas de tempo livre, você pode desenvolver todos os hábitos que desejar, mas nunca deixe de trabalhar em um plano para condicionar a sua mente à positividade. Ainda que não precise seguir os meus planos, poderá aproveitar algumas boas ideias da lição sobre fé aplicada, força cósmica do hábito e MasterMind.

É claro que você conhece o meu plano, que envolve os oito amigos que me guiam e trabalham para mim. Talvez queira uma técnica diferente; talvez crie o seu próprio plano e, se for melhor do que o que lhe dei, siga-o. Mas tenha algum plano ao qual dedicar ao menos parte dessas oito horas de tempo livre todos os dias, para assim condicionar a sua mente a ser positiva. Quando surgirem adversidades, você lidará com elas.

PLANEJAMENTO DA RENDA E DAS DESPESAS

A primeira coisa da sua lista: anote a sua renda mensal ou semanal em um caderno de orçamento e organize-a da seguinte forma: em primeiro lugar, um percentual definido, geralmente menos de 10% da sua renda bruta, para um seguro de vida. Tendo família ou não, um seguro de vida é obrigatório. Não se dê ao luxo de recusá-lo. Se colocou filhos neste mundo e é responsável pela educação deles, cabe a você garantir que, se sair de cena e não tiver mais condições de sustentá-los, eles tenham dinheiro suficiente para custear a própria educação. Se é casado e a sua esposa depende totalmente de você, garanta a ela uma cobertura para que possa ter um valor de entrada para conquistar um segundo marido, se você sair de cena.

Quando entro em um avião para voltar à Califórnia, sempre vou a uma daquelas máquinas e compro uma apólice de seguro de vida do maior valor possível, US$ 50 mil. Além disso, tenho outra apólice de seguro contra acidentes. Um seguro de vida lhe garante uma proteção incrível caso não consiga mais produzir na sociedade.

Um homem de um setor cujos próprios serviços representam uma grande parte dos seus bens deve ter um seguro que garanta um valor capaz de preencher a enorme lacuna quando ele não estiver mais aqui.

O seguro de vida é a primeira coisa da lista. Em seguida vem um percentual para alimentação, vestuário e moradia. Não se empolgue demais. Você pode ir até o supermercado e gastar cinco vezes mais do que de fato precisa se não tiver um método a seguir. Pessoalmente, compro tudo o que quiser, pois estou em uma posição em que não preciso mais de um orçamento para comida e vestuário. Mas já precisei, e imagino que um orçamento seja necessário para a maioria das pessoas.

Estabeleça um valor para investimentos, coisa de poucos dólares por semana. Não se trata do valor que você reserva, mas sim do hábito de ser esperto e moderado. É muito bom não desperdiçar nada.

Sempre admirei muito os alemães por causa da moderação. Eles poupam, não desperdiçam. Sempre admirei pessoas que não desperdiçam nada, como meu avô, que costumava sair por aí coletando pregos, fios e pedaços de metal. Você ficaria surpreso com a coleção que ele juntou.

A minha moderação nunca alcançou esse ponto. Sempre me inclinei mais para Rolls-Royces e propriedades enormes. Mas, acredite, aprendi há muito tempo que, independentemente do quanto desta filosofia você leve consigo, se não tiver um método para economizar parte do dinheiro que ganha, será muito difícil economizar.

Qualquer valor que sobre depois de você pagar as despesas de alimentação, vestuário e moradia deve ir para uma conta-corrente ou poupança para coisas como emergências, lazer e educação. Nesse aspecto, não precisa seguir um orçamento. Em outras palavras, é uma conta de alta liquidez, e, se você for bastante moderado, essa conta irá aumentar bastante. Não é maravilhoso saber que você tem uma reserva no banco para que, não importa o que aconteça, vá até lá e saque o dinheiro? Talvez você não precise dele, mas, se não o tiver, acredite, surgirão milhares de necessidades, e sentirá medo diante de cada uma delas.

Talvez o que me dê mais coragem para falar o que penso, ser eu mesmo e exigir que as pessoas saiam do meu pé seja o fato de não mais me preocupar com dinheiro. As pessoas às vezes tentam me incomodar, mas é como disse Confúcio: "Quando o rato tenta puxar o bigode do gato, o rato geralmente acaba na honorável barriga do gato".

Não me interessa quanto você economiza com este método, mas sim o fato de criar o hábito de manter uma poupança moderada. Se a sua renda é tão baixa que você não tem mais de onde cortar despesas e só pode reservar um centavo a cada dólar ganho, pegue esse centavo e coloque-o em algum lugar de onde seja difícil resgatá-lo.

Acredito muito em fundos de investimento, que representam uma grande variedade de títulos bem conhecidos, então, se algo der errado com algum deles, isso não prejudicará todos os seus investimentos. Há inúmeros fundos. Alguns são bons, outros nem tanto. Se você quiser investir em um, vá ao banco ou a alguma outra instituição qualificada.

Não faça isso por conta própria. De forma geral, as pessoas não têm capacidade de decidir o tipo de investimento sozinhas.

Faça com que o seu dinheiro trabalhe para você e começará a gostar de saber que está reservando certa quantia todo mês ou toda semana, a qual está trabalhando para você.

Quando vou ao banco, sempre pego uma nota de US$ 20 e a coloco em um compartimento especial da minha carteira, por via das dúvidas. Sempre tenho comigo esse valor, e já acabei precisando dele. Veio bem a calhar.

ANÁLISE DOS HÁBITOS

Faça uma autoanálise e descubra os hábitos que se relacionam às coisas que importam para você. Atribua-se uma nota de 0 a 100.

Em primeiro lugar, a escolha da sua profissão ou trabalho. Quanto tempo dedica a isso? Quanto tempo dedicou ao preparo de um trabalho, a um negócio ou a uma profissão que você ame? Se ainda não encontrou a profissão ou o trabalho que representam algo que você ame, dedique bastante tempo até encontrá-lo.

Em relação aos hábitos de pensamento, quanto tempo você se dedica a pensar nas coisas que pode fazer e quanto tempo pensa naquelas que não pode fazer? Em outras palavras, quanto tempo se dedica ao que você deseja e ao que não deseja? Quanto tempo dedica às coisas que não quer na vida: doença, frustração, decepção, desânimo? Aposto que se surpreenderia se tivesse um cronômetro para registrar o tempo diário que dedica a preocupações. As primeiras coisas que lhe vêm à cabeça, na maior parte do seu tempo, são dedicadas a pensar naquilo que não quer.

Tenha um método de controle que o ajude a manter a mente focada nas coisas que você quer. Reservo três horas diárias à meditação e às orações em silêncio. Três horas. Não importa a que horas chegue em casa, sempre dedicarei três horas à meditação, para expressar gratidão pela oportunidade incrível de levar a minha palavra às pessoas. Se eu não conseguir meditar e orar ao final da noite, faço isso em algum momento durante o dia.

A melhor oração do mundo não é aquela em que se pede algo, mas sim aquela em que se agradece pelo que já se tem: "Divina Providência, não peço mais riquezas, mas sim mais sabedoria para saber usar melhor as riquezas que já possuo".

Você tem muitas riquezas: saúde, um país maravilhoso, bons vizinhos, participação em um grupo incrível, aprendizado sobre uma filosofia magnífica. Acredite e agradeça por tudo.

Pense nas coisas que tenho a agradecer. Não resta dúvida de que sou rico, não é? Por quê? Haveria algo errado comigo se eu não fosse rico. Se eu não pudesse vir aqui e contar-lhe que tenho tudo o que desejo no mundo, haveria algo errado comigo e com esta filosofia. Eu não teria o direito de lhe ensinar qualquer coisa se não pudesse falar sobre mim. Se eu descobrisse alguém capaz de me tirar do meu lugar, usurpar minha filosofia e adaptá-la para benefício próprio, não mereceria o que tenho. Mas sou o mestre do meu destino, o capitão da minha alma porque vivo de acordo com a minha filosofia, porque ela foi concebida para ajudar outras pessoas, porque eu nunca, em momento algum, faço nada intencionalmente para prejudicar, magoar ou colocar em perigo qualquer outra pessoa.

Sobre os relacionamentos pessoais, quanto tempo você dedica, de boa vontade, às suas relações interpessoais no trabalho ou nos negócios? Você dedica algum tempo ao cultivo do relacionamento com as pessoas? Se não dedicar, não terá amigos. Longe dos olhos, longe do coração. Por melhor que sejam os amigos, se você não mantiver contato com eles, em breve o esquecerão. Mantenha contato. Algum dia, vou criar uma série de cartões-postais com belas frases sobre amizade para que meus alunos enviem um por semana aos seus amigos, só para manter contato.

Essa não seria uma má ideia para um negócio ou para um profissional, e não levaria ninguém à violação da própria ética profissional. Não haveria qualquer intenção comercial. Bastaria enviar um cartão por mês, doze cartões por ano com uma bela mensagem e assinados de próprio punho. Acredite, seria a melhor coisa do mundo para desenvolver essa prática.

Lembremos também os hábitos de saúde física e mental. Quanto tempo você dedica à criação de hábitos que despertam a sua consciência sobre a saúde? Essa consciência não existirá caso não faça a sua parte.

Quanto tempo você dedica a viver a sua religião? Não estou falando de crenças. Não me refiro a ir à igreja e doar umas moedinhas de vez em quando. Qualquer um pode fazer isso. Quanto da sua religião você vive no seu quarto, na sua sala de visitas, na sua cozinha, no seu local de trabalho? Leve em conta esses locais, e não a igreja. É possível que você vá à igreja uma vez por semana. A frequência e a contribuição financeira não importam. Importa, sim, a forma como você vive a religião no dia a dia. Não conheço nenhuma religião na face da Terra que não seria maravilhosa se as pessoas a seguissem de fato.

Pode parecer banal pedir-lhe que se avalie em relação a quanto tempo dedica a viver a sua religião, mas, a menos que você seja muito diferente da maioria que eu conheço, precisa pensar a respeito.

Faça uma autoanálise sobre o uso que faz do seu tempo livre. Quantas das oito horas de tempo livre você dedica a algum tipo de progresso que seja de seu interesse, ao seu desenvolvimento intelectual, ou ao cultivo de associações benéficas?

E também precisamos falar da questão do orçamento: como gastar dinheiro.

Você tem um método para isso? Se não tiver, crie um flexível. Pensamento aguçado: quanto tempo você se dedica a aprender a pensar direito, seguindo as regras que expliquei naquela lição? Você simplesmente a leu sem fazer nada a respeito? Quanto dela vai colocar em prática, pensando direito e por conta própria?

Destaco também a forma como se usa o poder do pensamento, se de modo controlado ou não. Você controla os seus pensamentos, ou todos eles são descontrolados? Está deixando as circunstâncias da vida o controlarem? Está tentando criar alguma circunstância que possa controlar? É impossível controlar todas, mas você certamente pode criar algumas circunstâncias controláveis.

E se falássemos sobre o privilégio do voto? Você diz: "Eu não vou às urnas. Os bandidos estão no comando do país, então meu voto não vai adiantar nada", ou então diz: "Tenho uma responsabilidade. Vou às urnas votar porque é meu dever"? Você dedica o seu tempo a isso? O fato de muitas pessoas não votarem explica por que há tantos políticos corruptos nos cargos públicos, os quais não deveriam estar ali. Muita gente respeitável não vota. Confesso que eu mesmo já deixei de votar uma vez ou outra. Não estou inventando desculpas. Digo simplesmente que aceito minha punição.

E as relações familiares, elas são harmoniosas?

Você tem uma relação de MasterMind ou está deixando isso para depois? Quanto tempo dedica à construção e ao aprimoramento das suas relações familiares? Aja nesse sentido. Alguém tem que ceder, e, se a esposa não cede, por que o senhor não o faz? E vice-versa. Se o marido não cede, comece a praticar um pouco de MasterMind: por que não ceder? Você quer despertar o interesse dele? Tenho certeza de que despertou o interesse do seu esposo antes de se casarem.

Você é feliz no casamento? Por que não tenta recomeçar e negociar seu casamento de novo para que tenham uma relação incrível?

Vale a pena, inclusive pela paz de espírito. Vale a pena financeiramente. Valer a pena nas amizades. Vale a pena em todas as relações.

No seu negócio ou na sua profissão, você anda um quilômetro a mais e gosta do seu trabalho? Se você não gosta, descubra por quê.

Se você anda um quilômetro a mais, quanto de fato tem feito a mais? De que formas tem feito isso? Usa uma atitude mental correta? Não me importa quem você seja ou o que fale: se fizer questão de andar um quilômetro a mais para todas as pessoas possíveis, chegará um momento em que terá tantos amigos que, sempre que precisar deles, estarão lá prontos para ajudá-lo.

A Annie Lou leva a vida um pouco mais a sério do que eu. Ela trabalha em muitas coisas de que não gosta; eu não, não faço nada de que não goste, mas nós dois nos encontramos em uma situação formidável. Temos uma saúde de ferro. Ela é exatamente a mulher que eu queria que estivesse encenando comigo este fantástico teatro da vida. Temos tudo de que precisamos. E, se não tivermos, basta que estalemos os dedos e aquilo virá de milhões de fontes diferentes.

Não pense nem por um segundo que nosso patrimônio não decorre de merecimento. Nós fizemos por merecer, e nem poderia ser diferente: ninguém na vida tem qualquer coisa que não mereça.

Chegamos ao fim da Masterclass. Lembre-se sempre de que este não é um curso de curta duração: para obter cooperação e ter amigos, é preciso também ser um bom amigo.

Livros para mudar o mundo. O seu mundo.

Para conhecer os nossos próximos lançamentos
e títulos disponíveis, acesse:

🌐 www.**citadel**.com.br

f /**citadeleditora**

📷 @**citadeleditora**

🐦 @**citadeleditora**

▶ Citadel – Grupo Editorial

Para mais informações ou dúvidas sobre a obra,
entre em contato conosco por e-mail:

✉ contato@**citadel**.com.br